HOOFDZUSTER HELEN

Irene Heywood Jones

HOOFDZUSTER HELEN

Uitgeverij Areopagus

Oorspronkelijke titel
Senior Sister
Uitgave
W.H. Allen, Londen
© 1983 by Irene Heywood Jones

Vertaling
Ineke Wieberdink
Omslagontwerp
Sjef Nix
Omslagfoto
Pim Westerweel

BENOEMING

Waarom weet ik niet, maar iedereen scheen aan te nemen dat ik automatisch hoofdzuster zou worden als die post vrijkwam. En het was misschien ook wel logisch dat de eerste verpleegkundige haar cheffin zou opvolgen wanneer die afscheid nam.

'Natuurlijk krijg jij die baan, lieverd,' zei Doreen – ons manusje-van-alles – op haar gebruikelijke geruststellende manier.

Het was echter een feit dat promoties in de gezondheidszorg niet vanzelfsprekend plaatsvonden, maar ik bleek een van de weinigen te zijn die zich bewust waren van alle rompslomp bij dergelijke vacatures.

Eerlijk gezegd had ik er zelf nog niet eens aan gedacht. Ik was nog steeds ondersteboven van het nieuws dat Bridie binnenkort zou weggaan, en als ik eraan dacht wat dat allemaal met zich zou mee-brengen! Het kwam als een donderslag bij heldere hemel: Bridie O'Connell had na de kerstvakantie – ze was al wat ouder – zonder de minste of geringste waarschuwing plotseling haar verloving aan-gekondigd.

Na meer dan twintig jaar in de verpleging werkzaam te zijn ge-weest – waarvan tien jaar trouwe dienst op Parker – stond ze nu op het punt weg te gaan en alles de rug toe te keren. Wie had ooit kunnen denken dat ze dit bolwerk zou verlaten? Hoe zou ze zonder dit werk kunnen leven? Hoe zou het ziekenhuis zonder háár kunnen func-tioneren? Wie kon zich Gartland General Hospital voorstellen zon-der deze nestor van de afdeling vrouwenchirurgie? Het was of er een tijdperk werd afgesloten, of een deel van het meubilair was weg-gehaald. Wie zou in staat zijn haar – deze moeder van de afdeling vrouwenchirurgie – op te volgen?

Tja, het voltallige personeel was er vast van overtuigd dat ík dat zou zijn – zelfs Bridie – en dat was op zich al een aanbeveling.

'Enig hè, van zuster O'Connell,' ging Doreen verder. 'Ik ben dol op bruiloften.'

Er was duidelijk al heel wat over Bridies vertrek en mijn blijven op

5

de afdeling gepraat en gespeculeerd en ik weet zeker dat er heel wat onrust heerste omtrent het lot van de afdeling. Maar het gonzen van voorspellingen die op kletspraat waren gebaseerd kon een gerucht al snel in een feit veranderen en mij op die manier in verlegenheid brengen.

'Goed, meisjes, laten we die opvolging voorlopig maar laten voor wat hij is en weer aan het werk gaan. Er zijn nog altijd achtentwintig dames die jullie onverdeelde zorg en aandacht nodig hebben.' Na de rapportoverdracht stuurde ik de zusters van de late dienst de zusterpost uit.

'Je kunt maar beter weten waar je aan toe bent, nietwaar?' zei Burrows, en had op die manier toch nog het laatste woord.

Het was begrijpelijk dat er de nodige bezorgdheid heerste over het toekomstige leiderschap van de afdeling; de baas aan het roer kan de werksfeer maken of breken. En het afdelingspersoneel had naar alle waarschijnlijkheid het meest te lijden onder al het gedoe rond de benoeming van een nieuw afdelingshoofd. Ze zouden ongetwijfeld tevreden zijn als ik de functie zou krijgen: ze kenden me en ik kende hen en ik was de afgelopen negen maanden zonder veel problemen een van hen geworden.

Maar wilde ik wel hoofdzuster worden? En bestond er echt een kans dat ik het zou worden? Ik was minder dan een jaar eerste verpleegkundige geweest en dat was de enige functie die ik in dit ziekenhuis had bekleed. Misschien waren er wel andere zusters in het Gartland die op deze benoeming aasden.

Maar ondanks alle vacatures en trouwplannen die in het verschiet lagen, moesten we verder met het nooit aflatende werk van onze drukke chirurgische afdeling.

Toen ik mijn ronde over de afdeling maakte – ik noemde het ook wel mijn 'wandelingetje' omdat dit een stuk minder officieel klonk – stonden de dames op het punt aan hun middagslaapje te beginnen. Het was altijd zinvol om even met iedereen persoonlijk een praatje te maken, als een soort gebaar om te laten zien dat ik de leiding over de afdeling had. Voor mezelf was het ook handig om te zien hoe de zaken ervoor stonden en hoe het werk het beste ingedeeld kon worden. Vaak kreeg ik op dit soort momenten ook probleempjes ingefluisterd waarover de patiënten zich zorgen maakten, dingen waar ze 'even met de zuster over wilden praten'.

Het was een komen en gaan van patiënten die uit het dagverblijf kwamen, in de rij stonden voor het toilet, hun kussens opschudden en terwijl ze voorzichtig in bed klommen kreunend hun wonden ondersteunden.

'Het is zeker koud buiten, hè zuster?' vroeg mevrouw Gilray terwijl ik haar in bed hielp.

'Ja, ijskoud. Ik moet zeggen dat ik blij was vandaag naar mijn werk te kunnen om een beetje warm te worden,' antwoordde ik, en ik merkte dat het op de afdeling warm en een beetje benauwd was. Een prima plek voor bacteriën! Waar bleef de 'voldoende ventilatie' waar in de boeken altijd sprake van was? Niemand wilde dat het raam bij zijn of haar éigen bed openstond.

'Mooi nieuws over zuster O'Connell, hè?' ging ze verder, in haar handtasje rommelend. 'Dat zal wel betekenen dat u nu hoofdzuster wordt, hè?'

Het zou vermoedelijk niet lang duren voor het nieuws zich als een lopend vuurtje onder de patiënten zou verspreiden. Ze waren altijd bijzonder geïnteresseerd in zaken die het personeel betroffen: huwelijken, zwangerschappen, problemen met vriendjes en ziekten waren onderwerpen die in het dagverblijf gretig besproken werden. De afdeling en iedereen die zich daar bevond, – zowel personeel als medepatiënten – vormden een eigen wereldje. Het was niet meer dan normaal dat de patiënten van tijd tot tijd deelden in onze vreugden en ellende, zoals wij ook bij hun wel en wee betrokken waren.

Ik kon het deel van de vraag dat op mij betrekking had omzeilen en was het met haar eens dat het voor Bridie geweldig was.

Vervolgens bekeek ik de operatielijst voor die dag eens en maakte in gedachten aantekeningen over het werk dat dit alles met zich mee zou brengen.

'Dus die thyreoïdectomie – verwijdering van de schildklier – is terug,' zei ik bij mezelf, en bekeek de status van de patiënte, die aantoonde dat haar toestand stabiel was. Ze was een beetje bleek, maar dat was niet verwonderlijk na een operatie en ze lag gerieflijk in de kussens. Ik voelde me gerustgesteld door het feit dat ze zich in de bekwame handen van Kiki Woods – een vast lid van ons team – bevond.

Ik keek even naar de twee snurkende figuren. 'Dat zijn twee lichte gevallen die al terug zijn. Alles in orde, de 'tubes' zijn er al uit en dat zou vanavond verder goed moeten kunnen gaan. Op het ogenblik is de prostaat van de mannenafdeling nog op de o.k.; dat wil zeggen dat de nierstenen van hier nog moeten en als laatste de borstimplantatie.'

Het was altijd verbazingwekkend hoeveel operaties de artsen nog op zo'n lijst wisten te krijgen; een hele dag lang snijden, hakken, vastbinden en naaien zonder even te onderbreken voor een kop koffie of een lunch, laat staan een bezoekje aan het toilet.

Bij het tellen bleek dat er drie infuzen op de afdeling liepen, inclusief het infuus van de operatiepatiënt van gisteren, plus de post-operatieve gevallen van vandaag, en dan nog de andere patiënten, die zich in verschillende stadia van rust, herstel en aansterking bevonden. Maar het was fijn om het druk te hebben en ik genoot van het afwisselende werk op Parker. Op de algemene chirurgische afdeling verveelde je je nooit. Ik bedacht weer dat de werkdagen met Bridie op hun einde liepen. Ja, ik hield van het werk, ik wilde beslist blijven.

'Goedenmiddag, zuster Davies,' begroetten twee dames me gelijktijdig toen ze langs me schuifelden, elkaar ondersteunend op weg naar hun bed.

'Wat een opwinding op Parker vandaag, hè? Wie had ooit gedacht dat zuster O'Connell nog eens aan de man zou komen? Dan is er dus voor ons ook nog hoop,' zei een van hen vrijmoedig, hoewel ik vermoed dat ze wel even had omgekeken om te zien of Bridie misschien in de buurt liep.

'Jazeker,' was ik het met een wrang glimlachje met haar eens. Tja, dacht ik, wie had dat ooit van die oude zuster O'Connell gedacht. Het was voor ons werkelijk een donderslag bij heldere hemel.

'Nog problemen, dames?' informeerde ik.

'Ja, de stoelgang, of liever gezegd, het gebrek daaraan. Kan ik daar iets voor krijgen?' vroeg de openhartige dame.

'Dat kunt u aan de nachtzuster vragen als ze op haar medicijnronde langskomt. Zij zal u wel een laxeermiddel geven en dat kan dan 's nachts zijn werk doen. Maakt u zich daar maar geen zorgen over,' stelde ik haar gerust. 'Stoelgang – of het gebrek eraan – is vaak een groot ongemak na een operatie. Maar het komt vanzelf weer in orde.' Aangezien ik zelf op de o.k. had gezien hoe lomp er daar met de darmen werd omgesprongen, wist ik dat het niet zo vreemd was dat die organen in staking gingen.

Ik vond dat we een prettig groepje dames op de afdeling hadden en zette mijn ronde voort over de lange Nightingale-afdeling. Het was meestal een gezellig stel; ze leken het op Parker altijd wel naar hun zin te hebben en waren meestal tevreden over de verzorging en dankbaar voor hun behandeling. Het was een afdeling die goed werd geleid en zoiets weerspiegelt zich in het personeel en de patiënten. Zou dit alles veranderen als Bridie zou vertrekken, zou het zo prettig blijven, zou ik me zo gelukkig blijven voelen? Ik bleef even bij de drieëntwintigjarige juffrouw Anderson staan die voor een borstimplantatie was opgenomen. Ik bekeek zwijgend het formulier waarop ze haar toestemming voor de ingreep had gegeven en dat aan haar status aan het voeteneinde van haar bed was bevestigd. Het was interessant dat wij ons geen van allen konden herinneren zoiets ooit eerder meegemaakt te hebben. Ik wist dat het plastische chirurgie betrof die maar zelden door het ziekenfonds werd vergoed. Er werd siliconegelei in de borst gebracht om enige vrouwelijke vormen in een nu nog plat geheel te brengen.

'Zocht u mij, zuster?' vroeg de jonge vrouw achter mij. Ze herkende me meteen aan mijn uniform. 'Ik ben net even naar het toilet geweest. De zuster vertelde me dat ze zo zou komen met mijn spuitje voor de operatie.'

Ik kon ruiken dat ze naar het toilet was geweest voor een laatste sigaretje voor ze naar de o.k. zou gaan; nou ja, gedane zaken nemen geen keer en ik zei er maar niets over.

'Bent u juffrouw Anderson? Ik ben zuster Davies, ik was gisteren vrij toen u werd opgenomen.' Ik keek naar het tengere wezentje in haar operatiehemd. Ze was al helemaal klaar voor de ingreep en ze hield het open hemd aan de achterkant dicht om haar blote billen te bedekken.

'Noemt u me alstublieft Jilly. "Juffrouw" klinkt zo officieel en dan voel ik me verschrikkelijk oud.'

Ik was het volkomen met haar eens, maar het zou onbeleefd geweest zijn haar bij haar voornaam te noemen zolang zij dat niet gevraagd had. Het is vaak moeilijk uit te maken waar bij dit soort dingen de grens ligt en dan kun je maar beter aan de veilige kant blijven. Er lopen heel wat oudere 'juffrouwen' rond die zich beledigd voelen door de veronderstelling dat alle dames boven de dertig getrouwd moeten zijn, en ik ben al menigmaal ijzig gecorrigeerd als ik 'mevrouw' zei in plaats van 'juffrouw'.

'Ik zie dat zuster Burrows al bezig is u klaar te maken voor uw gang naar de operatiekamer. Voelt u zich goed? Bent u zenuwachtig?' Gezien de uitdrukking op haar gezicht nam ik aan dat ze nerveus was.

'Ja, ik ben een beetje gespannen, ik ben nog nooit eerder geopereerd,' zei ze terwijl ze herhaaldelijk een haarlokje achter haar oor streek.

Jilly leek erg onzeker nu het grote ogenblik zo dichtbij kwam. Het was niet raadzaam een patiënt in een dergelijke gespannen en opgewonden toestand naar de operatiekamer te sturen.

Helaas werd ik op dat ogenblik gestoord door de leerlingverpleegkundige Taylor, die kwam vragen of ik de niersteenpatiënt die net door de verpleeghulpen van de operatiekamer was opgehaald even wilde komen controleren.

Verdorie! Het was ook altijd hetzelfde. De prioriteiten van de lichamelijke zorg kwamen op de een of andere wijze altijd in botsing met de geestelijke verzorging; altijd moest die opzij gezet worden voor de dwingender noodzaak van de meer tastbare noden.

Ik beloofde Jilly dat ik terug zou komen om nog even met haar te praten. Ik kon haar beslist niet zo ongelukkig en gespannen naar de operatiekamer laten gaan. Toen ze goed en wel in bed lag, kwam ik terug om haar gerust te stellen: ze was niet de enige die zich zorgen maakte over haar algehele narcose. Dat kwam wel vaker voor op Parker!

De niersteenpatiënt stond op het punt om weggereden te worden. Het was regel op Parker dat iedere pre-operatieve patiënt nog eenmaal door een gediplomeerd verpleegkundige werd gecontroleerd voor hij de afdeling verliet om naar de operatiekamer te gaan. Het was een beleid dat ik van harte onderschreef, zowel als veiligheidsmaatregel voor de patiënt als om te zorgen voor een soepel verlopende gang van zaken bij de anesthesist en de chirurg. Ik moet er niet aan denken wat er bijvoorbeeld zou gebeuren als er een dame in de operatiekamer zou verschijnen die haar kunstgebit nog in haar mond had!

Er moest een behoorlijke lijst worden afgewerkt: pre-operatief nuchter zijn, scheren en voorbereiden van de operatieplek volgens de specifieke wensen van de chirurg in kwestie, nog een laatste keer plassen, verwijderen van alle juwelen, haarspelden, valse tanden, nagellak en het nalopen van alle formulieren, aantekeningen en röntgenopnames, vervolgens het operatiehemd en een mutsje. Leerlingen die pas op de afdeling werkten vonden die lijst lastig, maar tijdens hun stage bij ons controleerden ze dat alles zo vaak, dat het ten slotte pure routine werd. Dus moest de controle van de gediplomeerde verpleegkundige gezien worden als een aanvulling, een soort supervisie voor de leerlingen. Het zou niet de eerste keer zijn dat ik nog nagellak moest verwijderen bij een patiënt terwijl ze al als een dode zonder kunstgebit onder de groene lakens van de brancard van de operatiekamer lag.

Nadat ik me van deze routinetaak had gekweten liep ik terug naar Jilly, die een moedige poging deed zich op een tijdschrift te concentreren.

De openhartige, hartelijke patiënte in het bed naast haar legde het 'haar moed inspreken' er te dik bovenop.

'Maak je maar geen zorgen, Jilly, je bent hier in goede handen. Deze meisjes weten wat ze doen, ze doen niets anders, het is gewoon een tweede natuur voor hen. Neem mij bijvoorbeeld, één dag na de operatie zat ik alweer naast mijn bed. Ik was natuurlijk stomverbaasd, maar ze hadden gelijk en nu gaat het geweldig. O, ze zijn hier fantastisch, je zult niets te kort komen. Zuster Davies zal wel voor je zorgen, hè zuster?' En zo ging ze maar door, er stroomde een waterval van post-operatieve details over het meisje heen.

Ik kon haar inderdaad overtuigen van het feit dat ze in goede handen was, hoewel ik maar niet vertelde dat we nog nooit eerder een borstimplantatie op de afdeling hadden gehad. Dokter Simpson – de specialist – zou ons nog duidelijke instructies geven over haar verzorging na de operatie. Ik bedacht dat als Bridie vanmiddag nog op de afdeling was, ik Jilly zelf van de operatiekamer kon halen en dan zou ik de details direct van de juiste personen krijgen. Dat was een van de dingen die ik zo prettig vond in de verpleging. Ongeacht hoe lang je al in het vak zat, er was altijd wel iets nieuws en boeiends dat je interesse wekte. Meer dan voldoende nieuwe ideeën, nieuwe technieken, moderne methoden, moderne geneesmiddelen en nieuw personeel. Als je je steeds open kunt blijven stellen voor nieuwe dingen, wordt dit werk nooit eentonig. Wel vermoeiend, maar niet vervelend.

Ik trok de gordijnen rond het bed van Jilly dicht om de uitgebreide commentaren van onze vurige fan buiten te sluiten.

Jilly gaf – nog voor ik ergens naar had gevraagd – uiting aan haar gevoelens, alsof ze voelde dat haar tijd slechts beperkt was. Misschien vergemakkelijkte mijn uniform de ontboezeming en schonk dat haar vertrouwen. De verpleegkundige straalt vaak het prettige gevoel uit dat ze alles aankan.

'Om eerlijk te zijn voel ik me inderdáád een aanstelster hier tussen al die werkelijk ernstig zieke mensen die zware operaties moeten ondergaan. Ik ben hier alleen maar voor een paar nieuwe tieten. Zou het echt slecht van me zijn om hiervoor tijd van de dokter in beslag te nemen?'

Het was een eerlijke vraag waar ik een eerlijk antwoord op moest geven. Ze voelde zich erg schuldig, zat vol zelfverwijt en had een diepgewortelde pijn.

Pijn. Dat was het. Dat was het antwoord.

Ik legde uit dat de arts nooit aangeboden zou hebben haar te opereren als hij niet had gevonden dat het in haar voordeel zou zijn en haar leven aanzienlijk zou veraangenamen. Haar emotionele pijn zat net zo in de weg als bij anderen de fysieke pijn; het was misschien een beetje jammer dat haar pijn niet duidelijker zichtbaar was. Ik was ervan overtuigd dat dokter Simpson dit besluit niet lichtvaardig had genomen, net zomin als zijzelf.

'Nee, ik ben zeker niet over één nacht ijs gegaan. Het was voor mij heel belangrijk. Tenminste daarbuiten dan,' voegde ze eraan toe.

Ik genoot van het idee dat het ziekenhuis 'binnen' was en de hele rest 'buiten', want het zijn ook werkelijk twee volkomen verschillende werelden.

'Buiten loop ik echt voor gek omdat ik zo plat ben, tenminste, ik heb het gevóel dat ik voor gek loop wanneer ik een T-shirt of een badpak aan heb. Ik ben er al mijn zelfvertrouwen door kwijtgeraakt, en vreselijk depressief geweest. Het was gewoon een obsessie voor me dat ik zo anders was dan andere meisjes. Nou ja, het werd op een gegeven ogenblik zo erg dat ik ben opgehouden met werken, niet meer uitging en allerlei smoesjes verzon om mijn vrienden en kennissen niet meer te hoeven ontmoeten. En van jongens was al helemaal geen sprake. Als tiener werd ik al steeds gepest dat mijn borsten net twee erwten op een plankje waren. Iedereen zei dat ik wel een laatbloeier zou zijn. Allemachtig, maar als het nog later wordt, is het verdorie te laat!' giechelde ze, en ik zag dat ze zich een beetje begon te ontspannen.

'Dus je kunt je voorstellen hoe blij ik was toen ik naar dokter Simpson werd verwezen. Ik was dolblij toen hij zei dat hij me wel wilde helpen. Ik voelde me als herboren. Maar nu ik eenmaal hier ben, is het plotseling heel anders. Ik voel me opgelaten omdat ik gezond ben en vanwege mijn ijdelheid jullie tijd in beslag neem. Ik heb me nooit eerder gerealiseerd hoe blij ik eigenlijk moet zijn dat ik gezond ben.' Jilly keek op haar handen neer.

Het was jammer dat ze het enige jonge meisje op de afdeling was; we hadden meestal vrouwen van middelbare leeftijd en oudere dames. En het kwam des te ongelukkiger uit dat mevrouw Gilray er lag, een patiënte die herstelde na het verwijderen van een borst omdat ze borstkanker had.

Een chirurgische ingreep wordt beter geaccepteerd als het een of andere voelbare pijn wegneemt, als de patiënt weet dat de tijdelijke ellende van de operatie op de lange duur een positief effect heeft. Jilly had in haar dagelijks leven wel geleden, maar in het ziekenhuis – omringd door zieke vrouwen – kwam dat lijden in een ander perspectief te staan. Nu werd ze geconfronteerd met fysieke pijn en levensbedreigende ziekten. Haar ellende verbleekte bij de dingen die ze hier zag. Het was moeilijk koelbloedig een chirurgische ingreep te moeten ondergaan, zonder voorafgaande trauma's, ellende, geschreeuw van 'het doet zo'n pijn, voor mijn part hakken ze dat hele ding eraf!' Jilly's overtuiging van de afgelopen maanden begon te wankelen; ze stond op het punt van gedachten te veranderen en zat vol zelfverwijt.

'Het is heel goed dat je beseft dat je dankbaar moet zijn voor je gezondheid,' haakte ik in op haar positieve commentaar. 'Deze dames hebben borsten, maar zijn niet gezond, terwijl jij geen borsten hebt, maar wel gezond bent. Laten we hopen dat we jullie straks – na een beetje gegoochel – allemaal tevreden naar huis kunnen sturen. Je hebt van dokter Simpson de kans gekregen om dat te krijgen wat je al zo lang wilt hebben. Dan moet je nu niet de moed opgeven. Hij is zeker van zijn zaak, en dat moet jij ook zijn. Voel je je nu een beetje beter?' Het was duidelijk dat dit het geval was, nu ze haar verstikkende overpeinzingen had kunnen luchten.

Ik wilde dat ze de dames die ze om zich heen zag vergat en dat ze zich op haar eigen leven concentreerde, haar leven buiten Parker, en dat ze over haar positieve plannen voor de toekomst zou gaan denken. Ik tipte nog even aan hoe ze zich na de premedicatie – de injectie voor de operatie – zou voelen, wat ze in de kamer van de anesthesist en na de operatie kon verwachten. Het is altijd beter om goed voorbereid te zijn op het onbekende.

Zuster Burrows kwam met de premedicatie, die een uur voor de operatie wordt gegeven en die de patiënt helpt te ontspannen.

Ik ondersteunde Jilly terwijl ze op haar zij lag en zuster Burrows haar handig een prik gaf. Ze deed het zo goed en snel dat de patiënt niet eens merkte dat het gebeurde.

'Leg nu dat tijdschrift maar weg.' Ik reikte langs zuster Burrows om het in haar nachtkastje te leggen. 'Als het medicijn begint te werken, kun je toch niet goed meer lezen. Ga maar lekker liggen en probeer een beetje te slapen, het duurt nog wel eventjes voor ze je komen halen. En niet meer je bed uitgaan, hoor. Hier is de bel, gebruik die maar als je nog iets nodig hebt.'

We lieten Jilly achter de gordijnen liggen, naar ik hoopte met een positieve instelling ten opzichte van de komende operatie.

De hele afdeling was langzamerhand wat gekalmeerd en rustiger geworden. Alle patiënten waardeerden deze verplichte rustperiode voor het bezoekuur en de thee.

BESLUIT

Deze rustige ogenblikken gaven me de kans mijn gevoelens over het ziekenhuis en het werk eens onder de loep te nemen.

Om eerlijk te zijn was ik tijdens mijn verblijf als eerste verpleegkundige nogal gecharmeerd geraakt van de ouderwetse organisatie in het Gartland Hospitaal. Toegegeven, het was geen hypermodern gebouw, zoals het ziekenhuis waar ik was opgeleid. Het kon zelfs niet tippen aan het ziekenhuis waar ik mijn opleiding had gevolgd, maar het had zoveel andere zaken te bieden. Het Gartland stond in een voorstad van Londen, iedereen deed zijn plicht en het was gewoon een plezierige gemeenschap. Ik voelde me hier op mijn gemak en ik was blij dat ik blijkbaar ook voldeed aan hun eisen.

Gartland had zich in de loop der jaren ontwikkeld tot een districtsziekenhuis. Het was zijn leven begonnen als een van die grote, streng uitziende gebouwen, een verouderd, maar stevig complex waar de Victoriaanse bouwers zo dol op waren. Er was een ratjetoe van gebouwen bij gebouwd en er waren allerlei renovaties verricht om in alle medische behoeften van de huidige plaatselijke gemeenschap te kunnen voorzien.

Gartland was niet het type ziekenhuis waar allerlei ambitieuze projecten plaatsvonden die de media zo geweldig vinden. Maar het was in staat een groot aantal patiënten te verlossen uit hun lijden en ellende die door allerlei alledaagse klachten werden veroorzaakt. Onbekende, zeldzame ziekten werden doorverwezen naar specialisten en patiënten die intensievere behandelingen nodig hadden werden doorgestuurd naar afdelingen in Londense opleidingsziekenhuizen.

Het Gartland kon wel bogen op een neurochirurgische afdeling waar patiënten met hoofdletsel vanuit de wijde omgeving werden opgenomen. Het GGH had tevens een prima en doelmatig ingerichte Eerste-Hulpafdeling en een grote moderne kinderafdeling.

De chirurgische afdelingen bevonden zich hoofdzakelijk in het oorspronkelijke hoofdgebouw; daar waren alle algemene chirurgi-

15

sche afdelingen gehuisvest en een paar gewone specialismen. Er was een orthopedische afdeling (botten en gewrichten), een gynaecologische afdeling (chirurgie die de vrouwelijke voortplantingsorganen betreft), een oogheelkundige afdeling, plus een KNO-afdeling (keel-, neus- en oorafdeling) waar zo nu en dan ook een tandheelkundig geval werd behandeld.

Alle ondersteunende faciliteiten waren eveneens aanwezig: een operatiekamer, een verkoeverkamer en een intensive care-afdeling voor ernstig zieke patiënten. Een drukke fysiotherapie-afdeling functioneerde uitzonderlijk goed in de 'tijdelijke' prefab barakken. Maar niets lijkt zo definitief als tijdelijk. De afdeling interne geneeskunde en een bijzonder drukke poliklinische afdeling worstelden ook in deze verouderde omgeving.

Twee van de oorspronkelijke afdelingen waren nu bestemd voor de geriatrie, de gespecialiseerde zorg voor ouderen waarbij de nadruk op revalidatie lag. Op een andere afdeling lagen kankerpatiënten die bestraald werden en cytostatica kregen toegediend om de kwaadaardige cellen de kop in te drukken.

De obstetrie-afdeling – de afdeling waar zwangere vrouwen liggen en bevallingen worden gedaan – bevond zich in een oud verbouwd herenhuis dat een beetje apart stond van het hoofdgebouw.

Dus alles was er – ergens. Het ziekenhuis bestond feitelijk uit een onsystematische verzameling gebouwen, en de mensen die van de kwaliteiten van deze gebouwen afhankelijk waren, waren er bijzonder op gesteld. Het moet gezegd worden dat het ziekenhuis erg goed draaide en het personeel het beste was dat ieder willekeurig ziekenhuis zich maar kon wensen.

Bovendien besefte ik dat ik me erg op mijn gemak en helemaal thuis voelde in die vriendelijke en prettige omgeving.

Een van de dingen die ik als gediplomeerd verpleegkundige bijzonder graag deed, was lesgeven aan leerling-verpleegkundigen, en zij reageerden op hun beurt prettig op mijn betrokkenheid bij hun opleiding. Ik vond het belangrijk hun tijdens hun stage op Parker zoveel mogelijk te leren. Het was een veelzijdige afdeling om ervaring op te doen en ze konden er interessante gevallen tegenkomen.

Lesgeven is iets waarin een verpleegkundige een actieve rol kan spelen – zoals ik deed – of gewoon de atmosfeer kan scheppen waarin mensen iets opsteken, zoals Bridie liever deed. Door betrokken te zijn bij de opleiding van anderen bleef mijn eigen interesse en enthousiasme voor het werk ook op peil.

Terwijl de patiënten rustten, had zuster Taylor even vrij, dus nam ik de gelegenheid waar om haar mee te nemen naar de zusterpost en de verzorging van een thyreoidectomie met haar door te nemen. Wij konden de patiënte door het glazen raam van de zusterpost zien liggen, maar het geluid van onze stemmen was voor de mensen aan de andere kant van dat raam niet hoorbaar.

Ik peilde de kennis en observatievaardigheden van de zuster even terwijl we de toestand van de patiënte voor de operatie in het kort samenvatten. Het is verreweg het gemakkelijkst om de details van een ziekte te onthouden als je de patiënt in kwestie voor je ziet.

Deze patiënte had een opvallend opgezwollen keel door de vergroting van haar schildklier, een echte krop dus. Als gevolg van die vergroting produceerde de klier te veel van het hormoon thyroxine en dat veroorzaakte weer een te snelle stofwisseling. Deze patiënte was uitzonderlijk onrustig en prikkelbaar, en hoewel ze steeds meer at, werd ze steeds magerder.

Het meest opvallende en griezelige symptoom waren haar uitpuilende ogen – exophtalmus genoemd, een normaal verschijnsel bij een thyreotoxicosis. Het is een bijzonder akelige situatie voor de patiënt; hij of zij ziet er met die starende ogen agressief en zelfs angstaanjagend uit.

Het wit van de ogen puilt als een gespannen pingpongbal uit de oogkas en de cirkel in het midden staart als een gekleurde knikker de wereld in. Het uitpuilen was in dit geval zó hevig, dat de ogen niet eens meer helemaal dicht konden. Zelfs nu nog, na de operatie – nu de patiënt nog in slaap was en tegen de kussens rustte – staarden haar nietsziende ogen op een griezelige manier onder de openstaande oogleden door.

'Wordt dat nog beter?' vroeg de zuster.

'Het is niet erg waarschijnlijk dat haar ogen ooit weer zoals vroeger zullen worden, maar het wordt langzamerhand wel minder opvallend. Het is jammer dat ze niet eerder naar een dokter is gegaan, dan was het nooit zover gekomen.'

De zuster dacht aan de medicijnen die ze de patiënte vóór de operatie had gegeven, en die de bloedtoevoer naar de schildklier zouden verminderen om de operatie en de post-operatieve zorg te vergemakkelijken en veiliger te maken.

'Maar we kunnen nog niet op onze lauweren rusten,' zei ik met nadruk. 'Er kan altijd nog een bloeding ontstaan. Als weglekkend bloed gaat klonteren kan zich een hematoom (bloeduitstorting) vormen, en als dat in de hals gebeurt, bestaat het gevaar dat die op haar luchtpijp gaat drukken en haar ademhaling in gevaar brengt. Heel ernstig, heel gevaarlijk en een klassiek chirurgisch noodgeval. Daarom moet er altijd een post-operatief blad klaarstaan met een steriele agrafe. Zodat er in het geval van een druktoename onmiddellijk een klemmetje verwijderd kan worden en het bloed vrij kan weglopen.'

Er lag een pleisterverband over de agrafen onder aan de hals van de patiënte; een knobbelige rij, 't leek bijna een kralenketting. Agrafen zijn metalen strookjes die sluiten als ze om twee randen van de huid worden gebogen. Ze zitten vast met kleine uitstekende puntjes die door de huid heen gaan en de wondranden vasthouden. Deze huidklemmetjes zien er niet erg elegant uit als ze in gebruik zijn – eigenlijk zien ze er nogal griezelig uit – maar wanneer ze eenmaal verwijderd zijn, laten ze een keurig dun littekenlijntje achter en dat is bij de hals van dames van cosmetisch belang. Aan de beide uiteinden van het verband zaten twee wond-drains, die speciaal ontwikkeld waren om het gebied vrij te houden van wegsijpelend bloed dat zich anders zou kunnen verzamelen en problemen zou kunnen veroorzaken. De rubber balletjes, platgeknepen om een lichte zuigkracht teweeg te brengen, staken uit als de klieren van een tropische pad.

Ik legde de nadruk op de speciale complicaties waarop gelet moest worden, en herhaalde alle algemene post-operatieve zorg. Ik voelde me tevreden omdat deze zuster tenminste een uitvoerig begrip van deze ziekte en de operatie had. Verwijdering van de schildklier, of beter gezegd, verwijdering van het méeste van de schildklier is, uit verpleegkundig oogpunt bezien, een dankbare operatie. Er wordt direct een einde gemaakt aan een ernstige situatie en er worden altijd goede resultaten geboekt; wanneer de klemmen na een dag of drie, vier zijn verwijderd, heelt het litteken snel en op de plaats waar gesneden is blijft slechts een nauwelijks zichtbaar lijntje over.

Ik piepte Peter op om te horen of ik hem tijdens mijn theepauze even zou kunnen ontmoeten. Gelukkig kon hij naar de kantine komen; ik moest het nieuws van Parker bespreken met iemand die er nog niet van op de hoogte was.

Peter was een arts met wie ik sinds de afgelopen zomer af en toe wel eens uitging. We waren vanwege onze gemeenschappelijke medische interesse steeds meer naar elkaar toe getrokken en het was onvermijdelijk dat we elkaar tijdens het werk in het ziekenhuis nogal eens tegenkwamen. De hele verhouding was meer geworden dan mijn bedoeling was geweest, maar ik moest toegeven dat hij – zoals iedereen me steeds weer vertelde – een aardige vent was. Peter werkte op het ogenblik in een van de medische teams in 'de barakken' waar de hoofdgang op uitliep; verschrikkelijke 'tijdelijke' gebouwen die zeker niet aan de normen voldeden, maar die eeuwig bleven omdat ze onafgebroken in gebruik waren én door de constante renovaties. Parker lag daarentegen in het 'dure' deel, in een van de oorspronkelijke afdelingen van het grote Victoriaanse gebouw.

'Raad eens?' zei ik opgewonden toen Peter met onze kopjes thee en een schaaltje koekjes aan kwam lopen.

'Bridie gaat weg.' We zeiden het tegelijk.

Mijn mond bleef openstaan van verbazing over het feit dat het nieuws zo snel bekend was in het hele ziekenhuis.

'Dat is oud nieuws. Ik heb de hele middag al op je telefoontje zitten wachten,' zei hij, en ging er op zijn gemak bij zitten. 'Neem jij het van haar over?' ging hij op een ernstiger toon verder. 'Dat zou een makkie voor je moeten zijn.'

'Nou, vertel jij het me maar, je kent het hier beter dan ik. Ik dacht dat ze nogal conventioneel en ouderwets in dat soort dingen waren. Er zijn hier nogal wat oude besjes die al denken dat ik te jong en te onervaren ben om al eerste verpleegkundige te zijn. Bovendien ben ik niet hier opgeleid,' zei ik terwijl ik een slokje van mijn thee nam.

'Tja, je weet wat ze over ervaring zeggen. Is de ervaring van tien jaar op dezelfde plek dezelfde ervaring van één jaar die tien keer wordt herhaald? Ik bedoel, hoeveel po's moet je hebben gegeven om een ervaren pogever te zijn? Nee, ik ben ervoor een beetje rond te kijken en meisjes van verschillende ziekenhuizen en met afwijkende ideeën aan te nemen, te veel inteelt is nooit goed.'

'Het is een feit dat vrouwen verhuizen, trouwen of weggaan om een baby te krijgen en dat er nogal wat verloop is. De dagen dat een hoofdzuster een dertigjarige, maagdelijke, overtuigde oude vrijster moest zijn die dag en nacht werkte en op een zolderkamertje sliep boven de afdeling, alle bacteriën opliep en er pap van kookte, zijn voorbij.' Peter liet zich meeslepen naar de dagen van Florence Nightingale.

'Hé zeg, zo oud ben ik nog niet!' Ik werd nijdig omdat ik Peters werkelijke mening waardeerde en hij goed op de hoogte was van hoe de andere helft van het Gartland werkte. 'Maar ik ben bang dat ze een eerste verpleegkundige willen met een langere werkervaring of misschien met een langere verantwoordelijkheid als nachthoofd, dat moesten de meisjes in mijn opleidingsziekenhuis tenminste wel hebben.'

'Nou ja, ze kunnen alleen maar kiezen uit wat ze hebben. En je hebt in ieder geval je taak als eerste verpleegkundige gehad en je hebt je kinderaantekening. En ze zijn bovendien begonnen je een baan als eerste verpleegkundige aan te bieden,' zei hij bemoedigend.

'Een júnior eerste verpleegkundige,' hielp ik hem herinneren. 'Dat is niet veel meer dan een gediplomeerd verpleegkundige, maar dan met een blauw uniform.'

'Ach, schei toch uit met dat gedoe. Naar wat ik heb gehoord doe je het prima op de afdeling. Je werk van de afgelopen maanden is je beste aanbeveling. Bovendien, wat is het probleem eigenlijk?' Hij nam een slok van zijn nu snel kouder wordende thee.

Tja, wat was eigenlijk het probleem?

Ik dacht goed na en zette mijn gedachten eens op een rijtje. Eén ding stond vast, ik voelde me op Parker thuis en op mijn gemak. Ik had het gevoel dat het me de afgelopen tijd was gelukt om te wennen en me zeker te gaan voelen op de afdeling. Het werk was afwisselend en interessant. Het chirurgisch team was geweldig en had me goed geaccepteerd, althans als Bridies ondergeschikte. En ik vond het lesgeven aan de steeds weer nieuwe stroom leerlingen leuk, aangezien dat een voortdurende prikkeling voor het werk inhield.

En misschien was het belangrijkste nog wel de vaste en permanente groep verpleegkundigen, een geweldig stel meisjes die Parker kenden als hun broekzak. Doreen, onze verpleeghulp die nog langer in Gartland was dan Bridie O'Connell, had een enorm ontzag voor de opleiding en ervaring van de hoofdzuster. Ze had er velen zien komen en gaan, maar had voor allen plichtbewust en zonder vragen gewerkt. De ziekenverzorgster Burrows – een bedrijvige oudere vrouw die haar status van ziekenverzorgster te vuur en te zwaard verdedigde en wier taak er hoofdzakelijk uit bestond praktische dingen voor de bedlegerige patiënt te doen – zou trouw zijn aan wie er ook hoofdzuster zou worden. Zuster Witherden, moeder en parttime zuster, en Kiki Woods, een nieuwe vaste zuster, zouden ook trouw zijn aan de afdeling en de leider ervan. Bovendien wilden ze allemaal graag mij voor die baan hebben, dus kon ik van hun steun verzekerd zijn.

Misschien was het de angst dat ik het contact met de patiënten zou verliezen. Toen corrigeerde ik mezelf. Ik zou niet weten waarom dat nodig zou zijn: alleen omdat Bridie altijd in de zusterpost bleef zitten? Ik kon het nodige papierwerk aan een andere verpleegkundige overdragen – noem dat maar managementtraining, iets dat ik nooit had gevolgd. Ik had mijn ervaring in de praktijk moeten opdoen.

Toen wist ik waarom ik zo onzeker was. Ik was er niet echt van overtuigd dat ik eraan toe was mezelf aan de vaste baan van hoofdzuster te binden. Het zou een vaste band met de afdeling, de patiënten, het personeel, de specialisten en het Gartland Hospital zijn. De afdeling met zijn regels en verantwoordelijkheden zou de mijne zijn. Ergens diep in mijn hart wilde ik het wel, maar het waren de verplichtingen die ik niet al te lichtvaardig op me kon nemen.

'Als jij die baan niet krijgt, krijgt iemand anders hem,' was Peters commentaar, en dat gaf de doorslag.

Op die manier had ik het nog niet bekeken. Dat er iemand anders als mijn meerdere zou gaan werken, iemand die nieuw was op Parker, die mijn afdeling zou gaan reorganiseren, alle plannen die ik ervoor had, de hechte samenwerking met het personeel die zo belangrijk was om mijn afdeling te laten functioneren.

Mijn afdeling. Dat kon ik niet riskeren. Dat gaf de doorslag, Parker was mijn afdeling. Ik was de rechtmatige erfgename en ik was niet van plan afstand van mijn rechten te doen, in ieder geval niet zonder ervoor te vechten.

VERHOUDING

Toen ik Jilly van de operatiekamer ophaalde, lag ze onder een laken en haar operatiehemd rustte losjes op haar borst. Ze had de zwarte rubber tube, die ervoor zorgde dat haar luchtweg open bleef, nog in haar mond toen de anesthesie-assistente haar aan mij overdroeg. Ze was nog niet bij kennis, maar alles was goed gegaan. Haar gezicht vertoonde de gebruikelijke wasachtige kleur na een algehele narcose en haar haren lagen verward op het kussen. Ik moest in de verkoeverkamer met haar wachten tot ze was bijgekomen en de anesthesist toestemming gaf haar mee te nemen naar de afdeling.

'Zuster, zou u dokter Simpson even om verdere instructies willen vragen?' vroeg ik. 'Dit is een nieuw geval voor ons.'

De grote man kwam in zijn groene pak met papieren muts uit de o.k. te voorschijn. Hij trok zijn maskertje naar beneden om met me te kunnen praten.

'Dag, zuster, we zien u niet zo vaak hier beneden. Tja, zodra ze bijkomt zet u haar recht overeind in de kussens, op die manier kunnen de drains beter werken. Niet te hoog, hoor, er moet niet te veel druk op de wond ontstaan.'

Hij trok Jilly's operatiehemd wat opzij om zijn werk van die middag te laten zien. Onder de nu bobbelige, gezwollen borst was een uiterst fijn sneetje aangebracht waarvan de randen voorbeeldig tegen elkaar lagen en dat door een onderhuidse hechting werd dichtgehouden. Dit is een ononderbroken hechting die onder de huid loopt en de twee huidranden samentrekt zonder de opperhuid te bereiken; het heeft iets weg van onzichtbaar naaiwerk. Het geheel wordt aan de uiteinden door twee metalen plugjes vastgehouden en er blijven geen puntjes in de huid achter van de afzonderlijke gaatjes. Het geeft een bijna perfect resultaat en het litteken is later nauwelijks zichtbaar.

De borsten waren een beetje rood, maar dat was wel te verwachten na alles wat ze hadden moeten ondergaan en de vermoedelijk daarop gevolgde ontstekingachtige reactie. Dokter Simpson had diep in de vleesachtige delen onder de normale contouren van het borstweefsel gesneden, om de zakjes met gelei te kunnen aanbrengen die eruitzagen als plastic zakjes vol heldere vloeistof. De namaakborsten deden en voelden heel natuurlijk aan; ze waren niet overdreven stevig, stijf of bobbelig; het waren kunstmatige borsten die niet slapper zouden worden en niet zouden gaan hangen. Met het verstrijken der jaren ondersteunen de banden van Astley Cooper de borst niet meer zo goed, en als gevolg daarvan staan hangende borsten in de medische wereld bekend als 'Coopers hangers'.

Er waren in het operatiegebied twee drains aangelegd om het teveel aan vocht dat na een operatie altijd uit een wond weglekt te kunnen afvoeren. De lange buigzame slangen eindigden in vacuümflessen waar al wat bloed in zat.

'Let daar vooral goed op,' zei dr. Simpson, en wees naar de vacuümflessen. 'Ik heb gezorgd dat de slangen lang genoeg zijn, zodat er niet aan getrokken hoeft te worden. Bind die aan het bed vast. Let er goed op dat het vacuüm behouden blijft en dat ze niet afgekneld worden.'

Hij had een modern soort verband gebruikt dat plakte, doorzichtig was en toch licht. Het was erg plezierig voor de patiënt die zich er gemakkelijker mee kon bewegen dan met die oude elastische pleisterverbanden. Maar het grote voordeel van dit verband was dat het personeel de wond goed in het oog kon houden zonder het steriele verband tijdens de herstelperiode te hoeven aanraken. We konden in één oogopslag zien hoe de wond eruitzag en of er vooruitgang was geboekt. Jilly's mooie nieuwe stevige borsten waren bedekt met een laagje dat aan doorzichtig keukenfolie deed denken, met in het midden een gaatje waar haar tepels doorheen staken als rijpe frambozen.

Jilly bewoog zich en was in de war. Ze zag alleen de schelle plafondverlichting die door de schitterende witheid van de muren fel weerkaatst werd, en de harde klinische kilte en onbekende werkelijkheid van de operatiekamer.

Ze probeerde zich spontaan om te draaien, alsof ze in haar eigen bed lag en het licht wilde ontwijken. Ik liet haar snel merken dat ik er was.

'Alles is in orde, Jilly, het is allemaal voorbij. Zuster Davies is hier. Kijk me eens aan? Goed zo.' Ik moedigde haar aan terwijl ze me met een glazige blik probeerde aan te kijken.

'Mooi zo. Spuug nu die akelige tube maar uit. Vooruit, doe dat nare ding eruit.' Ik ben vaak in de verleiding om het ding er zelf uit te halen, maar als de patiënt er zelf nog niet toe in staat is, is dat een teken dat ze nog niet voldoende bij bewustzijn is om het zonder de tube te kunnen stellen.

Ze worstelde om die rubber tube uit haar keel te krijgen; de patiënt ervaart het als een verstikkend gevoel als hij er zich van bewust wordt. Eindelijk trok ze hem eruit en probeerde vervolgens opnieuw zich om te draaien.

'Nee, Jilly, niet bewegen, voorzichtig,' zei ik snel, en hield haar bij haar schouder vast uit angst dat ze haar nieuwe borsten zou beschadigen.

In haar verwarde toestand probeerde ze me weg te duwen, maar het was bijzonder belangrijk dat ze stil zou blijven liggen. Ik moest snel en duidelijk praten, wilde ik dat deze patiënte meewerkte en ik moest haar bewust maken van haar omgeving, van mij en van zichzelf!

Nadat de anesthesist haar had onderzocht, werd ze op de brancard getild en reden we Jilly zo snel mogelijk door de gangen terug naar Parker. Ik bleef dicht bij het hoofdeinde en stelde haar gerust door te zeggen dat ze algauw lekker in haar eigen bed zou liggen en mocht gaan slapen.

Op de afdeling werd ze weer onrustig, dus legde ik haar achter gesloten gordijnen uit waar ze precies geopereerd was en lichtte haar in over de drains, waar ze voorzichtig mee moest zijn.

'O, dank u, zuster, dank u wel, ik ben zo blij dat u er bent, zuster, o, u bent zo lief voor me geweest, ik kan me niet voorstellen dat het allemaal al voorbij is, dank u, dank u wel.' Ze bleef maar opgewonden, euforisch en verward doorbabbelen. Ze herhaalde steeds weer hoe aardig ze me vond en hoe lief ik wel was, zo erg zelfs dat zuster Taylor begon te giechelen.

De ongebreidelde stroom spontane gedachten en gevoelens, die onder normale omstandigheden nooit zo vrij en ongedwongen zouden worden uitgesproken, was een niet ongebruikelijke reactie na een narcose. De waarheden die er van tijd tot tijd worden uitgegooid, moeten door de dienstdoende verpleegkundige discreet genegeerd worden. Ik moest daar nog met zuster Taylor over spreken en haar uitleggen dat deze impulsieve uitbarsting geheim moest blijven. Jilly zou zich er later beslist niets meer van herinneren en zich erg generen als ze er naderhand aan herinnerd zou worden. Euforie en explosieve hilariteit zijn slechts enkele uitingen van een geest die onder invloed van medicijnen verkeert; depressie en tranen komen ook voor.

Een paar minuten later lag Jilly te huilen en klaagde over pijn. De sterke post-operatieve medicijnen verzachtten deze pijn, ze werd er rustiger door en zonk weg in een diepe slaap.

Het was altijd weer een bevredigend gezicht als de avond naderde; de operatielijst was afgewerkt en alle patiënten lagen weer veilig en wel in hun bed. Het heen en weer lopen naar de o.k., de röntgen en het lab was voorbij. Eindelijk heerste er rust en was alles geregeld.

Tijdens deze rustige periode voor de avondmaaltijd kreeg ik de gelegenheid met de avondrapporten te beginnen en de onvermijdelijke stroom telefonische vragen van bezorgde familieleden te beantwoorden. Het was een drukke dag voor ons geweest, waarop we ons om allerlei mensen hadden bekommerd. Voor de familieleden was het een eindeloos durende dag geweest van naar de klok kijken en steeds maar denken aan hun geliefde die een operatieve ingreep onderging.

'Elf uur, nu moet ze zo langzamerhand in de operatiekamer zijn. Twaalf uur, zou het al voorbij zijn? Een uur, nu moet ze weer op de afdeling zijn. Vind je dat ik al kan bellen?'

Ik was me altijd bewust van de enorme spanning waaraan familieleden ten prooi zijn voor ze ons opbellen en hun stem verraadt hun nervositeit – evenals de opluchting, wanneer ze horen dat alles in orde is.

Ik was tamelijk verrast toen ik opeens dokter Salah op de afdeling zag lopen, met een witte jas die hij haastig had aangetrokken over zijn groene operatiekleren.

'Nog aan het werk?' vroeg ik, hoewel ik heel goed wist dat we onze lijst hadden afgewerkt.

'Helaas wel. We moeten zo meteen terug. Dokter Simpson is met een auto-ongeluk bezig dat nu op de Eerste Hulp ligt. Het ziet ernaar uit dat het er eentje voor jou wordt,' zei hij terloops terwijl hij een stapeltje aantekeningen oppakte. 'Ik zal deze post-operatieve gevallen even nalopen en dan ga ik weer naar de o.k. Nog bijzonderheden?'

'Nee, iedereen doet het goed,' antwoordde ik omdat ik wist dat ze allemaal vooruitgingen en allemaal pijnstillers voorgeschreven hadden gekregen en – voor het geval het nodig mocht blijken – middeltjes tegen de misselijkheid.

'Koffie, dokter?' vroeg Doreen toen ze met mijn kopje levensreddend vocht aan kwam lopen. Ze kwam er altijd mee aan op het ogenblik dat ik eraan toe was, alsof ze voelde wanneer de vermoeidheid me parten ging spelen.

'Graag, dat kan ik nog wel gauw even opdrinken.'

Ik gaf hem mijn kopje om tijd te sparen.

'Heb je nog een bed vrij, Helen?'

Ik wist drommels goed dat als ik geen bed vrij had ik er op de een of andere manier een vrij moest maken – en snel ook, als ik het goed begrepen had. Het was zo'n soort vraag die altijd met ja beantwoord moest worden, want hij werd alleen gesteld wanneer het dringend was. De bedden op Parker bleven nooit lang leeg staan.

'U vraagt het op een goed ogenblik, dokter. De hernia voor vrijdag heeft net afgebeld; ze heeft griep en kan dus niet worden geopereerd,' legde ik uit, en vroeg nog wat meer over de patiënt die we konden verwachten.

'Zuster Poli belt nog wel op over de details.' Voor onbekenden klinkt 'zuster Poli' als een naam, maar het is alleen maar de manier waarop het personeel de hoofdzuster van de Eerste Hulp aanduidt. 'Voor zover ik het kan bekijken is het een ernstig verkeersongeluk geweest. De bestuurder heeft het niet overleefd; die was op slag dood en dat is maar goed ook. De vrouwelijke passagier heeft waarschijnlijk een gescheurde milt en de orthopedisch chirurgen bekijken op het ogenblik haar benen. Er was ook een kind bij en daar is de neurochirurg nu mee bezig – gelukkig maar dat we hier een neurochirurgische afdeling hebben.'

We liepen snel over de afdeling om de operatiepatiënten van de afgelopen dag te bekijken en hij gaf me nog wat nieuwe aanwijzingen in verband met hun nazorg. Het was prima teamwork.

Ik wijdde me met hernieuwde kracht aan mijn papierwinkel in een poging snel zoveel mogelijk routinewerk afgehandeld te hebben. Het leek erop dat we een drukke avond konden verwachten. Gelukkig zou mijn part-time zuster een gedeelde dienst draaien. Zuster Witherden – een invalkracht – vond het prima om op onze operatiedagen 's avonds van zes tot tien te werken. Het was een uitkomst voor de dagdienst om op hun drukste avonden een betrouwbare hulp te hebben. De nachtdienst kon de zaken dan rustig overnemen.

Zuster Poli belde inderdaad op om te informeren of we nog een bed vrij hadden en details over het ongeluk te verstrekken. Het betrof een personenauto die door een tegemoetkomende vrachtauto in de flank was gegrepen.

'De echtgenoot heeft het het zwaarst te verduren gehad en was op slag dood, hij had geen schijn van kans. Hij zat bekneld tussen stoel en stuur en had zware inwendige bloedingen opgelopen. Het kind – dat achterin zat – heeft hoofdletsel opgelopen. Op dit ogenblik wordt er een kijkoperatie verricht op haar hersenen, daarna wordt ze naar de intensive care gebracht.'

Hersenchirurgie voor een kind is akelig, maar in dit geval was het noodzakelijk. Wij zouden Arlene Sargent – de moeder – als patiënt krijgen, die op dit ogenblik geopereerd werd om de gescheurde milt te verwijderen. Gelukkig is dat een orgaan dat we zonder veel problemen kunnen missen, aangezien zijn functies door andere onderdelen van het lichaam kunnen worden overgenomen. De milt ligt links achter de onderste ribben en wordt bij zwaar letsel in de buurt gemakkelijk beschadigd. Het bloedverlies is meestal hevig en kan het lichaam snel schade berokkenen, dus is het van het grootste belang het verminkte orgaan zo snel mogelijk te verwijderen.

Mevrouw Sargent had ook een akelige onderbeenbreuk die onder narcose gezet zou moeten worden. Maar dat letsel stond onder aan de lijst van prioriteiten en kon wachten tot haar algemene toestand zover was verbeterd dat ze nog een algehele narcose zou kunnen verdragen.

'Ze weet nog niets over haar echtgenoot of haar kind,' voegde zuster Poli er op sombere toon aan toe. 'Toen ze hier aankwam, was ze niet aanspreekbaar en ze is regelrecht naar de operatiekamer gebracht.'

Ik keek even door het raam van de zusterpost naar de landerijen buiten en bedacht wat een verschrikkelijke avond het was om bij een verkeersongeluk betrokken te raken. De schemering was door de mistsluiers vroeger ingevallen dan normaal. Het motregende hardnekkig, het soort vochtigheid dat dwars door je kleren tot diep in je botten doordringt. Het waren donkere, vochtige, sombere, weerzinwekkende omstandigheden voor de gewonden, het betekende moeizaam werken voor de reddingsdienst en bovendien leverde het voor anderen die in de verkeerschaos waren terechtgekomen ook nog de nodige gevaren en vertragingen op.

Ik legde langzaam de hoorn weer neer. Voor ons was dit nog een opname, een noodgeval dat het verplaatsen van bedden en het mobiliseren van apparaten en diensten vereiste. Voor dit gezin betekende het een reeks tragedies en ondraaglijke ongerustheid. Voor een zuster is het gemakkelijk je gedachten enkel te concentreren op het afdelingswerk, zonder dat je je zorgen maakt over wat het voor de betreffende personen betekent. Dit gezin was uit elkaar gerukt, één via de operatiekamer naar vrouwenchirurgie, één naar de intensive care, en één naar het mortuarium.

Het avondeten werd boven gebracht en we haastten ons het te halen, uit te delen en de vaat na het eten zo snel mogelijk weer op te halen. Zonde eigenlijk. De patiënten keken zo uit naar de maaltijden; een plezierig hoogtepunt van hun dag. En natuurlijk is een gezond, uitgebalanceerd dieet belangrijk voor het lichamelijk herstel en de algemene toestand. Maar op drukke tijden vinden de zusters de maaltijdrituelen een lastige opgave. Iedere patiënt heeft zijn eigen blad. Eerst komt de ronde met soep, dan het hoofdgerecht, dan nog een ronde met de toetjes, nog een keer terug met de grote theepot en vervolgens de hele zaak weer ophalen. Het is dan ook geen wonder dat zusters vaak pijnlijke voeten hebben!

Ik probeerde de dames zover te krijgen dat ze aan de gemeenschappelijke tafel zouden gaan eten, maar ze leken een persoonlijk blad bij hun eigen bed toch prettiger te vinden, als een soort afbakening van het territorium. Het Gartland was ouderwets in zijn manier van maaltijden serveren op de afdeling. In het moderne ziekenhuis waar ik was opgeleid, waren alle individuele maaltijdbladen al in de centrale keuken klaargemaakt, en stond er een kant-en-klare maaltijd van drie gangen voor de zusters klaar om aan de patiënten uit te delen. Ik heb me toen nooit gerealiseerd hoe verwend we daarmee waren, wat een luxe dat eigenlijk was!

De maaltijd was op tijd achter de rug om Arlene Sargent te kunnen ontvangen, compleet met bloedtransfusie, buikwond en een tijdelijke spalk voor haar gewonde been. Aangezien dit het laatste geval voor die dag was, bracht de zuster van de operatiekamer haar zelf naar boven, samen met een volgende zak bloed die elk ogenblik nodig zou kunnen zijn. Ze kon netjes van de brancard in bed worden overgeheveld aangezien we de infuusstandaard en dekenboog al hadden klaarstaan.

Ik gaf zuster Taylor opdracht voor Arlene te zorgen. Haar pols, temperatuur en bloeddruk moesten regelmatig gecontroleerd worden, aangezien ze net van de operatiekamer kwam en ook omdat ze een bloedtransfusie kreeg. Dit was een belangrijke voorzorgsmaatregel om iedere ongunstige reactie ten opzichte van het vreemde eiwit in het bloed direct te kunnen waarnemen.

Al het bloed dat aan een patiënt wordt toegediend wordt in het pathologielab onderzocht om er zeker van te zijn dat het de juiste bloedgroep – O, A, B, of AB – en rhesusfactor heeft. Vervolgens wordt er een monster van het donorbloed vermengd met een beetje bloed van de patiënt zelf – 'gecrossmatched' heet dat – om nog eens te controleren of de combinatie wel goed is en er zeker van te zijn dat er geen klontering ontstaat als de twee soorten bij elkaar worden gebracht. Voor het bloed wordt toegediend worden de details nog eens gecontroleerd door een gediplomeerd verpleegkundige of een arts om na te gaan of de informatie op de zak bloed en het formulier van het pathologielab overeenkomt met de gegevens van de patiënt in kwestie. Als er ook maar énig verschil is, wordt het bloed niet toegediend. Toediening van verkeerd bloed heeft door uitgebreide klontering in de bloedbanen zonder meer de dood tot gevolg. Er wordt geen enkel risico genomen in het strenge controlesysteem. Het grootste gevaar dreigt wanneer twee patiënten met dezelfde naam in hetzelfde ziekenhuis, of zelfs op dezelfde afdeling liggen. Het is dan maar al te gemakkelijk de zak bloed voor B. Smith, aan P. Smith te geven, dus de laatste controle wordt uitgevoerd aan de hand van het identificatiebandje om de pols van de patiënt, waar zijn persoonlijk ziekenhuisnummer op staat.

Ik wachtte tot de laatste kostbare druppel bloed uit de eerste zak was verdwenen. Ik wist met hoeveel toewijding het door goedbedoelende mensen werd afgestaan; mensen die hun bloed vrijwillig, kosteloos en in hun eigen tijd afstaan voor situaties als die waar Arlene zich nu in bevond. Daarom zorgde ik er altijd voor dat er nooit ook maar het kleinste beetje werd verspild. Anders zou dat misbruik van hun vrijgevigheid zijn.

De tweede zak bloed lag al klaar, hij was uit de speciaal daarvoor bestemde koelkast gehaald; die is kouder dan een normale keukenkoelkast. Daarom wordt bloed ook nooit op de afdeling bewaard. In Engelse ziekenhuizen spreekt men nog steeds over een pintje bloed, een gewoonte die nog uit de dagen stamt dat bloed in glazen flessen met een rubber stop zat. Tegenwoordig wordt het bewaard in polyethyleen zakken die slechts vijfhonderd milliliter of minder bevatten. Het is bijzonder lastig om de infuusnaald op een steriele manier door het kleine openingetje in de zak te wurmen.

Het bloed druppelde over mijn hand en lekte op mijn uniform. De helderrode, dikke, kleverige vloeistof des levens met die specifieke geur die ik bij het inademen bijna kon proeven.

Ja, het infuus liep. Het was een geruststellend gezicht om het bloed gestaag door het filter en de lange dunne slang naar de ader te zien lopen, op weg de bloedsomloop bij zijn drukke bezigheden te ondersteunen.

Alles was in orde en ik liet zuster Taylor bij de patiënt achter om regelmatig controles uit te voeren. Mevrouw Sargent sliep als een marmot. Laat die stakker maar, laat haar nog maar een beetje tot rust komen zolang dat nog mogelijk is. Wanneer ze wakker wordt, zal de mededeling over de tragedie die haar gezin heeft getroffen tot een ellendige nachtmerrie worden. De politie had de ouders van Arlene, die aan de zuidkust woonden, vele kilometers van het Gartland vandaan, al op de hoogte gebracht. We vermoedden dat de familie Sargent die dag bij hen op kerstbezoek was geweest. Blijf maar lekker slapen, meisje, het wakker worden zal afschuwelijk zijn.

Zoals gewoonlijk stroomde er om zeven uur een behoorlijk aantal bezoekers naar binnen. Mensen met familieleden die al enige tijd bij ons lagen, werden oude bekenden. Echtgenoten zwaaiden vrolijk als ze een zuster herkenden of vertelden hoe de zaken er thuis inmiddels voorstonden. Het spreken met familieleden gaf ons enig inzicht in het leven van de patiënten thuis en zodoende waren we vaak in staat te begrijpen waarom sommige dames genoten bij ons!

Desondanks waardeerde iedereen het bezoekuur, hoewel het toegestane uurtje vanwege de vele mensen af en toe uitliep. Patiënten verlangden naar nieuws uit de buitenwereld en wensten enige afwisseling in hun eentonige ziekenhuisdag.

De dames kregen het altijd voor elkaar zichzelf van hun beste kant te laten zien, ongeacht hoe beroerd ze zich in werkelijkheid voelden. Als het tegen bezoektijd liep, voelden ze zich bijna verplicht zich op te tutten; een beetje poeder en make-up, een vleugje van hun speciale parfum, het laatje van het nachtkastje werd snel opgeruimd en de kussens werden nog even opgeschud zodat alles er netjes uitzag. Het was showtime.

Er is niets naarders of pijnlijkers dan een patiënt die geen bezoek krijgt. Het is een triest gezicht iemand zich klaar te zien maken voor het bezoek – voor het geval dát – en haar avond aan avond vol verwachting naar de deur te zien kijken, na enige tijd zelfs haar hals naar de gang te zien uitrekken om te proberen een of andere vriend of vriendin naar zich toe te denken, maar zonder resultaat. Gelukkig is niemand helemáál alleen, en je merkt vaak dat het bezoek van andere mensen met zo iemand een gesprek aanknoopt of dat een van de zusters een babbeltje begint en haar een tijdje gezelschap houdt – bij wijze van bezoek.

Oudere patiënten en mensen die al langere tijd in ons ziekenhuis lagen, kregen soms geen bezoek meer als het nieuwtje over de ziekenhuisopname en het eerste enthousiasme eraf waren; de rit naar het ziekenhuis wordt een opgave en het uur bezoek wordt een saaie tijdverspilling terwijl er thuis nog zoveel te doen is. Terminale patiënten merken ook dat hun bezoek wegblijft. Mensen voelen zich opgelaten, niet op hun gemak en vinden het simpelweg ellendig om iemand gezelschap te houden die op het punt staat te overlijden. Wat kun je nog zeggen, hoe kun je nog optimistisch en vrolijk zijn? Is het een teken van liefde en toewijding als je bereid bent om verdrietig naar huis te gaan?

Als je echter een mooie, nette routineoperatie hebt ondergaan waar iedereen over kan meepraten en als je goed vooruitgaat, staat het publiek in de rij om je op te zoeken. Buren, verre familie, collega's en mensen die je maar nauwelijks kent zijn altijd wel gewillig om een 'veilig' bezoekje af te leggen, een bezoek dat niet te veel van de emoties en zieleroerselen vergt. Morbide aantrekkingskracht. Leven via anderen.

'Ga eens rond met de chocolaatjes.' 'Mag ik wat limonade hebben, Lil?' 'Zij ziet er niet goed uit, zeg, wat scheelt haar?' 'Goedenavond, mevrouw, hoe gaat het ermee vanavond? U ziet er al veel beter uit.' 'Ik ga even een sigaretje roken, liefje.'

Als ze de weg eenmaal kennen, voelen de vaste bezoekers zich al snel thuis. Ik vond het fijn dat er op Parker een ontspannen en hartelijke sfeer hing.

Mevrouw Anderson was nieuw in het Gartland en nog niet helemaal zeker van zichzelf in deze nieuwe omgeving. Ze maakte een ietwat verloren indruk toen ze de ingang van Parker naderde. Doreen was het dichtst bij en ze bleef staan om bij haar naar de toestand van Jilly te informeren; daarna liep ze timide naar het bed van haar dochter. Er was geen stoel in de buurt, dus bleef ze staan en boog ze zich over het slapende figuurtje van haar dochter, alsof ze op het punt stond haar wakker te schudden.

Ik liep snel naar haar toe en bood haar een stoel aan. Jilly bewoog even en deed haar best haar ogen door het sterke pijnstillende effect van haar medicijn heen op haar moeder gericht te houden. Ze sprak enigszins met een dikke tong, maar wel vol zelfvertrouwen: 'Hallo, mam, het is allemaal voorbij, ik voel me prima...' Haar woorden bleven in de lucht hangen terwijl ze weer in een heerlijke zware slaap wegzakte.

Ik legde haar moeder uit dat de operatie bijzonder goed was geslaagd en dat Jilly maar het beste met rust gelaten kon worden, aangezien ze medicijnen toegediend had gekregen om rustig te blijven.

'Blijf maar niet te lang bij haar,' raadde ik haar aan, en ik hoopte dat ze het als een dringend advies zou opvatten.

De telefoon ging. Opnieuw familieleden die informatie over hun geliefden wilden hebben.

'Prima. Ik heb haar uw groeten gedaan na uw laatste telefoontje.'

'O mooi, ze is dus wakker?'

'Ja, het gaat heel goed, ze heeft al een beetje thee gedronken.'

'Een beetje théé, maar dat is gewéldig!'

Alles wat in de goede richting wijst wordt altijd met graagte geaccepteerd. Goed nieuws wordt gebracht in de vorm van wakker zijn, glimlachen, thee drinken, toost eten, gewassen zijn, eigen nachtkleding dragen, overeind zitten of lopen – allemaal veelbelovende activiteiten die op herstel duiden en aan de hoopvolle familieleden worden doorgegeven.

Mevrouw Anderson klopte bedeesd op de deur van de zusterpost. Ik had al gedacht dat ze zou komen.

Wist ik wel zeker dat alles in orde was met Jilly? Ze was zo bleek. Het was niets voor haar om zo rustig te zijn, het was zo'n levendig meisje. En nu kon ze nauwelijks meer dan 'hallo' uitbrengen. Moest er niet iemand bij haar blijven, nu ze net een operatie achter de rug had?

Het was altijd hetzelfde. Ik raadde de familie altijd af om de avond direct na de operatie op bezoek te komen, aangezien ze altijd verward, verslagen en ongerust naar huis gingen, tenzij ze wisten wat ze konden verwachten. Een slap, bleek, lusteloos, slapend mens, dat helemaal in haar pijn en narigheid opging, een droge mond had en er verward door de narcose en medicijnen bij lag. De patiënte leek nauwelijks meer op de dame die het bezoek gisteren nog in bed had zien zitten. Het normale beeld dus, dat bij het volgende bezoek volkomen veranderd is, vaak tot grote verbazing van het onthutste familielid dat zich onnodig zorgen heeft gemaakt.

'Maakt u zich alstublieft geen zorgen, mevrouw Anderson. Met Jilly is echt alles in orde, ze heeft zelfs met me gepraat toen we naar de afdeling teruggingen.' Ik ben natuurlijk niet op de details ingegaan! 'U moet wel bedenken dat ze een operatie heeft ondergaan en een algehele narcose heeft tijd nodig voor hij helemaal is uitgewerkt. Het is op het ogenblik het allerbeste voor haar om lekker te slapen. Komt u morgenavond maar terug, dan zal ze veel beter in staat zijn om met u te praten.'

Vanuit een ooghoek zag ik dat Arlene wakker werd en bewoog. Ik wilde naar haar toe.

'Als ze bijkomt, zal ik haar vertellen dat u bent geweest. Ik weet zeker dat ze dat fijn zal vinden.' De moeder reageerde niet op die voltooide tijdsvorm.

O, lieve hemel, waarmee kon ik haar geruststellen? 'Belt u anders morgenochtend maar even op. Ik ben ervan overtuigd dat ze na een goede nachtrust weer meer zichzelf zal zijn.'

Mevrouw Anderson begreep de wenk niet en maakte geen aanstalten om weg te gaan.

'Ik had niet verwacht zoveel slangen om haar heen te zien. Is dat gewoon, zuster? Weet u zeker dat alles goed is gegaan?' Ze keek me beschuldigend aan.

'Volkomen zeker,' antwoordde ik vol overtuiging. 'Het is gebruikelijk om die slangen aan te brengen, dan kan het gebied goed schoon worden gehouden. Dat doet de dokter altíjd.' Ik legde de nadruk op 'altijd' in de hoop de bezorgde moeder gerust te stellen.

Arlene bewoog nog steeds en ik zag dat zuster Taylor bezig was de niersteenpatiënt te controleren.

'Echt waar, mevrouw Anderson, het gaat goed met uw dochter, wérkelijk goed,' herhaalde ik, liep naar de deur en pakte de deurknop beet. Ze is zo gezond als een vis, had ik in mijn frustratie wel willen schreeuwen. Ik werd heen en weer geslingerd tussen een doorzeurend, ongerust familielid en de noden van een zieke patiënt.

'Belt u anders later op de avond nog een keer als dat u geruststelt,' zei ik met een vastberaden klank in mijn stem. Alles kan, maar ga alsjeblieft weg, zei ik bij mezelf; maar mijn stem bleef rustig en vriendelijk en ik legde een bemoedigende glimlach op mijn gezicht – dat hoopte ik tenminste. 'De nachtzuster of ikzelf zal u dan met alle plezier het laatste nieuws geven.' O God, waarom kwamen ze toch altijd weer op de avond na de operatie. Het kan zo schokkend zijn voor een onvoorbereid familielid dat de manier waarop er in een ziekenhuis wordt gewerkt niet kent.

Toen ik Jilly's weerspannige moeder uitliet, kwam er een andere bezoeker naar de deur. Ik stond op het punt te vragen of hij even wilde wachten, maar hij was me voor.

'Die dame daar, die naast mijn vrouw ligt, die met die bloedtransfusie bedoel ik, die ligt nogal te woelen, enne, ik wil me er niet mee bemoeien, zuster, eh, maar die slangen zwaaien nogal wild heen en weer, enne, ik vroeg me af of er misschien even iemand kon komen helpen,' zei hij aarzelend, maar met een duidelijk bezorgde klank in zijn stem.

'Jazeker, dank u wel, ik kom eraan,' en ik riep zuster Taylor, die nu met een po over de afdeling liep. Nieren werken ook tijdens het bezoekuur en we wilden post-operatieve patiënten er beslist niet van weerhouden hun blaas weer op gang te laten komen.

Arlene Sargent was inderdaad onrustig, maar nog niet helemaal bij kennis, alleen rusteloos. Een snelle blik op haar bloedtransfusie verzekerde me ervan dat het infuus nog goed liep. Wat dat betrof was alles in orde. Misschien had ze pijn. Zou ze de po moeten hebben? Nee, ze had een catheter in om de urine uit haar blaas op te vangen. Of beleefde ze in gedachten misschien opnieuw de traumatische gebeurtenissen van de afgelopen dag?

Na één blik op de patiënt geworpen te hebben, wist ik het antwoord al. De transpiratiedruppeltjes stonden op haar voorhoofd en haar ledematen voelden koud en klam aan; duidelijke kenmerken van een shock. Haar lippen waren een beetje blauw, 'cyanotisch', en dat betekende dat haar bloedsomloop niet voldoende zuurstof kreeg.

De observatiekaart vertelde me de rest. Ergens in haar lichaam verloor ze bloed door een inwendige bloeding. Ze bloedde stilletjes ergens en niemand had het in de gaten gehad. Op de kaart was te zien dat haar polsslag steeds hoger was geworden en terwijl ik nu haar pols voelde, sloeg die zo snel dat hij nauwelijks meer waarneembaar was.

Zuster Witherden kwam langs, ze had net injecties gegeven.

'Snel, zuster! Haal zuurstof, ze heeft een inwendige bloeding.' Ik trok de gordijnen bruusk dicht om de geïnteresseerde blikken van de bezoekers buiten te sluiten.

'Doreen!' schreeuwde ik, 'piep dokter Salah op en blijf bij de telefoon tot hij antwoordt. Zuster Taylor, draai het voeteneinde omhoog, zodat haar benen hoog komen te liggen.' Ik moest snel denken om de belangrijkste dingen eerst te doen. Dit was een noodgeval en we moesten snel handelen.

Mijn lichaam reageerde op de spoedeisende actie. Ik voelde dat ik een kleur van opwinding kreeg en dat mijn handen trilden terwijl ik het zuurstofmasker over de mond en neus van de patiënt legde. Dat afschuwelijke plastic ding dat strak over haar gezicht werd vastgemaakt zou haar vermoedelijk nog verwarder en onrustiger maken. Maar ze werd rustiger toen het levensreddende gas haar longen instroomde en haar bloedsomloop bereikte. Met behulp van de elastische bandjes die over het hoofd getrokken werden, zorgde ik ervoor dat het masker op zijn plaats bleef zitten.

'Zuster Taylor, bekijk jij haar kaart wel eens?' vroeg ik cynisch, omdat ik wist dat het meisje verantwoordelijk was voor het bijhouden ervan. 'Haar pols is langzaam maar zeker steeds snéller geworden!' Ik wees naar de keurig bijgehouden observatiekaart.

'Waarom denk je eigenlijk dat er geobserveerd moet worden? Dat is niet om mooie formulieren in te vullen. Dat is om te kunnen zien of er verandering in de toestand van de patiënt optreedt. Waarom heb je me dat niet verteld, zuster?' Ik legde de nadruk op het woordje 'zuster', zoals we tijdens een verhitte discussie ook wel de volledige naam van iemand die ons na staat gebruiken.

Ik was nijdig en vroeg me af hoe het meisje zo'n fout had kunnen maken. Want ook al zouden we het nog zo graag willen, de gediplomeerden kunnen niet al het werk alleen doen en moeten dus uit pure noodzaak een groot deel van het werk op de afdeling overlaten aan anderen. Ik vond het vreemd, want ze was over het algemeen een nauwgezette zuster en ik had me niet bezwaard gevoeld toen ik haar dit verantwoordelijke werk had gegeven.

Zuster Taylor was hevig geschrokken en verbaasd over mijn woedende reactie. Ze legde uit: 'Maar haar bloeddruk was goed; er kwam geen enkele verandering in,' en ze wees naïef naar de keurige lijntjes op de kaart die een stabiele bloeddruk aangaven.

Het was een eerlijke fout van haar kant. Ze kon het niet weten. Het was zo gemakkelijk om te vergeten hoe onervaren deze meisjes nog waren wanneer ze in de veeleisende routine van een jachtige, algemene afdeling terechtkwamen. Ik werd wat rustiger en legde het uit.

'Denk eraan dat een pols hét belangrijkst is om op te letten. Naarmate de patiënt meer bloed verliest, wordt de pols sneller, omdat het hart steeds sneller moet slaan in een poging de bloedsomloop – ondanks het verminderde bloedvolume – op peil te houden.' Dit was niet het juiste ogenblik voor een les, maar terwijl we daar bij mevrouw Sargent stonden, leek het het enige relevante om op dat ogenblik te zeggen.

'De bloeddruk is tamelijk veerkrachtig, die verandert pas op het láátste ogenblik. Hij zal de zaken – zolang hij maar enigszins kan – compenseren en zakt dan heel plotseling.' Ik hield mezelf in om er niet aan toe te voegen 'en als die eenmaal is verdwenen, is het goed mis,' aangezien ik uit de omringende stilte van het bezoek kon opmaken dat iedereen geboeid zat mee te luisteren naar de dramatische gebeurtenissen die achter het gordijn plaatsvonden.

'Wil je me de bloeddrukmeter even geven, dan zal ik haar bloeddruk opnemen,' vroeg ik aan de zuster.

Het speet me dat ik mijn woede niet beter in bedwang had gehouden, maar gedane zaken nemen geen keer. Ze wist dat het niet mijn gewoonte was leerlingen zonder reden het leven zuur te maken, hoewel we beiden heel goed wisten dat er meer dan voldoende eerste verpleegkundigen waren die daar een gewoonte van maakten. Het meisje was nog in opleiding. En er was zoveel te leren. Dit was in ieder geval een lesje dat ze geleerd had. 'Als je het één keer hebt gezien, vergeet je het nooit meer,' is een bekend motto in de verpleging.

Bloeddruk 100 over 60. Laag, maar niet verontrustend. Pols 105, zwak en stijgend. De arts was het ermee eens dat het een inwendige bloeding moest zijn en dat ze weer naar de operatiekamer zou moeten om het bloedende vat te zoeken en dicht te maken. Een verwond gebied kan gemakkelijk een open ader verbergen waaruit het bloed stilletjes de open buikholte in sijpelt.

Om Arlene niet te veel te hinderen met gesjouw op en van de brancard, reden we haar op haar eigen bed terug naar de operatiekamer, met de grote dekenboog erop, die het gewicht van de dekens op haar gebroken been moest wegnemen. Ik hield de zak met bloed omhoog en zuster Taylor haastte zich naast het bed voort met de zuurstofcilinder.

Het hele circus passeerde het bezoek, dat helemaal opging in het noodgeval dat in hun midden plaatsvond. Het was – wat betrof het aantal mensen – het slechtst denkbare ogenblik van de dag. De hele rit door de gang keken vreemde ogen in de privé-wereld van Arlene Sargent.

Toen de nachtdienst aantrad, keerde ze van de operatiekamer op de afdeling terug. Dus het kwam bijzonder goed uit dat zuster Wither-

36

den de zorg voor haar op zich kon nemen. Hoewel zuster Taylor nu vrij was, bood ze vriendelijk aan voor ze naar huis ging nog even te helpen de patiënt goed in haar bed te installeren.

Mijn overdracht was gedetailleerd genoeg voor de nachtzusters om alle patiënten goed te kunnen verzorgen: speciale instructies voor de post-operatieve zorg, infuusschema's, medicijnen, laxeermiddelen en voorbereidingen voor de patiëntenlijst van de volgende dag.

De dokter kwam Arlene nog even controleren. Ze was opnieuw dichtgenaaid en ging nu netjes vooruit. Ik had de intensive care-afdeling al aan de telefoon gehad. Ze vertelden dat het kind na de neurochirurgische ingreep bij hen was ondergebracht en nu stabiel was, meer konden ze er nog niet van zeggen.

'Wat moeten we doen als mevrouw Sargent vragen over het ongeluk gaat stellen?' informeerde ik bij de arts.

'Zeg maar tegen de nachtzuster dat ze mij moet bellen als ze in de loop van de nacht wakker wordt. Dan kom ik wel even naar beneden en leg de zaken uit, voor zover dat nodig is. Ze moet het toch een keer weten, en als we eromheen draaien of smoesjes verzinnen, denkt ze meteen het ergste.'

Ik vond dat het moeilijk was je nog iets érgers voor te stellen dan wat mevrouw Sargent was overkomen.

Ten slotte verliet ik om tien uur 's avonds de afdeling en kon ik naar huis. De volgende ochtend om acht uur moest ik weer op de afdeling aanwezig zijn.

Ik was veel te opgewonden om rustig te kunnen slapen, dat was altijd hetzelfde na een late dienst. Ik dacht aan de gebeurtenissen van die dag en verdiepte me in de problemen die Arlene Sargent boven het hoofd hingen. Ik hoopte heimelijk dat een ander haar het slechte nieuws zou meedelen. Als ze wakker werd, zou ze merken dat ze een buikoperatie had ondergaan, opgezadeld was met een gebroken been, plotseling weduwe was geworden en dat haar dochter op de intensive care-afdeling vocht voor haar leven. Er zouden gerechtelijke onderzoeken volgen, gesprekken met de politie, de begrafenis zou geregeld moeten worden, ze kreeg te maken met verzekeringsclaims en ze zou een nieuw leven op de brokstukken van het oude moeten zien op te bouwen.

Er lag een drukke dag achter me en er lag morgen ongetwijfeld weer een drukke dag voor me in het verschiet. Nieuwe gevallen, routinegevallen, bezorgde patiënten en hun bezorgde moeders, zusters; en iedereen had zijn eigen, unieke omstandigheden. Als ik dat allemaal aankon, was er geen enkele reden waarom ik géén hoofdzuster zou kunnen worden.

OPSCHUDDING

Toen ik weer op de afdeling kwam, had dokter Salah Arlene al op de hoogte gesteld van de dood van haar echtgenoot. Ze was erg berustend en reageerde nauwelijks. Ik had het idee dat het goed voor haar zou zijn als ze haar dochtertje zou kunnen zien. Maar nadat ik even bij de kleine Kim Sargent op de intensive care-afdeling was gaan kijken, vond ik het niet meer zo erg dat haar moeder aan haar bed was gekluisterd. Dit beeld kon mijn patiënte maar beter niet onder ogen krijgen. Het tengere figuurtje van het zesjarige kind ging volkomen verloren in het grote bed in de ruime, door glas omgeven kamer waar elk geluid weerkaatst werd.

Ze was naakt, op een dun ziekenhuislaken en de zachte kussens na die haar jonge lichaampje ondersteunden.

Afgezien van het regelmatige op en neer gaan van haar borst wanneer de machine lucht in haar longen pompte, lag ze er roerloos bij. Haar ledematen lagen slap en zonder enige beweging op de plaats waar de zusters ze hadden neergelegd.

Stilte. Een morbide, griezelige stilte voor een jong kind dat normaal gesproken zo levendig en druk is.

En nergens viel uit op te maken dat dit een leuk meisje betrof. De helft van haar hoofd was voor de operatie kaal geschoren. De rest van haar lange donkere krullen was over de andere helft van haar hoofd opzij gekamd en rustte naast haar tengere hals op het kussen. De wond op haar hoofd was bedekt met een verband dat op zijn plaats werd gehouden door een nauwsluitende bivakmuts van grootmazig elastisch verband.

Het gezicht van Kim was behoorlijk toegetakeld en beschadigd door de klap die ze tijdens de botsing had opgelopen. Het is bekend dat het weefsel van het gezicht de dingen vaak erger doet lijken dan ze in werkelijkheid zijn. De zachte weefsels en tere huid zwellen gemakkelijk op door de opeenhoping van vocht en iedere kneuzing veroorzaakt een afschuwelijke zwelling en een verkleuring. Wanneer die eenmaal beginnen weg te trekken, vindt er meestal een wonderbaarlijk snel herstel plaats.

Het gezicht van Kimmetje was door haar verwondingen behoorlijk misvormd. Haar ogen waren zwart omrand en opgezwollen door een klap tegen haar achterhoofd; het leken wel de glanzende blauwe ogen van een bokser.

'Hoe liggen haar kansen?' informeerde ik aarzelend bij zuster Fowler.

'Niet slecht, hoor,' was haar opgewekte antwoord. 'Ze ziet er misschien een beetje angstaanjagend uit, maar dat is alleen maar wat oedeemvorming (de naam voor het opzwellen van het zachte weefsel) en oppervlakkige kneuzingen die binnen een paar dagen verdwenen zijn. Maar waar het om gaat, is wat er in dat hoofdje gebeurt. De neuro-jongens waren tevreden over hun operatie en heel optimistisch over haar kansen op herstel. Ze hebben een klein stolseltje weggezogen en dachten dat de verdere schade op de lange duur minimaal zal zijn. We moeten nu gewoon afwachten.'

Als iemand een hevige slag op het hoofd heeft gekregen en er wordt een ader geraakt binnen die beschermende krans van schedelbeenderen, kán dat tot zware schade leiden. Als het bloed ongehinderd weglekt, kan er zich een steeds groter wordend stolsel vormen dat op belangrijke delen van de hersenen gaat drukken. Bij de hersenen zijn alle delen even belangrijk, en ze passen netjes in de schedel, waar verder weinig ruimte meer over is. In tegenstelling tot de buikholte, die bijvoorbeeld kan vollopen met vocht, opzwellen en zonder problemen heel wat kan verwerken, lijden de hersenen direct zware schade als er van buitenaf druk op wordt uitgeoefend, of dat nu door bloed, een ontsteking of een groeiende tumor is. Er is nog steeds veel onbekend over de verschillende gebieden van de hersenen en hoe een verwonding wordt verwerkt. Sommige patiënten met ernstig hoofdletsel herstellen opvallend goed en anderen moeten na een relatief lichte klap rampzalige veranderingen in hun bestaan ondergaan.

De chirurg had het hersenweefsel van Kim blootgelegd en onderzocht. Hij had de huid van haar geschoren schedel opengesneden, de dikke schedelbeenderen opengezaagd en het schedeldak gelicht om het hersenweefsel en de vliezen die daaromheen liggen te kunnen waarnemen. Vervolgens had hij een buigzame slang genomen om het stolsel weg te zuigen en het bloedende vat gehecht, in de hoop dat dit verdere ernstige en onherstelbare schade aan het kostbare hersenmateriaal zou voorkomen.

'Ze heeft nog geluk gehad. Het is op tijd ontdekt en ze is direct geopereerd,' legde zuster Fowler uit. 'Dat was bij dat arme kind daar wel een beetje anders.'

Ze leidde me het eenpersoonskamertje van Kim uit, naar het chirurgische zaaltje met vier bedden waar een ander kind lag: een ten dode opgeschreven, in coma liggende tiener. Het meisje lag aan allerlei apparatuur die moest helpen haar in leven te houden; ze lag aan een beademingsmachine, er liepen infuzen, ze had een catheter, een monitor die haar hartslag registreerde, een EEG-apparaat – een apparaat dat de hersenactiviteiten registreert – kortom, ze lag te midden van allerlei apparatuur zoals dat alleen op de intensive care mogelijk is.

'Debbie is gevallen met haar fiets. Zo'n merkwaardig ongeluk dat – zoals in haar geval – onvoorstelbare schade kan aanrichten, en in andere gevallen een kind alleen maar even flink laat schrikken. Ze reed hard een heuvel af, verloor de macht over het stuur en vloog met haar hoofd tegen een stenen muur onder aan de heuvel. Er ontwikkelde zich langzamerhand een stolsel in haar hersenen en tegen de tijd dat dat werd ontdekt en ze hiernaartoe werd gebracht, was het al te laat. Toen ze haar openmaakten, hadden de hersenen al zo lang op elkaar geperst gezeten dat het één grote, papperige massa was geworden. Niets meer aan te doen,' de verpleegkundige haalde haar schouders op.

'Misschien is het meest trieste nog wel dat ze de helft van een tweeling is. En het overlevende zusje is ontroostbaar. De hemel mag weten hoe haar leven door dit ongeluk zal worden beïnvloed. Ze zit hier iedere dag samen met haar moeder bij het bed en ze speuren naar enig teken van herstel. Maar binnenkort zal iemand hun toch moeten vertellen dat er geen schijntje hoop meer is. Het EEG is zo plat als een dubbeltje. Er is geen spoortje hersenactiviteit meer en uiteindelijk zal ze toch van de beademingsmachine af moeten. Ze is in feite al dood. En degene die het nieuws vertelt zal ook moeten vragen om organen voor transplantatiedoeleinden ter beschikking te stellen. Het is een trieste zaak.'

De vraag om organen was een ontmoedigende zaak; voor velen zelfs onverteerbaar. Het tijdstip van de vraag was ook wreed, want hij moest gesteld worden op het ogenblik dat de familieleden toch al zo verdrietig, geschrokken en van streek waren.

Maar hier lag een lichaam vol jonge, gezonde organen: twee ogen, twee nieren en een hart konden vijf mensen weer nieuwe hoop brengen, terwijl Debbies levenskansen nihil waren.

De intensive care kwam vaker in aanraking met wanhopige en hopeloze gevallen, met ten dode opgeschreven slachtoffers en de behoeften van de transplantatiechirurgie, maar niet veel patiënten waren geschikte donoren. Deze afdeling kreeg de ernstigste gevallen uit het hele ziekenhuis. Velen overleden en verloren de laatste slag om het leven, hoewel dat niet gebeurde vóór het personeel ruimschoots zijn steentje aan dat gevecht had bijgedragen. Maar minstens evenveel patiënten pakten die extra kans en kwamen er dank zij de techniek en vaardigheden van toegewijd en ervaren personeel doorheen, en konden met succes verder leven.

Tijdens een crisis zette het intensive care-personeel alle zeilen bij. Als je kon kiezen waar je bewusteloos in elkaar wilde zakken, dan was de intensive care-afdeling de meest geschikte plaats om dat te doen.

Het idee van een IC – intensive care-afdeling – is tamelijk nieuw in ziekenhuizen. Het is de bedoeling dat alle ernstig zieke patiënten daarheen gaan en er een aandachtige, ervaren en in de meest letterlijke zin van het woord 'intensieve' zorg krijgen.

De opzet van een IC-afdeling kwam tot stand naarmate de snelle technologische vooruitgang in de medische wereld zijn intrede deed. De hele reeks levensreddende apparatuur in combinatie met de zorg voor de ernstig zieke vereist hooggeschoolde én individuele zorg. Iedere patiënt heeft vrijwel zonder uitzondering een infuus, of twee infuzen, en een catheter. Ze moeten allemaal regelmatig op pols en bloeddruk gecontroleerd worden en ondergaan hele series onderzoeken om hun toestand te registreren en te diagnostiseren. Velen zijn bewusteloos en moeten door een machine kunstmatig beademd worden; vaak hebben ze ook nog via een tracheostomie – een gat dat van buitenaf in de keel wordt gemaakt om gemakkelijk toegang tot de luchtpijp (trachea) te verkrijgen – extra hulp nodig met ademhalen.

Kunstmatige, mechanische beademing werd voor het eerst toegepast tijdens de polio-epidemieën in de jaren vijftig. Patiënten van wie de borstspier door het poliovirus verlamd was geraakt, waren niet meer in staat zelf adem te halen. Oorspronkelijk wisselden zusters en medisch studenten elkaar af om lucht in de roerloze longen te pompen en er op die manier zeker van te zijn dat de onmisbare zuurstof naar binnen en naar buiten ging. Uiteindelijk werd er een machine ontworpen die op een eenvoudig blaasbalgprincipe werkt; hij kan geprogrammeerd worden op ritmisch oppompen en leeglopen en waarborgt op die manier de noodzakelijke ademhaling.

Na deze eenvoudige uitvinding, die uit pure noodzaak was ontstaan, werd er allerlei sterkere, betere en veelzijdiger apparatuur ontwikkeld. De techniek van beademing met afwisselende positieve druk wordt bij allerlei ziektes en verwondingen gebruikt. Dank zij deze uitvinding is bijvoorbeeld de open-hartchirurgie mogelijk geworden. Het is vreemd te bedenken dat reddende hartoperaties mogelijk gemaakt zijn door polio.

De IC van het Gartland krijgt alle ernstige patiënten uit het hele ziekenhuis toegeschoven; iedereen die uitzonderlijke, intensieve medische en verpleegkundige zorg nodig heeft gaat daarnaartoe. Ze nemen patiënten van iedere afdeling, of dat nu de chirurgische of de interne afdelingen betreft, volwassenen en kinderen. Wanneer het een noodgeval betreft, krijgen ze de patiënten zelfs regelrecht uit de operatiekamer. Er worden ook voortdurend patiënten regelrecht via de Eerste Hulp opgenomen met borst- of hoofdletsel of in een staat van bewusteloosheid. Overdoses van drugs zijn aan de orde van de dag.

De IC heeft maar een beperkte ruimte, dus ze kunnen alleen de werkelijk ernstige patiënten houden. Het verloop onder de patiënten is groot, en zodra iemand voldoende is hersteld, wordt hij zo snel mogelijk van de afdeling afgevoerd om plaats te maken voor nieuwe en urgentere gevallen.

Het aantal verpleegkundigen per patiënt ligt heel hoog, aangezien dit soort patiënten zwaar ziek en dus heel afhankelijk is. Sommige leerling-verpleegkundigen lopen wel eens een stage op de IC, maar de meerderheid bestaat uit gediplomeerde verpleegkundigen, van wie velen eerste verpleegkundige zijn, dus er is iedere dienst wel iemand die de eindverantwoording draagt.

Er werken eveneens veel zusters die nog een extra intensive care-aantekening hebben gehaald.

De paar leerlingen die soms stage op de IC lopen zijn steeds bovental lig op de vaste staf en werken altijd samen met een ervaren IC-zuster. Vanuit het standpunt van de leerling bezien is het bijzonder leerzaam en goed voor het zelfvertrouwen. Tenslotte kun je wel stellen dat als je de duizelingwekkende hoogten van de intensive care hebt overleefd, je het werkelijk hebt gemáákt. De afdeling heeft niet veel aan een leerling zonder noemenswaardige ervaring in de vele gebruikelijke technieken. De leerlingen staan in het begin meestal doodsangsten uit, maar ze komen er bijzonder zelfingenomen vandaan! De weinigen die op de IC hebben gewerkt begrijpen heel goed dat het een voorrecht is dat ze daar een stage hebben kunnen lopen.

De IC boeit iedereen. De leek koestert voor de naam alleen al veel ontzag. Die betekent niet alleen gespecialiseerde aandacht, maar kondigt ook een levensbedreigende situatie voor een geliefd persoon aan! De plek met directe toegang tot moderne technische hulpmiddelen is de plek waar je alleen naartoe gaat wanneer je leven aan een zijden draadje hangt.

De IC-zusters dwingen ook de bewondering af van hun collega's op de algemene en andere afdelingen in het ziekenhuis, wier gewone alledaagse bestaan verbleekt naast het intensieve en machtige werk op die afdeling. Voor de oningewijden straalt de IC drama, spanning en stimulerend heldhaftig functioneren uit. Ze weten dat infusen en drains voor meisjes van die afdeling dagelijks werk zijn, bloed afnemen als een routinezaak wordt beschouwd en intraveneus medicijnen toedienen in een reeds aangelegd infuus is toegestaan. Beademingsmachines zijn op de IC net zo gewoon als po's op iedere willekeurige andere afdeling!

Voor hen is een hartstilstand iets dat met de regelmaat van de klok voorkomt en het vormt een onderdeel van hun werk, iets dat je ieder ogenblik kunt verwachten. De reanimatieprocedure wordt automatisch gedaan door het IC-personeel, dat hier veel ervaring in heeft. Alles ligt binnen handbereik en ieder ervaren lid van het team is op de hoogte van de juiste routine. Het lijkt niet op de amateuristische, prutserige pogingen die worden ondernomen wanneer ons keurig afdelingsbestaantje door een onverwachte hartaanval wordt verrast.

In ons hart waren we jaloers op de koele, kalme, zakelijke benadering van een crisis die eerlijk gezegd voor hen een dagelijks terugkerende situatie was.

Parker had over het algemeen weinig met de IC te maken, dus ik wist maar weinig van deze afdeling af; we moesten er wel eens een noodgeval naartoe brengen.

Het leek me nu echter niet onverstandig om bij deze afdeling langs te gaan om Arlene dagelijks op de hoogte te kunnen houden van de vooruitgang van haar dochtertje. Ik was daar de aangewezen persoon voor, aangezien ik de eerste verpleegkundige was én een kinderaantekening had. Het was belangrijk om het contact tussen Arlene en haar kind gaande te houden, ook al was het via een tussenpersoon. Kim was alles wat ze nog had.

Ik had kennisgemaakt met zuster Christine Fowler, die bijzonder behulpzaam was en me een rondleiding gaf over de onbekende afdeling.

Een paar jaar geleden was een van de oudere afdelingen van het Gartland volledig opgeknapt om aan de dringende behoefte aan een IC te kunnen voldoen. De oude tuberculose-afdeling werd niet meer gebruikt, aangezien tb vrijwel niet meer voorkwam en dat was dus de afdeling die ervoor in aanmerking kwam. De afdeling werd volkomen ondersteboven gehaald voor hij werd gerestaureerd. De feniks die uit de as van de voormalige tb-afdeling herrees was een intensive care-afdeling van twaalf bedden, doelmatig opgezet, vlak bij de operatiekamer en de röntgenafdeling.

Een van de zaaltjes met vier bedden was gereserveerd voor patiënten met hart- en vaatproblemen en het lag er meestal vol. Deze patiënten hadden vaak een zware hartaanval gehad, waren gereanimeerd en lagen bewusteloos in hun bed. Als er plaats was, lagen er ook allerlei min of meer ernstige gevallen die bij kennis waren, maar over pijn op de borst klaagden. Zij lagen aan monitors en werden behandeld in de hoop een zware hartaanval te kunnen voorkomen.

Het andere zaaltje met vier bedden werd meestal voor zowel manlijke als vrouwelijke chirurgische gevallen gebruikt, voor iedereen die een zware operatie had ondergaan of zware verwondingen had opgelopen. Dit was de nogal bloederige rommelhoek – lichamen waarop was ingehakt met achterlating van gapende wonden – en overal hingen drainflessen vol bloed.

Verder waren er nog twee eenpersoonskamertjes voor iedereen die speciale individuele zorg moest hebben. Jonge kinderen zoals Kim werden meestal apart verzorgd; op die manier werden ze buiten het zicht en de geluiden van de IC gehouden en konden de vrije bezoekuren van hun ouders gewaarborgd worden.

Besmettelijke patiënten konden door middel van sluizen geïsoleerd van de rest van de afdeling verpleegd worden. Andersom kon een patiënt die beschermd moest worden tegen vijandige ziekenhuisbacteriën, bijvoorbeeld omdat hij brandwonden had, ook geïsoleerd verpleegd worden. Zo konden de bacteriën die het helingsproces van de verbrande huid in gevaar konden brengen buiten de schone kamer gehouden worden.

Er lag een bijzonder interessant geval in het eenpersoonskamertje naast Kim. 'Een hersenbeschadiging heeft zijn temperatuurcentrum geraakt. Zijn temperatuur schiet naar gevaarlijke hoogten en we doen alles om hem van buitenaf zo koel mogelijk te houden,' legde zuster Fowler uit.

Dat was een antwoord op mijn vraag betreffende de kleding van de zuster in die kamer. Normaal gesproken droegen ze een dun wit jurkje, maar deze zuster had een vest aan, twéé overschorten, een wollen muts en lange dikke wintersokken over haar Zweedse muilen. De patiënt was bewusteloos en lag slechts onder een dun laken.

'Het is je reinste poolklimaat daarbinnen, het koelsysteem pompt koude lucht naar binnen en de ventilator circuleert die lucht. Het arme kind komt steeds naar buiten om meer kleren aan te trekken en wat warms te drinken. Dit demonstreert wel het belang van eenpersoonskamers voor speciale gevallen,' legde ze uit.

De tweepersoonskamer was een toevluchtsoord voor het geval er meer patiënten kwamen dan er plaats op de afdeling was.

'Af en toe krijgen we hier wel eens een baby, vooral met besmettelijke ziekten, als we niet het risico kunnen nemen die kinderen op de kinderafdeling op te nemen. Een enkel geval van kinkhoest of meningitis, dat soort dingen. Natuurlijk nemen we geen echt kleine baby's op; de pasgeborenen hebben hun eigen intensive care op de baby-IC,' hielp Chris me herinneren.

Alle zaaltjes en kamertjes kwamen uit op een gemeenschappelijke gang die op zijn beurt naar het spoelhok, de keuken, de voorraadkamers en de kleedkamer van de zusters en de rustkamer leidde.

Er waren geen deuren in de zaaltjes met vier bedden, daardoor waren ze gemakkelijk toegankelijk. De muren waren overal van glas zodat de zusters naar elkaar konden gebaren als ze iets nodig hadden dat op een andere plaats op de afdeling lag.

De centrale zusterpost lag in de gang en kon alle bedden overzien. Hier zat de hoofdzuster, die telefonische vragen beantwoordde, monitors in het oog hield en algemeen als verbindingsschakel van de afdeling optrad.

De patiënten die aan een monitor lagen die hun hartactiviteiten nauwlettend in het oog hield hadden de uitslag bij hun bed hangen, zodat hun eigen zuster het direct kon aflezen. Er was ook een tweede uitslag, die werd in een grotere computer geleid en centraal door de dienstdoende verpleegkundige en de langskomende artsen gecontroleerd. Het was een extra veiligheidsmaatregel die zichzelf méér dan terugbetaalde, vertrouwde zuster Fowler me zachtjes toe.

Ieder bed was voorzien van zijn eigen medische apparatuur, die aan de muur was bevestigd. Ieder bed had zijn eigen bloeddrukmanchet, uitzuigapparaat, ECG-monitor, tijdklok voor hartstilstand, zuurstofvoorraad, allemaal binnen handbereik voor geval van nood. Bij ieder bed stond ook een blad met naalden, spuiten, uitzuigslangen en tubes – gereedschap dat de IC-zuster ter beschikking stond.

Er werden uiterst moderne bedden gebruikt; met één druk op een knop ging het bed omhoog of omlaag, of kwam het hoofd- of voeteneinde omhoog. De matrassen waren bijzonder licht en zaten in plastic hoezen; misschien niet echt prettig, maar wel noodzakelijk omdat ze gemakkelijk afwasbaar moesten zijn in geval van incontinente patiënten.

Iedere patiënt had een grote kaart boven zijn bed hangen om de verschillende observaties op aan te brengen die zijn toestand weergaven. Er werd veel en voortdurend gecontroleerd. Tegen de tijd dat de zuster klaar was met de ene serie was het bijna tijd om met de volgende te beginnen.

'Alle patiënten liggen naakt in bed en zijn slechts met een laken bedekt, soms met nog een extra deken of sprei. Je merkt wel dat de temperatuur hier steeds prettig en constant is. De zusters zijn zo druk onder en boven de lakens met allerlei onderdelen van de patiënt bezig dat ze ruimte moeten hebben om hun werk goed te kunnen doen, dus het zou onzin zijn met gewoon beddegoed of nachtkleding te werken. Het zou ook te bezwaarlijk voor de arme patiënten zijn,' legde ze bijna verontschuldigend uit.

'De patiënten die het na een chirurgische ingreep wat warmer moeten hebben, of zij die aan hypothermie (te lage lichaamstemperatuur) lijden worden met een van onze reservedekens met een aluminium laagje toegedekt; dat is ideaal isolerend materiaal om warmte vast te houden,' voegde Chris eraan toe.

Ik herinnerde me dat toen ik op de kinderafdeling werkte, we kleine baby's in aluminiumfolie wikkelden om te voorkomen dat hun lichaampjes kostbare warmte zouden verliezen. Als die in zilverpapier gehulde wezentjes in hun couveuses lagen, leken het precies kippen die klaar lagen om gebraden te worden. Aluminiumfolie, een eenvoudig idee, maar het werkte uitstekend.

Ik keek naar het zaaltje met de vier bedden en nam de unieke, sombere, klinische en misschien voor sommigen zelfs vijandige sfeer in me op.

Geen wonder dat de mensen hier gek worden, dacht ik.

Ondanks alle geweldige voordelen die men er lichamelijk gezien kon bieden, kon de IC akelige psychische nawerkingen hebben.

Stel je eens voor dat je na een operatie wakker wordt of – nog erger – na een onverwacht ongeluk of een chirurgische of andere ingreep. Denk je dan eens in dat je nog enigszins verward bijkomt in deze vreemde omgeving.

Het gehoor is het eerste zintuig dat terugkeert. Je oren nemen stemmen waar, veel vreemde stemmen die wel een bekende taal spreken, maar toch is die taal doorspekt met onbekende vaktermen. Het gezoem van een beademingsmachine die misschien aan jou vastzit, of aan een ander, klopt regelmatig op een bijna biologerende manier.

Een oscilloscoop piept en tutert lawaaiig alsof hij de hele afdeling van jouw hartactiviteiten op de hoogte wil stellen. Je merkt de groene hakerige lijn op die je geruststelt wat betreft de vooruitgang van je hart – of juist niet.

Een uitzuigmachine komt zoemend tot leven als hij wordt aangezet, gevolgd door het krakende, gorgelende geluid dat zo typerend is voor het opzuigen van taaie vloeibare afscheidingsprodukten.

En tussen al deze vreemde geluiden is het voortdurende gezoem van de machinerie te horen die de afdeling van schone gefiltreerde lucht voorziet, plus het zwakke, voortdurende gebrom van neonlicht.

Met je wazige ogen die je nog niet goed kunt richten, zie je het witte plafond en de klinische magnoliamuren – niet al te verblindend, maar ook niet bar interessant. Overal rondom staan vreemde metalen apparaten en dan concentreer je je op het infuus, het infuus dat naar... 'Is dat míjn arm? Maar die kan ik niet bewegen!'

Roerloos door de pijn, verlamming of medicijnen, of tegengehouden door slangen of buizen ben je niet in staat je te bewegen.

Je kunt niet spreken vanwege een dikke slang die door je keel is geduwd om je van kostbare zuurstof te voorzien. Dus je kunt ook niet communiceren.

'Allemachtig, wat is er gebeurd? Waarom kan ik niet praten? Wat is er aan de hand?'

Er buigt zich een meisje over je heen en ze zegt iets. Je probeert haar goed te zien. Ze heeft een lief gezicht en is in het wit gekleed. Dit is vast de hemel!

Het komt nogal eens voor dat patiënten in hun ijlende en verwarde staat aannemen dat ze zijn gestorven en in de hemel zijn aangekomen en door engelen verzorgd en verpleegd worden. Deze misvatting komt nog meer voor in ziekenhuizen met verplegende nonnen die een grote witte brede kap dragen.

'Wáár ben ik?' schreeuw je het inwendig uit. En iedere zuster die een beetje gevoel voor haar beroep heeft, zal die vraag aanvoelen en je meteen vertellen wat er aan de hand is, vóór de kwellende gedachten goed op gang komen.

'Ben ík dat?' Je ziet een naakt lichaam dat luchtig door een laken wordt bedekt; je ledematen zijn aan verschillende onbekende apparaten verbonden, waarvan de snoeren allerlei kanten oplopen.

'Waar zijn mijn kleren, of minstens mijn onderbroek en mijn nachthemd?' denk je terwijl je langs je lichaam kijkt op zoek naar iets bekends. 'Waar zijn mijn horloge, mijn ringen, mijn bril en mijn gebit?' terwijl je je voorstelt hoe verschrikkelijk je er zonder je gebit moet uitzien, zo heeft nog niemand je ooit gezien. 'Wie bén ik? Er is niets te zien wat op mij of mijn leven lijkt.'

De stem van Chris Fowler haalde me terug naar de werkelijkheid van de IC.

'Het verloop van patiënten is hier zo groot en gaat zo snel dat het te veel zou zijn de bezittingen van de patiënten in de gaten te houden. Gebitten, brillen en trouwringen en als het moet polshorloges kunnen we nog net aan. Maar over het geheel genomen hebben we hier al genoeg spullen van onszelf. Het risico van verliezen van persoonlijke sieraden of privé-bezittingen is te groot, vooral als ze verwikkeld raken in de chaos van een noodgeval.'

Ze had natuurlijk gelijk. In iedere willekeurige andere omgeving zou iets dergelijks onaanvaardbaar en onmenselijk geweest zijn, maar in de IC ligt de nadruk op de lichamelijke noden en die gaan boven de aardige dingen in het leven.

Het was desondanks jammer dat al bleven de mensen nog zo kort op de afdeling, sommige patiënten zo gedesoriënteerd en in de war raakten door de vreemde omgeving en de drukke, onbekende routine.

Met de voortdurende onderbrekingen van artsen en fysiotherapeuten, het maken van röntgenfoto's, het bloed afnemen en de eindeloze controles van pols, temperatuur en bloeddruk was het onmogelijk om werkelijk tot rust te komen. De meeste verzorgende maatregelen gingen 's nachts ook door, dus zelfs dan kon de patiënt niet ongestoord slapen. Tussen de hazeslaapjes door kon de patiënt gemakkelijk alle besef van tijd verliezen en zelfs niet meer weten waar hij zich bevond.

Er scheen altijd licht in hun ogen, het personeel was altijd bezig met de dringende behoeften van de essentiële zorg en de machines bromden en zoemden voortdurend. Natuurlijk bleven de noodgevallen niet beperkt tot kantooruren, mensen zakten 's nachts net zo gemakkelijk in elkaar.

Er was maar weinig houvast in de omgeving voor de patiënt om zich op te kunnen oriënteren. De dienstwisseling van de zusters was een vast punt wat betrof het tijdstip van de dag. Er was nauwelijks een mens die kon eten of koffie kon drinken, een krant kon lezen of televisie kon kijken. Tegen de tijd dat iemand die 'normale' activiteiten weer kon bedrijven, werden ze spoorslags naar een gewone afdeling afgevoerd.

'We proberen de patiënten zoveel mogelijk rust te gunnen, door onderzoeken en behandelingen te laten samenvallen, zoals fysiotherapie geven nadat er een röntgenfoto is gemaakt. Maar de pols- en bloeddrukcontroles gaan vrijwel voortdurend door en we moeten de patiënten voor hun eigen bestwil blijven storen om hen om te draaien en te voorkomen dat ze doorliggen. 's Nachts draaien we de neonlichten uit, maar de zijlichten moeten aan blijven omdat de zusters hun werk moeten kunnen blijven doen,' legde Chris Fowler uit terwijl we het leven op de afdeling bespraken.

'De patiënten zijn vaak erg gedesoriënteerd en verliezen elk gevoel voor tijd. We hebben hier een keer een man gehad die nachtmerries had over slangen onder zijn bed. En plotseling drong het tot ons door waarom. Hij raakte in de war door die grote, kronkelige slang die aan de rijdende röntgenmachine vastzit.' We lachten een beetje, maar begrepen dat het voor de arme man die het verkeerd had begrepen vermoedelijk niet leuk was geweest.

'Ik ben bang dat dit een van die ongewenste neveneffecten is van in zo'n klinische omgeving opgesloten te zitten,' zei ze berustend. 'Gelukkig raakt niet iedereen erdoor besmet. Onze belangrijkste zorg is te redden wat er te redden valt, en we weten dat dat soms een angstaanjagend proces is. De afdeling ís saai om dag in dag uit naar te kijken. De patiënten zien nog geen boom of stukje blauwe lucht om vast te kunnen stellen of het nu zomer of winter is, want deze ramen kijken uit op de gezellige stenen muren van de operatiekamer.'

'Dit is de meest geliefde plek.' Ze bracht me naar een bed en wees naar het plafond.

'Het is een oude bloedvlek, maar het geeft een beetje kleur en het patroon verschaft wat afwisseling voor hen die plat op hun rug liggen. Er is iets om naar te kijken te midden van de verder eentonige, weinig boeiende omgeving. Ik heb al heel wat fantasierijke interpretaties van die vlek gehoord,' vertelde Chris me.

Zuster Fowler nam me mee naar de zusterpost voor een kop koffie.

'Het personeel drinkt hier altijd zijn koffie, het is onze coffeeshop. Het bespaart je het omkleden in gewone kleren om naar de kantine te gaan,' zei ze terwijl ze de koffie klaarmaakte.

De IC-zusters hadden hun eigen speciale uniform en mochten dat alleen op hun eigen afdeling dragen: lichte, loszittende witte jurken met een gemakkelijke open hals en korte mouwen. Er moest wel enige zorg aan het ondergoed besteed worden om de nodige ingetogenheid te betrachten, aangezien een rode onderbroek of een zwarte bh opvallend door de doorzichtige stof heen scheen.

'Nou, ik vind dat jullie hier geweldig werk doen, Chris,' zei ik toen de rondleiding ten einde was. 'In de tijd dat ik voor een uitzendbureau werkte, heb ik wel eens een nachtje op andere IC's gestaan en ik was eerlijk gezegd diep onder de indruk van dat werk.'

'Och, het is net als met alles, het is gemakkelijk wanneer je weet hoe het moet en de routine eenmaal kent,' zei ze achteloos. 'Je moet wel bedenken dat het heel anders is dan het gewone werken op de afdeling en dat maakt sommige zusters in het begin wel eens nerveus. Maar je moet niet vergeten dat we hier veel dingen niet doen; we verstrekken geen maaltijden, we geven geen drinken tussendoor en er zijn geen po's of pre-operatieve zorg.'

'Dat is waar,' was ik het met haar eens, 'maar jullie hebben het altijd zo drúk! Jullie werken in zo'n hoog tempo.'

'Ook dat is niet altijd zo. We moeten voldoende personeel hebben voor het geval de afdeling vol komt te liggen, maar crises komen altijd tegelijkertijd. De ene seconde is het allemaal nog rustig en verveel je je een ongeluk omdat je patiënten er zo beroerd aan toe zijn dat je niet eens een gesprekje met ze kunt voeren. Op dergelijke ogenblikken gaan we maar brieven schrijven, of zoiets. Het volgende ogenblik is het een en al actie en paniek en krijgen we overal vandaan patiënten toegestuurd, zodat het ons te veel wordt. Zo gaat het in de IC, het is hollen of stilstaan.'

Toen voegde Chris er op enigszins geïrriteerde toon aan toe: 'Natuurlijk probeert het hele ziekenhuis bij ons personeel te lenen als het rustig is. We vinden het niet erg om af en toe de helpende hand te reiken, maar het wordt een beetje te erg als dat een gewoonte wordt. En het valt wel op dat ze nooit zoveel haast hebben om te helpen als wíj het een keertje erg druk hebben. Maar de meesten zouden toch niet veel hulp kunnen bieden, daar is het werk hier veel te gespecialiseerd voor,' voegde ze er een tikkeltje berustend maar toch trots aan toe.

'Over het geheel genomen bemoeien we ons maar het liefst zo min mogelijk met anderen en zorgen we dat de afdeling goed loopt zonder hulp van de rest van het ziekenhuis.'

'Vind je het werk hier wel leuk?' vroeg ik Chris.

'Tja, zelfs onze routine kan eentonig worden. En je moet wel stressbestendig zijn voor IC-werk; de voortdurende spanning van dergelijke dringende en intensieve zorg eist veel van het personeel. Maar het is in veel opzichten wel lonend,' ging ze verder, 'het is erg dankbaar werk om iemand vanuit een ernstige toestand te zien herstellen en te weten dat jij daaraan hebt meegeholpen. Maar we vinden het niet zo bevredigend dat we nooit een eindresultaat zien, dat we nooit een genezen patiënt kunnen uitzwaaien die het ziekenhuis uitwandelt. Wij zijn de tussenpersonen die nooit iets van het begin tot het einde meemaken, dat is wel eens jammer. Een ander verschil is dat we onze patiënten nooit als mens leren kennen; jullie kunnen in het dagverblijf met hen praten of tijdens de wasbeurten iets over hun familie horen.

IC-personeel is meer op elkaar aangewezen, aangezien er weinig kans op sociaal contact met de patiënten is. Wij hebben geen rustende of herstellende patiënten om mee te kletsen als het werk gedaan is. We moeten elkaar steunen, en we kunnen als team gelukkig goed met elkaar overweg en er is een prettige samenwerking met de artsen en de fysiotherapeuten.

En dan hebben we natuurlijk meer dan ons aandeel doden in dit werk, dat begrijp je. Een hele serie mislukte pogingen is ontmoedigend en demoraliserend voor het personeel en soms vraag je je dan in een somber ogenblik wel eens af of het allemaal wel de moeite waard is. We werken keihard en doen alle mogelijke pogingen en dan zien we het leven toch nog tussen onze vingers doorglippen en moeten we het opgeven. Het ene ogenblik is het nog een levend mens en het volgende moment moeten we toegeven dat het een dode is. Dat kan behoorlijk wat consternatie veroorzaken voor hen die erbij betrokken zijn.

Daarom zijn we op de IC nogal soepel wat betreft het toestaan van regelmatige pauzes,' legde ze uit, 'om de meisjes hier even een kop koffie te laten drinken of een sigaretje te laten roken. Even een "smokko" zoals een Australische zuster het zo fraai kon uitdrukken. Het is een lange en veeleisende dienst die zowel fysiek als emotioneel erg veel van iemand vergt, vooral van nieuwe zusters.

Er zijn voor- en nadelen aan deze afdeling. Ik weet het niet,' zei ze peinzend. 'Ik ben hier nu een paar jaar en ik zit vaak aan overplaatsing te denken. Ten eerste zijn hier al zoveel verpleegkundigen. Het moet leuk zijn om eens de enige te zijn die de verantwoording heeft, een eigen afdeling te hebben. Hé, jullie hoofdzuster gaat weg, hè?' informeerde Chris terloops.

Allemachtig, ik had dolgraag 'nee' of 'die baan is voor mij' willen zeggen.

Maar dat was niet zo. Nog niet; als het al zover zou komen. En wie was ik om te bepalen wie mijn concurrenten zouden worden? Mijn gedachten keerden snel terug naar Parker en het patiëntje waar ik me zorgen over had gemaakt.

'Eh, ja,' antwoordde ik snel en stond op om weg te gaan. 'Zeg, nog bedankt voor de koffie en de rondleiding. Vind je het goed als ik – of iemand anders van onze afdeling – iedere dag even langskomt om naar Kim te kijken? We denken dat het belangrijk is haar moeder regelmatig van Kims toestand op de hoogte te houden. Ik zal het je wel laten weten wanneer mevrouw Sargent in staat is om zelf naar beneden te komen om haar dochter te bezoeken, maar ik hoop dat dat voorlopig niet het geval zal zijn,' voegde ik eraan toe. Het klonk vreemd, maar het zou voor de moeder onder de huidige omstandigheden beter zijn haar dochtertje nog maar even niet te zien.

Het was een dilemma. Het kind had haar moeder nodig om haar te stimuleren beter te worden. Maar de moeder was er zelf slecht aan toe en had tijd, rust en vooral gemoedsrust nodig om zelf beter te worden. Lieve God, als de IC al een plek vol spanning voor patiënten en personeel was, dan was er geen twijfel aan dat het een angstaanjagende toestand zou zijn voor een ongerust en toegewijd familielid.

HERSTEL

Het duurde nog enige tijd voor Arlene Sargent Parker kon verlaten en zelf naar de IC kon gaan. De neurochirurg die voor Kim verantwoordelijk was deed zijn uiterste best om Arlene van Kims vooruitgang op de hoogte te houden. Ze was ook erg dankbaar voor onze dagelijkse berichten die haar contact met Kim in stand hielden. Arlene wilde na mijn bezoekjes aan haar kind altijd alles nauwkeurig weten en ze probeerde zich een zo duidelijk mogelijk beeld van haar toestand te vormen. Mijn rapporten waren altijd op feiten gebaseerd en voorzichtig optimistisch. Ik vertelde altijd de waarheid, maar ze zocht in mijn ogen naar een spoortje hoop of moedeloosheid dat haar meer zou kunnen vertellen dan mijn woorden.

En dat was ook de reden dat ik wat terughoudend was toen de grootouders vroegen of ze hun kleindochtertje mochten bezoeken. Ze waren uiteraard in allerijl naar het ziekenhuis gekomen toen ze hadden gehoord wat het gezin was overkomen. Het was een emotioneel weerzien van Arlene met haar ouders, maar het was goed dat ze kon huilen en al haar opgekropte emoties de vrije loop kon laten.

'We hebben in de buurt een logeermogelijkheid gevonden,' vertelde de keurig geklede grootmoeder. 'We willen graag in de buurt blijven om iedere dag langs te kunnen komen. Het is allemaal zo afschuwelijk,' voegde ze eraan toe, en vocht tegen haar tranen.

'Zuster, zou het mogelijk zijn dat we bij Kim op bezoek gaan?' vroeg ze.

O hemeltje, wat moest ik daarop antwoorden? Hoe zou Arlene zich voelen nu ze zelf niet in staat was haar kind te zien? Zou ze jaloers worden als haar ouders wel even naar het meisje mochten kijken? Mensen zijn soms overgevoelig en kunnen gemakkelijk pijnlijk gekwetst worden door dat soort kleine dingen. Ik wilde absoluut niet dat mijn patiënt nodeloos van streek gemaakt zou worden. Aan de andere kant zou ze misschien blij zijn voor haar kind dat er iemand bij haar zou komen waar ze van hield. En dat kon in het voordeel van Kims genezing werken.

Mijn grootste zorg was de emotionele reactie van de grootouders wanneer ze dat lieve meisje daar machteloos, zielig, apathisch, volkomen afhankelijk en met overal slangen zouden zien liggen. Bovendien zou Arlene hun gezichten afspeuren als ze terugkwamen, en door hun schrik beïnvloed kunnen worden.

Er zaten allerlei voor- en nadelen aan een dergelijke situatie. Maar er was een uitweg: ik kon zeggen dat patiënten op de IC uitsluitend door directe familie bezocht mochten worden. Dat was een regel waar enige elasticiteit inzat als het nodig was, of die streng werd gehandhaafd als dat beter was voor de patiënt.

Ik redde me eruit door eerst dokter Salah te consulteren. Hij dacht er goed over na en bedacht een diplomatieke oplossing.

'Zoek eerst eens uit hoe die grootmoeder waarschijnlijk op de IC zal reageren. Het is vaak heel angstaanjagend voor leken, vooral als er zo'n ernstig ziek kind ligt. En vraag ook eens of mevrouw Sargent het ermee eens is dat ze naar haar dochtertje gaan – we moeten haar op geen enkele manier voor het hoofd stoten. Als zij ermee akkoord gaat, leg dan de nadruk op het feit dat het heel goed voor Kim zal zijn. Ieder contact op dit ogenblik kán van levensbelang zijn om haar uit haar coma te krijgen. En bereid oma voor op wat ze te zien zal krijgen, en bel de IC van tevoren even. O, en zorg ervoor dat er een zuster meegaat.'

Ik bedankte hem hartelijk voor zijn raadgevingen en vroeg: 'Moeten ze mevrouw Sargent nog direct verslag komen uitbrengen?' Ik zag mevrouw Sargent in gedachten snakkend naar nieuws, en haar ouders die niet in staat zouden zijn hun tranen te bedwingen.

Hij wist het niet zo goed en dacht diep na voor hij uiteindelijk besloot: 'Neem ze ná het bezoekuur mee naar de IC. Op die manier gaan ze op weg naar huis daarlangs, en hebben ze het bezoek een beetje verwerkt tegen de tijd dat het volgende bezoekuur bij hun dochter is aangebroken.'

De grootmoeder had ervaring met IC's. Haar echtgenoot was een paar jaar tevoren voor een hartoperatie opgenomen geweest, dus ze had het allemaal al eens gezien. Grootvader besloot zijn vrouw niet te vergezellen. Ondanks het feit dat hij persoonlijke ervaringen met de IC had, voelde hij weinig voor een emotionele ontmoeting met zijn kleindochtertje, dat nu het slachtoffer van al die draden was.

Het komt vaker voor dat vrouwen meer weerstand hebben, een dapper gezicht trekken en doen wat er gedaan moet worden. Veel mannen kunnen hun emoties niet in bedwang houden wanneer ze met dit soort zaken geconfronteerd worden.

Het viel oma mee, ze kon de situatie goed aan en ze zocht Kim iedere middag op.

Ondertussen moest Arlene op de afdeling blijven. Toen haar algemene toestand wat verbeterde, werd ze naar de operatiekamer teruggebracht voor verdere chirurgische ingrepen. Dit keer was de beurt aan de orthopedisten.

Het verbrijzelde been werd door een lange incisie blootgelegd en de vele stukjes bot werden zichtbaar. Ze werden weer aan elkaar vastgemaakt door middel van metalen platen en schroeven om haar zo een nieuw been voor de toekomst te verschaffen. Het genezingsproces van bot kan maanden vergen, dus ging het been van haar tenen tot aan de bovenkant van haar dijbeen in het gips.

Arlene moest in bed blijven tot het gips hard was geworden en ze lag met haar lange witte been op een paar kussens. Ze zag er de grappige kant van in en vond dat ze eruitzag als een figuur uit een stripverhaal. Ze was opgewonden over het feit dat ze nu weer een stapje verder was naar haar genezing en weldra in staat zou zijn Kim zelf te bezoeken, al zou het moeizaam zijn.

Gips is een witte, kalkachtige substantie die als verband – geïmpregneerd met gipspoeder – in de handel is. Als het nat is gemaakt, wordt het blubberige verband om een arm of been gerold en zo gevormd dat het een stevige, maar onbeweeglijke steun geeft.

Het gips wordt vrijwel direct hard, dus degene die het gips aanbrengt moet snel werken. Als het klaar is, duurt het een dag of twee, drie voor alles helemaal droog is; tijdens die periode moet er goed op worden gelet dat er niet tegenaan geslagen wordt, er deuken in worden gemaakt of het gips op welke manier dan ook van vorm wordt veranderd. Het is uitermate belangrijk dat de zusters regelmatig controleren of het gips niet te strak zit, want dan zou de bloedsomloop van het been gevaar lopen of er zouden zenuwen beschadigd kunnen worden.

Zolang het gips moet drogen voelt het aan de buitenkant warm aan, hoewel de patiënt de blubberige substantie aan de binnenkant als koel ervaart.

'Het lijkt wel of je met wollen sokken aan in bad bent geweest en alles nu moet opdrogen. Jakkes, niet echt lekker,' zei Arlene tegen de zusters, die veel interesse in dit ongewone fenomeen op onze afdeling toonden.

Arlene hield zich goed, maar deze lange dagen waarin ze aan haar bed gekluisterd was, moeten heel moeilijk voor haar zijn geweest. De andere patiënten kwamen regelmatig langs om een praatje te maken. De meesten hadden wel gehoord wat er aan de hand was, dus ze hielden hun gesprekjes gezellig, vrolijk en oppervlakkig.

De conversatie oppervlakkig houden was prettig voor anderen, maar het hielp Arlene niet erg om de werkelijkheid onder ogen te zien. Zelfs haar ouders hadden niet meer over het ongeluk gesproken, want ze wilden haar niet van streek maken.

Maar het moest er toch van komen. Ze kon haar gedachten en gevoelens niet eeuwig blijven onderdrukken.

Wilde ze het zich niet herinneren, of kón ze het zich niet herinneren? Haar geheugen weigerde dienst, maar het was niet in haar voordeel om de problemen niet onder ogen te zien.

Soms deed zelfs het personeel oppervlakkig over emotionele trauma's, die samen met fysieke verwondingen een enorme shock voor het hele lichaam kunnen betekenen.

'De politie blijft opbellen om te vragen wanneer ze mevrouw Sargent over het ongeluk kunnen ondervragen,' vertelde dokter Salah me. 'Ik heb het zolang mogelijk uitgesteld, tot alle operaties achter de rug waren en ze het weer goed aan zou kunnen, dus ik zal zeggen dat het vrijdag mogelijk is. De kans bestaat dat de vrachtautochauffeur vervolgd zal worden en onze patiënt hoofdgetuige zal moeten zijn.' Hij zuchtte bij het vooruitzicht van de beproevingen die deze arme vrouw nog zou moeten doorstaan.

'Zuster, het zou erg helpen als u haar een beetje op dat vraaggesprek zou kunnen voorbereiden, om haar als het mogelijk is aan het praten te krijgen.'

'Ik wil het graag proberen. Ze is tot nu toe opvallend zwijgzaam over het hele voorval geweest,' merkte ik op.

Aangezien Arlene niet uit deze buurt kwam, kreeg ze weinig bezoek, afgezien van haar ouders die nu weer tijdelijk naar huis waren teruggekeerd.

Arlene was erg gesteld geraakt op Kiki Woods, die haar eerste baby verwachtte. Kiki had ons onlangs allemaal verrast door met die verlegen, rustige laborant te trouwen die zo gemakkelijk bloosde. Onze pasgetrouwde was direct in verwachting geraakt. Het was een bron van grote interesse en opwinding voor het personeel en de interne artsen van Parker, maar vooral voor Arlene. Deze twee jonge vrouwen praatten zodra ze de kans schoon zagen voortdurend over baby's.

Die middag riep Arlene mij terwijl ze tussen de gordijnen doorkeek.

'Zuster, wat is er nu weer met me aan de hand?' zuchtte ze. 'Er zat bloed in de po die ik net heb gebruikt.'

'Vers bloed?'

'Ja, helderrood.'

Het meest logische antwoord kwam in me op. 'Dan is uw menstruatie misschien begonnen?' vroeg ik.

'Maar ik moet pas over twee weken ongesteld worden.' Ze keek me geschrokken en ongelovig aan.

'Zelfs de meest regelmatige cyclus kan van slag raken na emotionele of fysieke trauma's. Een operatie alleen is vaak al voldoende reden,' stelde ik haar gerust. 'We maken dit soort verrassingen hier wel meer mee.'

Ik legde haar dit luchtig uit, en liet haar toen achter de gordijnen liggen om even een pak maandverband te halen.

In de voorraadkamer was geen maandverbandje te vinden, er lag alleen maar een lege verpakking. We hadden ze niet veel nodig op onze afdeling, dus hadden we maar een beperkte voorraad. Het bleek dat de zusters steeds zelf een 'noodgeval' waren en op die manier waren we door onze voorraad geraakt. Ik stuurde Doreen naar de gynaecologische afdeling om daar wat verband te halen en nam me voor om het voortaan in mijn kantoortje achter slot en grendel te bewaren om een dergelijk losbandig gebruik – of eigenlijk stelen, om het juister te betitelen – te voorkomen.

Toen ik bij Arlene terugkwam, zat ze luidkeels met een handvol papieren zakdoekjes voor haar gezicht te snikken.

Ik pakte haar hand en voelde de golf warme, natte tranen over mijn huid lopen. 'Arlene, wat is er aan de hand?' Ik was verbaasd over deze plotselinge uitbarsting, hoewel de hemel wist dat ze voldoende reden had om te huilen.

Haar gezicht was rood en vlekkerig en haar ogen zaten onder de uitgelopen oogschaduw en mascara. 'Het is,' snuf 'zo symbolisch,' snuf. 'Deze ongesteldheid betekent het einde van ons, van Robert en mij, van ons als gezin.' Ze kreeg de woorden er maar met moeite uit. 'Ik had zo gehoopt dit keer zwanger te zijn, die mogelijkheid heeft me tot nu toe op de been gehouden; de hoop dat er nog iets van ons zou zijn waar ik me aan kon vasthouden.'

Ze keek me gespannen aan. 'We hebben altijd nog een kind gewild; vanaf Kims geboorte hebben we ons best gedaan. Maar het is er nooit van gekomen, hoewel de gedachte voortdurend op de achtergrond aanwezig bleef. Zolang er nog leven is, is er hoop.'

De laatste woorden waren niet erg best gekozen. Want die arme Arlene had geen levende echtgenoot meer en er was voor haar dus geen hoop meer. Deze reactie van haar baarmoeder was als een loutering van haar gedachten en ze werd plotseling met de grimmige werkelijkheid van haar leven alleen geconfronteerd. De laatste dunne draad die haar nog met Robert had verbonden, was nu verbroken.

Arlene huilde en snikte tomeloos tot ze zichzelf in slaap had gehuild. Ik stuurde Kiki naar haar toe om bij haar te gaan zitten in de hoop dat haar zwijgende medeleven geaccepteerd zou worden. De afdeling leefde in stilte mee.

De volgende dag was Arlene erg teruggetrokken. Ze liet eindelijk iets merken van haar verdriet. Ze begreep heel goed dat de politie informatie van haar wilde hebben over het ongeluk en was bereid met mij te praten om zich de precieze details te herinneren.

'Het was mistroostig en druilerig weer en het was behoorlijk mistig op de grote weg, het was moeilijk om goed te zien waar we precies waren en we waren heel erg moe. Het was een lange, vermoeiende rit van mams huis, en we raakten geïrriteerd. Kim zat achterin strips te lezen, ik-zie-ik-zie-wat-jij-niet-ziet te spelen en te snoepen, tot ze zich begon te vervelen en onrustig werd,' zei Arlene.

Ik bedacht dat het een geluk was dat Kim geen snoepje in haar mond had gehad tijdens de botsing, anders had ze er wel in kunnen stikken.

'Ik zat in de veiligheidsriemen, maar Robert had ze losgemaakt omdat hij ze benauwd en ongemakkelijk vond.' Bij het noemen van zijn naam kwamen de tranen weer naar boven en haar onderlip begon te trillen.

Ze beheerste zich echter en concentreerde zich op wat ze zich nog herinnerde.

'Het zicht was vreselijk slecht. Kim zat achterin te zeuren. En plotseling kwam er een fietser vanuit het niets opgedoken. Ik schreeuwde tegen Robert dat hij hem moest ontwijken. Hij gooide het stuur om en terwijl hij dat deed, dook die enorme vrachtwagen op en raakte ons met een enorme dreun van opzij. Hij móet aan de verkeerde kant van de weg hebben gezeten,' zei ze tegen me, alsof ze het ongeluk in gedachten probeerde te analyseren.

'Ik denk dat de politie dat soort dingen wel zal uitpluizen.' Meer troost kon ik haar niet schenken.

'Robert moet op slag dood zijn geweest, dat zei de dokter ook. Ik herinner me dat hij voorover over het stuur hing en dat ik niets kon doen om hem te helpen.' Ze sloeg haar handen voor haar gezicht. 'Zo snel, zo eenvoudig, zo verschrikkelijk, het leek wel een vertraagde film. In gedachten smeekte ik of ik de klok een minuut mocht terugdraaien om het nog eens te kunnen proberen.'

De overweldigende pijn was op haar gezicht te lezen. 'Ik zat gevangen op mijn stoel, werd door mijn gordel vastgehouden en ik was niet in staat me te verroeren. Mijn been deed verschrikkelijke pijn. Er stroomde bloed naar beneden en er zat een lelijke vleeswond. Ik moest ook moeite doen om adem te halen, mijn borst werd zo samengeknepen. Ik had het gevoel dat ik daar eindeloos lang zo heb gezeten, hulpeloos kijkend naar dat naar voren gebogen lichaam naast me.

Ik dacht voortdurend aan Kim. Ik zag haar niet, hoorde haar niet en ik kon me ook niet omdraaien. Waar was ze? Was ze gewond? Laat het niet zo zijn, dat kan niet waar zijn. Het ene ogenblik waren we een gelukkig gezinnetje op reis, het volgende ogenblik een hoop bloedende, kapotte lichamen. Het begon te suizen in mijn hoofd en ik denk dat ik buiten bewustzijn raakte.' Arlene huilde zachtjes terwijl ze doelloos met haar vingers door haar haren streek.

Ik zat op het bed en sloeg mijn arm om haar schouders. Ze legde dankbaar haar hoofd tegen me aan. Het was goed voor haar dat ze de scène nogmaals had beleefd, en ik was ervan overtuigd dat ze hem in de nabije toekomst nog vele keren opnieuw zou beleven.

Arlene ging goed vooruit, ze genas lichamelijk gezien prima en haar rouwproces verwerkte ze ook naar behoren. De grote dag brak aan dat ze naar de IC gereden kon worden. Haar ingegipste been werd ondersteund door een uitklapbaar steuntje in de rolstoel.

De kleine Kim was ook goed vooruitgegaan. Tegen de tijd dat haar moeder haar te zien kreeg, haalde ze zonder hulp adem en kwam ze langzamerhand bij uit haar coma.

Ik maakte me zorgen over Arlene's reactie als ze Kim zou zien en ik had er zelf ook moeite mee mijn tranen in te houden als ik aan die ontmoeting dacht.

Arlene hield zich geweldig. Ze bleef beheerst glimlachen zolang haar dochtertje haar kon zien. Kim zat overeind en leunde tegen een paar kussens. Ze had een slappe pop die ze van haar grootmoeder had gekregen in haar armen. De meeste slangen waren al verwijderd, hoewel ze nog wel een catheter in had en via een maagsonde gevoed moest worden. Maar haar lieve gezichtje was – afgezien van de resten van wat kneuzingen – weer bijna zoals het vroeger was geweest. Ik zag dat er een beetje roze kleur terugkwam op haar wasachtige wangetjes.

Wonderbaarlijk genoeg waren de hersenbeschadiging en de nawerking ervan minimaal en er bestond goede hoop op een algeheel herstel, hoewel dat nog maanden en misschien wel jaren kon duren.

Arlene staarde lange tijd naar haar dochter, alsof ze probeerde weer aan de werkelijkheid te wennen, nadat ze zich de afgelopen weken met herinneringen en foto's tevreden had moeten stellen. Ze streek zachtjes over de wang van het meisje – bijna alsof ze bang was dit kostbare kind te beschadigen – en raakte haar krullen aan die aan één kant nog aanwezig waren.

Kim kon nog steeds niet spreken of zich bewegen. Ze keek op en keek haar moeder recht in de ogen. Er weerspiegelde zich pure vreugde in de ogen van het kind.

'Mammie is er weer, lieverd, nu komt alles weer in orde.'

Pas toen ze weer in haar eigen bed lag, liet Arlene haar tranen van opluchting de vrije loop. Een paar andere dames kwamen bij haar staan om deze heerlijke ervaring met haar te kunnen delen en het nieuws te horen.

De rest van de maand moedigden moeder en dochter elkaar aan. Kim reageerde goed op de voortdurende hulp en lof van haar moeder en kreeg langzamerhand het gebruik van haar ledematen en haar spraakvermogen terug.

Ze werd naar de kinderafdeling overgebracht. In die stimulerende omgeving, omgeven door leeftijdgenoten, ging ze met sprongen vooruit. Haar leeftijd en het feit dat ze verder gezond was, waren natuurlijk ook punten in haar voordeel. Kinderen genezen vaak zo vanzelfsprekend. Ze doen wat hun lichaam hun vertelt. Als iets pijn doet, ontzien ze dat lichaamsdeel; wanneer ze moe zijn, slapen ze; wanneer ze ziek zijn, eten ze niet – maar wanneer ze gezond zijn is een levendig kind met geen mogelijkheid rustig te houden.

Arlene en Kim werden ontslagen om bij haar ouders verder te herstellen. Die zouden hen helpen een nieuw leven op te bouwen. Kiki en Arlene bleven vriendinnen en correspondeerden naderhand met elkaar.

Arlene hinkte met haar gipsbeen, op krukken, het ziekenhuis uit.

Haar dochter hinkte ook enigszins en droeg een hoedje om haar korte haren te bedekken. Maar ze hadden geluk gehad: zij gingen levend het ziekenhuis uit.

ZIEKENHUISMUS

En dan hadden we mevrouw Penrose nog. We begonnen het idee te krijgen dat mevrouw Penrose eeuwig zou blijven.

Daar zat ze dan, pontificaal in haar bed en ze volgde iedereen en alles op de afdeling. Een robuuste oude dame met een gekrompen, zelfgebreid vest dat betere dagen had gekend. Ze droeg het vest over allerlei verschillende kleuren nylon nachtponnen, die allemaal gigantische afmetingen hadden. Mevrouw Penrose hield haar sliertige, verwilderde haren in toom met behulp van een duidelijk zichtbaar haarnetje.

Haar gezellige wangetjes met de blozende rode kleur en de gebroken adertjes die op hoge bloeddruk wezen, hingen naar beneden als de wangen van een goedaardige bloedhond. Op haar gezicht en hals was een fascinerend aantal onderhuidse moedervlekjes zichtbaar – het leken wel rozijnen – en in het midden van ieder moedervlekje groeide een haar.

Aangezien mevrouw Penrose haar kunstgebit nooit als iets definitiefs had willen aanvaarden, lag dat – behalve tijdens de maaltijden – in een schaaltje op haar nachtkastje. Haar kaken maalden voortdurend en het leek net of ze in zichzelf zat te mompelen.

Parker werd al snel een thuis voor mevrouw Penrose. Ze was al zo lang bij ons dat we ons nauwelijks meer herinnerden waarom ze oorspronkelijk was opgenomen. Chirurgische afdelingen zijn gewoonlijk – administratief gezien – nogal netjes: symptoom, diagnose, operatie, herstel, naar huis en klaar is Kees. Maar zo eenvoudig lag de zaak niet bij mevrouw Penrose.

'Wat mankeert mevrouw Penrose eigenlijk, dokter Fothergill?' vroeg mijn eerstejaars leerling terwijl ze de lijst patiënten en hun diagnoses probeerde te begrijpen. Dat was in dit stadium een ingewikkelde en verwarrende zaak voor haar.

'Tja, ze verkeert in een nare toestand die ons allen uiteindelijk zal treffen,' antwoordde hij raadselachtig.

De zuster keek hem belangstellend aan.

'Het wordt "de oude dag" genoemd.'

'O, dank u,' zei ze beleefd, en wist niet zeker of hij haar nu zat te plagen of dat we de oude dag werkelijk onder het hoofdstuk 'ziekten' plaatsten.

'En,' vergrootte hij het vraagstuk, 'dat wordt verergerd door ernstige en voortdurende toegeeflijkheid.'

Als je mevrouw Penrose in het voorbijgaan zag, kon ze gemakkelijk voor een van die dikke, roze, logge dames doorgaan die zo vaak afgebeeld staan op die vulgaire strand-ansichtkaarten. Haar plezierige robuuste voorkomen was in volkomen tegenspraak met de gebrekkige gezondheid waarin haar lichaam verkeerde.

Ze vormde inderdaad een mengelmoes van medische problemen – geen ongewone situatie voor een ouder iemand – en de kwestie werd verergerd door het feit dat ze veel te dik was. Geïsoleerd voorkomende ziekten zijn niet ernstig, maar als het er veel tegelijk worden, hebben ze een cumulatief effect op de weerstand. Zij was het toonbeeld van de langzame aftakeling en achteruitgang van de schitterende machine die het menselijk lichaam eigenlijk is. Langzaam viel het lichaam uiteen tot het, na de afgelopen vijfenzeventig jaar uitvoerig gebruikt te zijn geweest, tot stilstand zou komen. Slijtage, samen met een onaanvaardbare corpulentie.

Volgens de meeste statistieken is vijfenzeventig geen indrukwekkende leeftijd, maar deze dame was zowel lichamelijk als geestelijk versleten. Een klein hartgebrek leidde tot kortademigheid, ze had een lichte vorm van suikerziekte, was enigszins doof, verziend, had verhoogde bloeddruk, een knagende artritis en het periodieke geheugenverlies met de bijbehorende verwarring waren een teken van een aftakelende hersenfunctie.

Het grootste probleem was dat Ivy Penrose erg op Parker gesteld was geraakt. Ze genoot van het gezelschap, de regelmatige warme maaltijden en het komen en gaan om haar heen. Ze maakte zich absoluut niet druk over haar steeds langer wordende lijst aandoeningen; dat was haar paspoort om bij ons te kunnen blijven.

Ze was oorspronkelijk opgenomen om geopereerd te worden, teneinde een inwendige verstopping op te heffen. Ik herinner me dat haar schoondochter erg opgelucht leek dat ze deze apathische en korzelige last kwijtraakte. Er werd duidelijk op een lang verblijf gerekend, gezien de hoeveelheid nachtkleding en toiletartikelen die de patiënte bij zich had.

De operatie verliep goed, hoewel het een hele toer was om de hechtingen tussen al die vetlagen in haar buik terug te vinden. Er waren werkelijk handenvol extra weefsel, die zacht, vormeloos, bleek en flodderig als slap brooddeeg rond haar middel om haar heen hingen en er haast om smeekten gekneed te worden. Er moest zoveel genezen dat het geen wonder was dat één hechting het begaf en er een infectie ontstond. Een klein koppig wondje – een holte – bleef in haar buik zitten, trotseerde genezing en eiste zorg.

De antibiotica die werden voorgeschreven om de wond te laten genezen leidden tot diarree, en dat was zowel voor de patiënt als voor de zusters tamelijk vervelend, aangezien de po vaak te laat bij mevrouw Penrose arriveerde, of mevrouw Penrose was niet in staat zichzelf op tijd omhoog te hijsen. Het was een geluk dat ze gevoel voor humor had en niet van streek raakte door deze tegenslagen.

Als verder gevolg van de antibiotica kreeg ze last van een schimmelaandoening – een witte vlekkerige infectie in haar mond – en om dat te genezen waren weer andere medicijnen nodig. Maar zelfs na deze vicieuze cirkel van door medicijnen opgeroepen problemen bleef het gaatje aanwezig, en dus ook mevrouw Penrose.

Ik moet toegeven dat we haar volkomen onopzettelijk het gevoel hadden gegeven een belangrijk persoon in ons midden te zijn. Op een afdeling waar veel patiënten komen en gaan, is het niet meer dan normaal dat de zusters een speciale relatie opbouwen met patiënten die langer op de afdeling blijven dan gewoonlijk. Het was moeilijk iemand te negeren die haar hele bestaan zo duidelijk om jouw werk en jouw aanwezigheid heen bouwde.

Doreen en Burrows konden er niets aan doen dat ze veel drukte over de oude dame maakten, ze was zo ontvankelijk en zo dankbaar en erkentelijk als ze het middelpunt van alle aandacht was. Doreen waste haar haren en zette er krullers in, iets waar haar schoondochter zelf nooit aan had gedacht, vertelde mevrouw Penrose ons op scherpe toon. Onze bereidwillige hulp waste zelfs haar nachtponnen en ondergoed, dat snel droogde op de gloeiende radiator in de badkamer. Ondanks mijn pogingen haar zwaar te verteren voedsel te verminderen, was er niet één zuster die Ivy's smeekbede: 'Alsjeblieft, zuster, mag ik er nog één piepertje bij?' kon weerstaan.

Ze gaf haar onafhankelijkheid op en het verpleegkundig personeel zorgde voor haar medicijnen, haar maaltijden en hield al haar lichamelijke functies bij. Mevrouw Penrose gaf zich zonder meer over en veranderde voor onze ogen in een chronische patiënte. Toen de urgente problemen van de baan waren, waren de voortdurende kleine probleempjes voldoende om haar in het ziekenhuis te laten blijven zolang er geen goed alternatief was gevonden. Ze kon niet meer alleen wonen.

Dus werd Parker al snel haar thuis, en naar de berichten die we hoorden leek het meer op een thuis dan wat ze bij de familie van haar zoon had gekregen. Het was voor ons gemakkelijk om haar kant te kiezen en veel jongere zusters waren boos omdat haar eigen familie haar aan de kant had geschoven. Maar hadden wij wel het recht daar een oordeel over te vellen? Zij hadden hun eigen levens. Een werkende echtgenote, kinderen in hun tienerjaren die eindelijk wat zelfstandiger begonnen te worden, wie zou dan wel graag een zwaar seniele oude dame die veel verpleegkundige zorg nodig heeft in huis willen hebben? Het was een dilemma dat veel voorkomt in onze maatschappij.

'Zoals ze nu is, kan ik haar onmogelijk in huis hebben, zuster,' legde de schoondochter uit. 'We zijn allemaal de hele dag weg en ze kan niet alleen gelaten worden. Ze is zwaar afgetakeld nadat pa is overleden. Toen moest ze bij ons komen inwonen, want ze kon niet in haar eentje in dat grote huis blijven.'

Ivy Penrose had de afgelopen twintig jaar haar sukkelende echtgenoot – een hartpatiënt die thuis moest blijven vanwege zijn ziekte – op zijn wenken bediend. Zijn volkomen afhankelijk zijn van haar zorg had haar alert en vrolijk gehouden. Na zijn dood was ze het doel in haar leven kwijtgeraakt en nu werden er tekenen van een dementeringsproces merkbaar die eerder gemaskeerd waren door de dagelijkse hulp van de familie. Op Parker was er soms sprake van enige verbetering, maar ook hier liet haar geheugen haar van tijd tot tijd behoorlijk in de steek.

'Ze was de laatste tijd ook weer zo bezig,' ging de schoondochter verder. 'Ze heeft een fluitketel laten verbranden omdat er geen water inzat. Ze zet het gasfornuis aan, loopt weg en vergeet totaal dat ze het heeft aangezet. U ziet wat een last dat wordt; het is een risico dat we niet kunnen nemen. Er moet voortdurend op moeder gelet worden.'

Natuurlijk zou het wel zo prettig zijn als mevrouw Penrose naar haar zoon terug kon. We hadden het bed nodig – of liever gezegd een andere zieke had het bed nodig. Ivy Penrose was heel onaardig gezegd een 'ziekenhuismus' geworden, en het ziekenhuis lag daar al vol mee. Meest oude, zwakke mannen en vrouwen die niet meer in staat waren voor zichzelf te zorgen, maar er waren onvoldoende opvangtehuizen voor dit soort mensen. Als ze eenmaal in een van onze bedden waren beland – wat de oorspronkelijke reden daarvoor ook was geweest – bleven ze daar tot er een alternatief onderdak was gevonden. Zo kon iemand – een menselijk wezen – een politieke voetbal worden.

De chirurg wilde het bed vrij hebben. De familieleden wilden niet met de patiënt worden opgescheept. Tehuizen voor ouden van dagen zaten tot aan de nok toe vol en hadden lange wachtlijsten. De geriatrische afdeling had zelf voldoende oude dames die ze niet kwijt konden raken. Het was overal hetzelfde verhaal.

Dus daar zat ze dan, gisteren, vandaag en morgen, zolang we het ons konden herinneren verschanste mevrouw Penrose zich in háár bed, met háár nachtkastje en voelde zich prima op haar gemak, dank u vriendelijk. Zo zat ze in haar territorium tevreden te knabbelen – of beter gezegd te zuigen – aan haar eindeloze voorraad gemberkoekjes, haar uitverkoren lekkernij van de rijdende ziekenhuiswinkel. Ze kon zoals veel oude dames nukkig zijn. Ze was niet gewend iets anders te doen dan ze het altijd al had gedaan, maar ze had een bijzonder lief karakter. Veel zusters hadden het nog over mevrouw Penrose als ze allang van de afdeling weg waren of zelfs vele jaren later het ziekenhuis al hadden verlaten.

'Pak maar een sinaasappel, zuster,' sliste ze door haar tandeloze mond nadat een zuster iets voor haar had gedaan. 'Vooruit, zuster, pak maar een sinaasappel,' drong ze aan. 'Stop hem maar in je zak, voor strakjes,' hielden die opgezette lippen aan terwijl ze er eentje in de tegenstribbelende handen van de hulp duwde.

De zusters hadden altijd de neiging haar als een kind te behandelen; haar onschuldige, kinderlijke manier van doen deed ons vergeten dat dit een volwassen vrouw was met een rijke levenservaring. Een gemakkelijke fout onder de huidige omstandigheden. Mevrouw Penrose was niet bereid mee te werken, onhandelbaar en onwillig en het was voor ons een heidens karwei haar weg te krijgen uit haar gezellige hoekje vanwaar ze alles kon overzien. Haar gewicht maakte het zowel voor haar als voor ons moeilijk, maar ze was ook absoluut niet geneigd enige poging te doen.

Ze transpireerde onder al dat nylon, en haar meest kwetsbare plek was onder haar borsten. Haar zware grote borsten hingen tegen haar lichaam en veroorzaakten een warm gebied waar het transpiratievocht zich wel verzamelde, maar niet meer weg kon. Een bh zou misschien een goed idee geweest zijn, maar het gewicht van haar borsten was zo groot dat de schouderbandjes in haar huid gesneden zouden hebben. Onder iedere borst, die als een enorme pannekoek naar beneden hing, ontwikkelde zich al snel een vochtige rode plek. Dit proces kon alleen maar een halt worden toegeroepen door voldoende frisse lucht, veel wassen en poederen en droge verbandgaasjes.

Maar hoe kregen we die dame overeind? Dat was een heel karwei en we moesten ook nog de operatiepatiënten op de afdeling verzorgen.

Mevrouw Penrose had last van artritis in haar knieën en dat bezorgde haar pijn wanneer ze eindelijk stond en helemaal wanneer ze een paar stappen met het metalen looprek deed dat ze ter ondersteuning gebruikte. De knieën van mevrouw Penrose werden een punt van discussie tijdens de overdracht. Het leek over het algemeen gemakkelijker om haar maar met rust te laten en op haar billen te laten zitten, maar hoe langer ze met rust gelaten werd, hoe erger haar toestand zou worden.

Het gevolg was dat ze begon door te liggen, en ik was nijdig dat zoiets op mijn afdeling kon gebeuren; het is iets dat altijd als een teken van slechte verpleegkundige zorg wordt gezien. Maar zelfs ik moest toegeven dat het een moeilijk gevecht was en het was bijna onvermijdelijk dat er een doorligplek op haar billen ontstond. Ze was zo zwaar en kwam zo weinig in beweging en ze wilde nooit op de zij blijven liggen waarop ze gedraaid werd om het onderste deel van haar rug eens een beetje te ontzien. Dat was een prettig voordeel in de verpleging van bewusteloze patiënten; wanneer we die omdraaiden en om de twee uur keerden, bleven ze tenminste liggen en hun huid bleef intact.

Onder aan de rug komt de bloedsomloop het gemakkelijkst in het gedrang op de plek waar in zittende houding de meeste druk wordt uitgeoefend en het bot zich het dichtst onder de huid bevindt. Iedereen die wel eens lang op een hard stoeltje heeft gezeten kent het tintelende gevoel dat je ertoe aanzet te gaan verzitten omdat de bloedsomloop wordt afgekneld en je een prettiger houding wilt aannemen.

Bij mevrouw Penrose begon het met een rode plek; voortdurende druk belemmerde de bloeddoorstroming naar de weefsels en de huid begon af te schaven. Goddank konden de zusters dank zij hard werken en veel gedoe met de patiënt de doorligplek in dit vroege stadium nog een halt toeroepen.

Ik heb wel eens afschuwelijke doorligplekken gezien, met zulke diepe gaten dat er gemakkelijk een vuist in de krater van vlees paste. Soms zelfs zo diep dat de rode spierlagen zichtbaar waren en zelfs wel eens tot op het witte bot, zodat een chirurgische ingreep noodzakelijk was om de kloof te helen. Afschuwelijke gaten in het menselijk vlees die voorkomen hadden kunnen worden als er eerder vakkundig was ingegrepen.

Doorligplekken – of decubitusplekken zoals ze eigenlijk heten – zijn erg hardnekkig en helen ongelooflijk moeilijk. Het vereist heel wat inspanning om te voorkomen dat ze steeds grotere afmetingen aannemen. Dit geldt vooral voor mensen die al in een slechte algemene toestand verkeren, ondervoed zijn, weinig beweging hebben, en voor ouderen. Wat doorliggen betreft is voorkomen gemakkelijker dan genezen.

Maar met draaien en overeind zetten, inwrijven en schone verbanden konden we het uitbreiden van deze doorligplek tenminste voorkomen. Tot mijn en Bridies grote opluchting.

Ivy Penrose werd een vaste bewoonster van Parker, een van de oude getrouwen, die de routine op haar duimpje kende. Ik zag dat ze volkomen in de ziekenhuiswereld opging, haar greep op haar eigen verzorging losliet, zodat het steeds moeilijker zou worden om zelfs maar te proberen haar door te sturen.

Mijn oma zei altijd dat oude mensen 'uitzakten of verschrompelden' en 'gek of heel wijs' werden. Ik begreep wat ze bedoelde als ik naar mevrouw Penrose keek, die het toonbeeld van het eerste was, enorm volumineus was en regelrecht het pad naar seniliteit volgde.

Achteraf bekeken was het misschien niet zo'n goed idee onze nieuwe opname naast Ivy Penrose te leggen. Kiki dacht dat het een goed idee was om onze twee oudste patiënten naast elkaar te leggen, omdat ze misschien veel gemeen zouden hebben. Maar niets was minder waar.

Millicent Winter was opgenomen voor onderzoek in verband met bloedarmoede en had – ondanks haar zesennegentig jaar – de flinkheid, doortastendheid en zelfverzekerdheid van een vrouw van nog geen vijftig. Geen onzin, niemand zou haar voor de gek houden, ze was er helemaal bij en ging door het leven te leven, voor zover dat binnen haar lichamelijke bereik lag.

Dit was een voorbeeld van een wijze oude dame. Ze was zo slank als een rietje, op het uitgemergelde af en het leek of ze niet voldoende vlees had om haar in leven te houden; haar ledematen leken wel op die van een musje. Als ik naar die magere armpjes en beentjes keek, besefte ik hoe klein onze botten eigenlijk zijn; we bestaan hoofdzakelijk uit spieren en vetweefsel. Millie had een losse huid, zo bros en teer als tissuepapier, en ze had de bruine, vlekkerige huid met 'levervlekken' die altijd aanwezig zijn bij oudere mensen. Haar aderen lagen duidelijk zichtbaar en voelbaar – als de straten op een wegenkaart – boven op deze vrijwel doorzichtige huid. Ze bestond uitsluitend uit huid en botten, maar ze had nog een ongelooflijk sterke greep op het leven.

Een oude dame met een lief rond gezichtje, verweerd en vol lijntjes, maar daarachter school een alerte en geïnteresseerde geest die nog net zo scherp was als vroeger. In haar jeugd was Millie danseres aan het toneel geweest en dat kan de reden zijn geweest van de soepelheid die ze op deze hoge leeftijd nog steeds bezat. Haar vroegere beroep had haar een plaats in een tehuis verschaft dat speciaal werd gereserveerd voor gepensioneerde toneelspelers en er bestond geen twijfel aan dat ze erg verknocht was aan dit tehuis en de levendige kameraadschap die het haar bood. Ze was een van de gelúkkige oude dames van Groot-Brittannië.

Millicent deed haar best om overal van op de hoogte te blijven en gelijke tred te houden met de stand van zaken. Ze kocht iedere dag een of meer kranten, die ze van voor tot achter las en ze sloeg nooit de overlijdensberichten over, die haar op de hoogte hielden van haar steeds kleiner wordende vriendenkring. Ze schreef fanatiek naar de leden van haar uitstervende soort die nog in leven waren. Er bestond geen twijfel over dat haar mentale inspanning zichzelf uiteindelijk terugbetaalde. De hersens, net zoals vele andere organen in het lichaam, reageren het beste wanneer ze voortdurend gestimuleerd worden.

Er ging geen dag voorbij waarop de oude dame niet wat kleur op haar lippen en wangen aanbracht. Haar witte zachte haar was keurig gekapt door de kapster die het tehuis bezocht en haar regelmatig waste en permanentte. Millie wist heel goed hoe ze voor zichzelf moest zorgen. Af en toe gaf ze haar oude botten wat rust om even later weer verkwikt en alert wakker te worden. Haar lenige vingers waren voortdurend bezig als ze wakker was, ze had altijd een bloknootje bij de hand en een eenvoudig breiwerk lag klaar om weer opgepakt te worden. Het was geweldig om te zien wat een moeite Millie zich getroostte voor haar uiterlijk: ze stond erop haar korset te dragen, en haar dikke gebreide sokken en haar stevige leren schoenen die haar maximale steun en comfort verschaften. Eenmaal klaar, aangekleed en netjes met haar gehoorapparaat in, was ze gereed de wereld tegemoet te treden.

Millie zag er keurig netjes, goed verzorgd en beheerst uit naast die lompe, onelegante en ongeïnteresseerde mevrouw Penrose, wier enige doel in het leven bestond uit op tijd bij de wc zien te komen, voordat haar 'plaspillen' haar te snel af waren.

Ze sloten een soort vriendschap die hoofdzakelijk op noodzaak was gebaseerd, aangezien ze de twee meest passieve mensen op een drukke afdeling waren. De post-operatieve patiënten waren niet dol op buurpraatjes omdat ze zich hondsberoerd voelden.

Millie kreeg medelijden met haar buurvrouw die aan haar stoel was gekluisterd en ze waren vaak samen te zien en duidelijk te horen terwijl ze een soort gesprek voerden. Beiden spraken – geen van beiden luisterde naar de ander. De verhalen van Ivy Penrose waren hoofdzakelijk oorlogsherinneringen, ze kon uren doorgaan over bonnen en ringworm terwijl Millie het duidelijk over de huidige stand van zaken in de wereld had. Ik geloof niet dat ze elkaar ooit bij de naam noemden, terwijl ze wél tegen elkáár praatten.

'Zou die oude dame nog wel beter worden, zuster?' fluisterde Millie een keer tegen me terwijl Ivy in haar leunstoel lag te soezen. En zo werd een vrouw die gemakkelijk haar dochter had kunnen zijn, vanwege haar suffige gedrag als 'oude dame' omschreven.

Af en toe werden ze erg luidruchtig en ruzieachtig tegen elkaar en was het nodig dat het personeel tactvol ingreep. Ik herinner me nog dat ík een keer de oorzaak van een dergelijke ruzie ben geweest.

'Pak maar een sinaasappel, zuster,' hield Ivy aan.

'Dat is de hoofdzuster,' corrigeerde Millie haar en het gevecht begon. In het Engels bestaan er verschillende aanspreektitels voor verpleegkundigen en ziekenverzorgsters. Dit in tegenstelling tot het Nederlands, waar iedereen met 'zuster' wordt aangesproken.

Het was werkelijk te veel voor mevrouw Penrose's gedementeerde hersens om de verschillende rangen en standen te begrijpen, maar Millie hield van orde en moest het allemaal uitleggen. Voor Ivy Penrose waren alle meisjes zusters en alle jongens artsen, dit tot grote vreugde van sommige manlijke verpleeghulpen, die tijdelijk door haar gepromoveerd werden. In haar geest was er geen plaats voor slordigheden zoals vrouwelijke artsen of – de hemel verhoede het – manlijke ziekenverzorgers.

Maar over het geheel genomen heerste er vrede en zag je beide dames samen als goede vrienden.

Het zien van die twee deed me aan mijn leerlingentijd denken, toen ik stage op de geriatrie liep. Rijen oude, zwakke, uitgeschakelde, witharige oude dames die in hun geriatrische stoelen heen en weer schommelden die al door generaties lekke blazen waren bezoedeld. Velen waren seniel en keken met gefronste wenkbrauwen naar hun omgeving die ze niet herkenden. De deuren werden altijd dicht gehouden – niet op slot, maar wel stevig dicht om te voorkomen dat ze zouden weglopen.

De meerderheid van de patiënten was incontinent of werd dat snel als ze de weg naar het toilet niet meer konden onthouden. Er heerste op de afdeling altijd een sterke lucht van desinfecterende middelen, die overvloedig werden gebruikt om de doordringende lucht van oude urine te onderdrukken. Het was vergeefse moeite en de combinatie resulteerde in de niet mis te verstane geur van de geriatrie die doordrong tot in je ondergoed en je haren.

Iedere dag was er weer dezelfde eindeloze lange rij natte bedden die verschoond moest worden, het wassen en aankleden van alle dames – die ongeveer net voor de lunch allemaal klaar waren, en dan was het tijd om met de voorbereidingen te beginnen om de hele troep terug in bed te krijgen. We probeerden interessante en prikkelende activiteiten met hen te ontwikkelen, maar de druk van de voortdurende fysieke taken was veel te zwaar.

Zelfs onze pogingen om hen hun persoonlijke eigendommen te laten behouden, werden door patiënten die aan kleptomanie leden in de kiem gesmoord. Een dame stal uit het nachtkastje tegenover haar en pakte terug wat zij veronderstelde dat eerder door haar slechte buurvrouw van háár was gestolen. De verwarring over kleding en eigendommen werd zo groot dat we gedwongen waren de patiënten ziekenhuisnachtponnen aan te trekken, die gelukkig ook tegen het herhaaldelijke noodzakelijke wassen bestand waren.

De avonden waren het ergst. Het was voor veel oude patiënten nodig rekken voor hun bedden te plaatsen, maar ze rammelden er angstig en verward aan in de hoop uit hun 'gevangenis' bevrijd te worden. Het was onmogelijk om een redelijk gesprek met die vermoeide geesten te voeren; ze konden toch niets meer opnemen.

Het schemerige licht bevorderde het gevoel van desoriëntatie, en verschillende tekens werden dan ook vaak verkeerd uitgelegd. Ze waren niet in staat hun omgeving te begrijpen en werden door illusies van de wijs gebracht, trucjes van hun versleten hersens. Een heen en weer slingerende ceintuur van een ochtendjas werd een kattestaart, achter gordijnen verscholen zich insluipers, vermomd als zwaaiende bomen, en leden van het personeel leken op familie-leden of bedienden uit het verleden.

'Meisje, je bent ontslagen! Ik zal er wel eens met de meester over spreken!' ging een oude dame op autoritaire toon tekeer terwijl ze – op een laken na – naakt overeind zat en wij haar bed die nacht weer een keer van onder tot boven verschoonden.

We konden er niets aan doen dat we toch moesten lachen om de strenge straf van deze eens duidelijk invloedrijke dame die nu alleen nog maar in haar glorierijke verleden kon leven. Dat was de aandoenlijke ironie van de oude dag; je werd gedegradeerd tot het dragen van ziekenhuisnachthemden in plaats van zijde en struis-vogelveren, gehakt en puree in plaats van biefstuk en er werd bouillon door weerspannige lippen geperst die eens aan champagne hadden genipt. Deze dame stond erop in de fruitschaal te plassen, die in haar verwarde geest een gelijkenis vertoonde met de po die ze thuis onder haar bed had staan, alleen mikte ze niet zo goed.

Natte bedden, bezoedelde nachtkleding en dames die in de urine lagen, waren aan de orde van de dag – en nacht. Sarah was mijn lieveling, ze krabde fanatiek aan haar huid die geïrriteerd was door opgedroogde oude urine. 'Verdomde vlooien, haal die verdomde vlooien van me af,' en ze trok haar nachthemd uit. We konden Sarah er nooit toe bewegen haar kleren aan te houden.

Terug op Parker zag ik mijn twee oude lieverds langzaam door de gang wankelen. Millicent steunde op haar vertrouwde stok en deed erg haar best om rechtop te lopen, ondanks de licht voorover gebogen houding die ze door haar ronde schouders had gekregen, ook wel 'de douairièrebochel' genoemd.

Ivy Penrose was niet zo elegant en dat wilde ze ook helemaal niet zijn; er was meestal wel een fysiotherapeute of een zuster die haar onderweg behulpzaam was. Haar enorme dijbenen wreven tegen elkaar aan en haar ontzagwekkende billen trilden alsof er twee levende fretten in haar onderbroek zaten. Mevrouw Penrose was lang-zaam en raakte gemakkelijk buiten adem. De huid rondom haar enkels was opgezet, gespannen en glansde door het vocht dat daar achterbleef en haar van nature al indrukwekkende ledematen liet opzwellen. Haar grote spreidvoeten staken uit haar zachte pantof-fels, waar twee gaten in zaten om haar eeltknobbels de ruimte te geven. Mevrouw Penrose haalde meestal net de veiligheid van de grote leunstoel aan het andere einde van de afdeling, daar pakte ze haar buik vast en fluisterde met haar opgezwollen lippen.

'Ik kan maar beter gaan zitten zuster, ik voel hem vallen, hij valt hélemaal naar beneden.' Ze had het dan over haar verzakte baarmoeder.

En toen gebeurde het op een dag. Het ongeluk waar zowel zusters als patiënten zo bang voor zijn. Ik stond niet meer dan een meter van haar af, maar het gebeurde allemaal zo snel dat ik het niet kon voorkomen. Millicent bleef met haar voet achter een wieltje van een bed haken, viel voorover en sloeg met een harde slag tegen de parketvloer. Het ongeluk gebeurde zo snel dat het al voorbij was voor we er erg in hadden. Toch viel ze voor mijn ogen, terwijl ik bij de deur van het dagverblijf stond en het geheel zich als een vertraagde film leek af te spelen.

Ze struikelde, wankelde, sloeg haar armen uit, haar lichaam draaide een slag, sloeg met een hoorbare krak neer en ik wist direct dat ze haar heup had gebroken.

Er schoten me onmiddellijk allerlei vreemde gedachten te binnen. Ik moet toegeven dat de eerste heel egoïstisch was: over al het papierwerk dat een patiënt die een ongeluk in een ziekenhuis oploopt met zich meebrengt. De volgende was opluchting dat het onze zwaargewicht mevrouw Penrose niet was overkomen. En ten slotte gaf ik toe dat dit zou betekenen dat we er nog een ziekenhuismus bij zouden krijgen, en ongetwijfeld zouden houden tot de dood ons van deze zesennegentigjarige zou scheiden.

Het was een veel voorkomende oorzaak van een snel einde voor ouderen. Oude botten zijn broos en breken bij het minste of geringste. Een breuk kan zelfs spontaan ontstaan, zonder dat er een ongeval aan vooraf is gegaan. Uiteindelijk kan het moeilijk zijn om uit te maken of de val de breuk heeft veroorzaakt of dat een plotselinge breuk in het bot tot gevolg had dat de patiënt zijn evenwicht verloor en neerstortte.

Maar daar lag onze lieve oude Millie dus languit op de grond te huilen van de pijn. Het was vanzelfsprekend dat ze probeerde zich te bewegen, maar dat was onmogelijk. Het been had niet voldoende kracht of ondersteuning meer en het lag behoorlijk vervormd en in een vreemde hoek.

'Probeer het niet te bewegen, liefje,' zei ik en legde een kussen onder haar hoofd.

Een leerling-verpleegkundige legde een laken over haar heen en bleef bij haar terwijl ik de afdelingsarts oppiepte.

De structuur die bekend staat als de heup is een gewricht waarvan de ronde kop van het dijbeen netjes in de holle kom van het heupbeen – of het bekken – past en op die manier een grote verscheidenheid aan beweging en activiteit kan garanderen. Het komt met name bij vrouwen veel voor dat dit gewricht wordt beschadigd. Wanneer de stabiliteit van het been verloren is gegaan, is immobiliteit het gevolg en als dat blijft voortduren, betekent het dat alle andere lichaamsfuncties langzamerhand tot stilstand komen; het bloed gaat stolsels in de benen vormen, de urine blijft in de blaas staan en de longen hoeven niet zoveel meer te werken en raken daardoor vol met niet-opgehoest slijm. De breuk is niet dodelijk, maar de complicaties kunnen het wel zijn.

Voor Millicent Walker evenwel was dit niet het geval; die eerbiedwaardige oude dame was werkelijk oersterk. Ze was althans voorlopig nog helemaal niet van plan van het beeldscherm te verdwijnen, en al zeker niet door zoiets gewoons als vallen.

De orthopedische chirurgen hadden Millie in een wip voorzien van een bot uit de twintigste eeuw om het bot dat het al sinds het einde van de vorige eeuw had volgehouden te vervangen. Ze zaagden het ronde deel van de beschadigde kop van haar dijbeen af en vervingen dit door een doeltreffende metalen plaatsvervanger. Een grote operatie, maar een routine-ingreep waar veel ervaring in is verkregen en die is geperfectioneerd door de toenemende vraag van onze steeds ouder wordende bevolking.

De doorslaggevende factor echter bleef of ze de post-operatieve periode zou overleven en alle mogelijke complicaties die op haar leeftijd op de loer lagen.

Reken maar! Ze was een modelpatiënte; dit werd vergemakkelijkt door haar lichte bouw en de soepelheid die haar lichaam nog steeds bezat. En ze verdiende de vooruitgang die ze boekte, vooral door haar sterke karakter.

'U hoeft me niet tot vervelens toe te helpen herinneren dat ik me moet bewegen, zuster. Ik heb het in het tehuis allemaal al eerder gezien. Ze liggen er maar te huilen en weg te kwijnen, ze geven het gewoon op. Maar daar ben ik nog niet aan toe, dat verzeker ik u.' En ze bleef haar beenoefeningen vol enthousiasme doen.

Het was moeilijk te geloven dat ze het zou halen als je dat tengere, verschrompelde mensje zag dat bijna opgeslokt werd door het hoge ziekenhuisbed. Een zakje huid en botten tussen de lakens. Puur huid en botten. Twee dunne, overbodige borstjes, net pannekoekjes die tegen haar borst aan lagen, en je kon haar ribben tellen. Het schaambeen onder aan haar buik stak scherp uit.

Ik besloot haar zelf de postoperatieve medicatie te geven. Een spuit in de spieren. Maar welke spieren? Het beetje spierweefsel dat ze had was nauwelijks voldoende om haar botten te bedekken. De plekken waar we normaal gesproken spuiten zijn de bovenarm, het bovenbeen of de bil, maar bij Millie waren dat allemaal gekrompen, geslonken plekken.

Ik besloot in de bil te spuiten, aangezien daar nog het meeste spierweefsel zat en het daar het prettigste voor haar zou zijn. Maar al gebruikte ik een kleine intramusculaire naald, het was toch onvermijdelijk dat ik op het bot zou stoten als de punt naar binnen zou gaan. Met op elkaar geklemde tanden duwde ik de naald door de huid en stootte prompt op bot. Snel spoot ik het medicijn in het beetje spierweefsel.

Millie voelde zich niet prettig in deze afhankelijke situatie en ze verdedigde haar vrijheid heftig. Ze vroeg eerst haar gehoorapparaat terug, om weer contact met de werkelijkheid te krijgen. Ze vertelde Sandra Dix duidelijk waar het op stond, aangezien Sandra, net zoals velen van ons, het moeilijk vond eraan te denken dat je niet altijd moet schreeuwen tegen dove mensen.

Millicent wuifde haar operatie weg. Het was geen kleinigheid op haar leeftijd, maar ze wilde snel weer op de been zijn en geen invalide blijven.

'O, die verhipte billen van mij ook,' zei ze als ze zich omhoog hees van het bed met behulp van het papegaaierek dat boven haar hing. Alles was 'verhipt' voor Millie, dat was haar uitverkoren 'stoute, maar nog net acceptabele' vloek uit voorbije tijden. Er bestond geen twijfel aan dat haar billen pijn deden. Want zoals Ivy Penrose een doorligprobleem had vanwege haar overgewicht, zo had Millie de neiging een doorligplek te krijgen omdat ze zo mager was dat haar huid van haar botten geschuurd kon worden. Maar ze was licht en actief, bewoog steeds in haar bed en kon niet snel genoeg weer opstaan om over de afdeling rond te lopen.

Ze zat dan in de grote leunstoel omringd door kussens en was druk bezig brieven te schrijven. Nu had ze iets concreets en opwindends om over te schrijven, een ongeluk én een operatie. Heel verstandig nam dit pezige dametje in haar brokaten ochtendjas die duidelijk naar motteballen rook, voldoende rust tussen haar vele bewegingsoefeningen door. Als ze sliep en niet op haar hoede was, zag ze er ongelooflijk oud en zwaar gerimpeld uit, haar dunne gerimpelde oogleden bedekten de verdikking aan de binnenkant van haar oog, iets dat ook met de oude dag te maken schijnt te hebben.

Maar wanneer ze wakker werd, was ze er weer helemaal bij en vol enthousiasme om te gaan lopen. En wanneer ze in beweging kwam, vielen de jaren op de een of andere manier van dat verweerde oude gezicht af. Ze was verrukt toen er een paar bezoekers uit het Residential Home kwamen die bloemen uit de tuin en pepermuntjes hadden meegebracht.

Millie ging goed vooruit, ze genoot van de aandacht en de ritjes naar de fysiotherapie die ervoor zouden zorgen dat ze weer helemaal goed leerde lopen. Post-operatief gezien had ze geen problemen, hoewel haar darmen het wel zwaar te verduren hadden gekregen door de immobilisatie en de operatie. Om haar stoelgang weer op gang te helpen, gaven we haar een hoeveelheid laxeermiddelen waar een kameel nog genoeg aan zou hebben. Want net als bij veel dames in haar leeftijdsgroep hadden haar goedgeoliede darmen na al die jaren van onoordeelkundig gebruik van laxeermiddelen het allang opgegeven uit zichzelf te werken en rekenden ze gewoon op de regelmatige hulp van geneesmiddelen.

Millicent kwam uit een generatie die laxeermiddelen als onderdeel van de vrijdagavond-routine had uitgedeeld gekregen. Het was moeilijk om de ontlasting van zeven kinderen in de gaten te houden, dus werden ze allemaal één keer in de week 'goed schoongemaakt' om het zekere voor het onzekere te nemen. In een huishouden met kinderen gingen ze om de beurt in een zinken teil in de keuken in bad en werden de haren gewassen en onderzocht (op luizen). Hierna werden laxeermiddelen voorzien van een laagje chocolade, en zakgeld uitgedeeld. Moeder vond het ook niet erg om af en toe een klysma te geven om eventuele 'luie' darmen aan het werk te krijgen. Het goed werken van darmen was een uiterst belangrijk teken van gezondheid en dat moest ten koste van alles verkregen worden.

'"Wees godvruchtig en zorg dat je darmen goed werken," was het motto van mijn moeder,' vertelde Millie ons altijd als ze haar medicijn innam, 'en daar heb ik me mijn leven lang aan gehouden.'

Het was duidelijk een filosofie die haar goed had gedaan. Maar haar belangrijkste eigenschap was haar onderzoekende, levendige geest, haar geweldige uithoudingsvermogen en een enorme wil om te overleven. Ze moest zelf ook toegeven dat ze geluk had gehad op haar leeftijd gezegend te zijn met zo'n gezond lichaam. Het gaf haar een goede kans op herstel.

Voor ze ontslagen zou worden onderzocht de orthopedist haar voor de laatste keer. Als haar werd gevraagd haar been op te tillen, stonden we versteld als we die tengere, stakerige beentjes de lucht in zagen zwaaien, bijna in een rechte hoek met haar lichaam. Haar lange zakkerige onderbroek flodderde om haar dijbenen, het elastiek had geen vat op die dunne ledematen. En ze vertelde de arts weer dat ze vroeger danseres was geweest.

'Nou, u zet ons allemaal voor schut,' glimlachte hij, 'ik ben gewoon jaloers, zo hoog kom ik niet, dat verzeker ik u. Het is geweldig.'

Millicent glimlachte tevreden over haar prestatie. Ik geloof dat ze genoot van het excuus om haar kunststuk te mogen vertonen.

Na een blessure te hebben doorgemaakt die mensen die jaren jonger waren dan zij regelrecht naar hun schepper zou hebben gestuurd, liep ze Parker net zo soepel uit als ze gekomen was.

Maar Parker bleef nog altijd met mevrouw Penrose zitten.

CONCURRENTIE

Zuster Burrows maakte me als eerste op de advertentie opmerkzaam. Hij stond levensgroot in de *Nursing Times*.

'Het Gartland Hospital zoekt een HOOFDZUSTER voor de afdeling vrouwenchirurgie. 28 bedden. Afwisselende en drukke werkkring.'

Ik voelde dat mijn hart zich omdraaide bij de gedachte dat duizenden verpleegkundigen dit tijdschrift onder ogen zouden krijgen en wie weet hoeveel toekomstige chirurgische hoofdzusters.

Zuster Ashton – onze plaatsvervangende directrice – was de volgende die me hielp herinneren wanneer de uiterste sollicitatiedatum was en ik vond het een geruststellend idee dat ze erop aandrong dat ik ook zou solliciteren. Het was te hopen dat ze een goed woordje voor me zou doen bij de hoge pieten.

Janet Morrison – de hoofdzuster van Harvey, de gynaecologische afdeling aan de overkant van onze gang – was de laatste maanden waarin we samen in het Gartland hadden gewerkt een goede vriendin van me geworden. Vanaf het ogenblik dat ze wist dat Bridie zou weggaan, had ze me aangespoord te proberen die baan te bemachtigen. Ze had me ook zeer handige adviezen gegeven over hoe ik het sollicitatiegesprek moest aanpakken. Daar zag ik erg tegen op en ze had allerlei wenken over hoe ik mezelf het beste kon aanprijzen.

Ik gooide mijn zorgvuldig geschreven sollicitatiebrief op de post en besloot enige tijd te besteden aan de voorbereiding op de sollicitatiedag.

Janet had me aangeraden alle recent verschenen rapporten over verpleegkunde door te lezen, om helemaal *au fait* te zijn met alle voorgestelde veranderingen over de manier van lesgeven en vooral up-to-date te zijn betreffende de gespecialiseerde verpleegkundige groeperingen die overal ontstonden.

'Je maakt een goede indruk als je er veel vanaf weet en helemaal op de hoogte bent van de laatste vernieuwingen en plannen,' verzekerde ze me. 'Het moet klinken of je goed geïnformeerd bent, toon een levendige interesse, wees ad rem, zie er bijdehand uit en dan komt het allemaal wel in orde.'

Het was goede raad van iemand die het allemaal al eens had meegemaakt en wist wat me te wachten stond. Ik haalde gehoorzaam de benodigde literatuur uit de bibliotheek, nam de stapel mee naar huis en daar bleef hij liggen.

Het toeval wilde dat het rond die tijd een waar gekkenhuis was in het Gartland. We moesten zo hard werken dat alle gedachten aan sollicitatiegesprekken of promoties op de tweede plaats kwamen.

De winterchaos stortte zich over ons uit en het ziekenhuis kreeg zijn aandeel aan ongelukken.

Een vorstperiode brengt altijd de nodige ongelukken met zich mee in een gemeenschap. Broze oude mensen komen warmte te kort of waarschijnlijk het geld om die te betalen en raken op die manier onderkoeld, waardoor een verlaging van de lichaamstemperatuur ontstaat die hun fataal kan worden.

Bevroren gedeelten op het trottoir verrassen voetgangers en dat kan een val met als gevolg een gebroken bot veroorzaken; enkel, heup en pols zijn de meest kwetsbare beenderen. Vochtig, benauwd weer veroorzaakt longproblemen bij hen die daar van nature al toe neigen. Een bronchitispatiënt moet vaak voor de zekerheid worden opgenomen voor het geval hij een acute aanval krijgt. Deze mensen worden vriendelijk 'roze hijgers' genoemd of 'blauwe opgeblazenen', al naar gelang de kleur van hun gezicht.

Die winter hadden we al een zware griepepidemie achter de rug, die zelfs zo hevig was geweest dat het nieuws op de tv de uitzinnige effecten ervan in het land in kaart had gebracht. De kwetsbare baby's met onvoldoende weerstand liepen – evenals de zwakkeren en ouderen – het grootste risico. De kinderafdeling en de afdeling geriatrie werden overstroomd met patiënten die niet in staat waren de griep te boven te komen. De IC was ook overladen met patiënten met longaandoeningen. Van de algemene afdelingen werd verwacht dat ze de extra hoeveelheid werk op hun schouders namen aangezien het Gartland bereikbaarheidsdienst had.

Het systeem van bereikbaarheidsdienst waarschuwt ziekenhuizen voor iedere buitengewone toename van opnames. Huisartsen zoeken wanhopig naar een bed waarin ze hun ernstig zieke patiënten kunnen onderbrengen. Artsen wenden zich tot de centrale Emergency Bed Service die het aantal lege bedden in alle ziekenhuizen in de omtrek bijhoudt. Wanneer een ziekenhuis bereikbaarheidsdienst heeft, kunnen die bedden gebruikt worden voor iedereen die er een nodig heeft, ongeacht welke klachten hij heeft en ongeacht het normale specialisme van die afdeling.

Een tijdlang zijn onze operatielijsten een heel stuk geslonken, aangezien routineopnames voorrang moesten geven aan de stroom ongelukken. Misschien hadden we minder operaties dan anders, maar we hadden genoeg te doen met het aantal patiënten, het verloop en de verschillende gevallen die kwamen. Een paar nachten lang hadden we er twee extra bedden bij gekregen op de afdeling, maar dokter Simpson zorgde ervoor dat die ook weer snel verdwenen, voor ze heimelijk als definitief meubilair op de afdeling dreigden te blijven staan.

We kregen van alles en nog wat. Er waren natuurlijk de gebruikelijke 'koude oudjes', gevallen van onderkoeling dus. Er kwamen verschillende fracturen binnen die een nacht bij ons moesten blijven, over het geheel genomen mensen die alleen woonden en het nu niet meer aankonden. De sociale problemen waren in overvloed aanwezig en vormden een belemmering voor gemakkelijke ontslagen, zelfs wanneer de patiënt medisch gezien weer gezond was.

De sociaal werkster was een regelmatige bezoekster en ze probeerde de zaken van vele oudere vrouwen uit te zoeken die het op een minimale hoeveelheid voedsel en verwarmingskosten probeerden uit te zingen. Sommigen waren afgesneden van gas en elektriciteit omdat ze de rekening niet hadden betaald, anderen hadden geen eten meer in huis omdat ze het risico niet durfden te nemen over de gladde, gevaarlijke wegen boodschappen te gaan doen. Velen brachten de winter vrijwel geheel in bed door met zoveel mogelijk kleding aan, in een poging de kostbare warmte vast te houden, en voedden zich slechts met thee, toost en gemakkelijk eten uit blik. Geliefde huisdieren hadden het vaak beter dan hun eigenaren. Kattevoer was belangrijker en een geliefd dier was vaak de enige reden die een oud mens nog had om in leven te willen blijven.

Het was verbazingwekkend als je erover nadacht dat dit soort mensen zo lang aan de aandacht van de samenleving had kunnen ontsnappen. Toch bleek dat het geval te zijn.

Zuster Witherden herkende iemand uit haar straat tussen een hele serie opnames, een nogal typisch geval van armoe, hoewel in dit geval wel wat extreem. Iedereen in de straat kende Nelly Kell, ze woonde al vijftig jaar in hetzelfde huis, vanaf de dag dat ze getrouwd was. In al die tijd was er niets aan het huis gedaan. Na een halve eeuw zat dezelfde donkergroene verf nog steeds op de muren, waren er nog steeds dezelfde houten klinken op de deuren en stond er nog altijd een oude stenen gootsteen met een stevig geboend houten aanrecht ernaast.

Vroeger was Nelly een actieve vrouw in de buurt geweest, maar ze was een beetje van de wijs geraakt nadat haar echtgenoot was overleden. Ze had alle hulp van buitenaf geweigerd en was het leven van een kluizenares gaan leiden. Vanaf de dag dat haar man haar was ontvallen, had ze zich teruggetrokken in het donkere, smerige koude huis. Ze woonde en sliep in de grote sitsen leunstoel en zat opgekruld voor het elektrische straalkacheltje met haar ochtendjas over haar kleren heen en met wollen sokken aan. De grote tuin was een wildernis geworden en het huis verdween steeds meer achter het onkruid.

Haar maaltijden bestonden uit toost, die ze zelf maakte door brood voor het straalkacheltje te houden, en witte bonen uit blik. De onbetaalde rekeningen stapelden zich in de gang op. Blikjes en afval lagen overal in de zitkamer en aangezien de wc nooit werd schoongemaakt, was dat een van de oorzaken van de gruwelijke stank die in het huis hing.

Het vocht kroop langs de muren omhoog en ten slotte sijpelde het water naar beneden. Tijdens een bijzonder strenge vorstperiode barstten de pijpen en dat was eigenlijk een geluk bij een ongeluk, want dat vestigde de aandacht van de buren op de benarde toestand waarin de oude vrouw leefde.

Toen ze bij ons kwam, was ze koud, uitgedroogd, geestelijk volkomen in de war en uitgehongerd, een helaas maar al te gewone gang van zaken bij eenzame ouderen. Op de poli maakten ze haar zo goed mogelijk schoon, zonder het lichaam dat immers al zo lang ongewassen was geweest en door lagen vuil werd beschermd een te grote schok te geven.

Onder een wollen sok en een fil d'écosse kous zat een vies oud verbandje dat een oude zweer ten gevolge van een spatader op de enkel aan het licht bracht. Toen de zuster het verband eraf haalde, kon ze haar ogen nauwelijks geloven. Onder het geïmproviseerde verband kropen dikke, sappige maden rond. Het been leefde letterlijk van het wriemelend ongedierte! Vreemd genoeg zag de zweer er schoon, vochtig en glanzend uit; daar zorgden de maden voor die leefden van de verrotte overblijfselen van de zweer en op die manier ook alle giftige afvalprodukten verwijderden. Deze wezens hadden beter werk geleverd dan ieder willekeurige medicament dat wij gekozen zouden hebben.

Nadat het nodige gedaan was, bestond er geen twijfel meer aan dat Nelly's toekomst een of andere vorm van geriatrische instelling zou worden. 'Een tehuis' voor 'gepensioneerde mensen van goede komaf', voor 'oudere burgers' of gewoon een 'bejaardentehuis'. Je kunt die laatste haven voor zwakkere ouderen die doorlopende zorg en bescherming nodig hebben noemen zoals je wilt.

Om het op Parker nog een beetje drukker te maken dan het al was, lag er ook nog een particuliere Turkse patiënte van dokter Simpson in het zijkamertje. Het was een schatje, maar ze sprak geen woord Engels en wij spraken geen van allen Turks. Als we een ziekenhuis midden in Londen waren geweest, hadden we wel een vertaler of een bezoeker van hun ambassade kunnen vinden. Maar nu hadden we alleen maar een Rode-Kruiskaart met symbolen die de meest elementaire levensbenodigdheden vertaalde. Wilt u iets drinken, eten, de po, gewassen worden, slapen? Met dergelijke zinnetjes kun je weinig beginnen in een normaal gesprek of zelfs alleen maar een praatje.

Het was jammer dat we niet tot een gesprek in staat waren en dat we ook geen tijd hadden even stil te staan om het te proberen. Ze lag in haar bed gevangen met alle problemen die een post-operatieve staat met zich meebrengt en ze voelde zich tamelijk terneergeslagen in haar isolement.

Haar echtgenoot was niet half zo aardig; hij had het bekende zuidelijke temperament. We hadden het er geen van allen gemakkelijk mee en gebaarden heftig om ons verstaanbaar te maken.

Het was een geluk dat ze weldra in staat zou zijn weer rond te lopen en haar kleine zijkamertje te verlaten, want onze buitenlandse patiënt bleek op te leven in het gezelschap van de andere dames in het dagverblijf.

De dames boden graag de helpende hand voor zover ze daartoe in staat waren en zorgden voor gemakkelijke stoelen en iets te lezen voor de ouderen onder hen, en hielpen de zusters met thee en bloemen. De afdeling zelf was niet alleen druk, maar de griep begon zich nu ook onder het personeel uit te breiden, dus de last op de overblijvenden werd steeds zwaarder.

Voor het sollicitatiegesprek zou worden gehouden had ik maar net voldoende tijd om een iets langere koffiepauze te nemen.

Ik kamde snel mijn haren, zette mijn muts recht en werkte mijn make-up wat bij; toen was ik klaar om te gaan. Ik voelde me beslist niet zo rustig en opgeknapt als ik van plan was geweest, maar misschien zou ik zenuwachtiger zijn geweest als ik wel tijd had gehad voor een meer bewuste voorbereiding. Jéé, ik zou er iets voor geven als ik een sigaret had gehad, maar ik besloot dat het geen goede manier was om een sollicitatiegesprek te beginnen met de geur van sigaretterook om me heen.

Het voltallige personeel – nou ja, de paar die er nog over waren – zwaaide me uit en ze wensten me veel succes. Doreen gaf me een kus op mijn wang en omhelsde me even. Omdat ik tot het uiterste gespannen was, sprongen de tranen me bij dit attente gebaar in de ogen.

Het was een lange eenzame wandeling door die weergalmende gang, langs de barakken, naar de administratie-afdeling. Tegen de tijd dat ik het kantoor van de directie had bereikt, stond ik te bibberen op mijn benen en voelde ik me erg onzeker. Mijn gezicht was rood van de zenuwen en het zweet stond in mijn handen. Ik hoopte dat mijn deodorant goed werkte en de lichaamsgeur teniet zou doen die mijn nervositeit weldra zou opwekken. Mijn hart klopte in mijn keel. Het klopte zo hard, dat ik me verbeeldde dat iedereen het kon horen.

Ik zat alleen in het kantoortje van de secretaresse en pakte een verpleegkundig tijdschrift op, hoewel ik me absoluut niet op de inhoud ervan kon concentreren.

Ik bedacht dat het wel fijn was dat er geen kandidaten naar elkaar zaten te staren of – wat nog erger was – je gedwongen was beleefd te converseren met een potentiële vijand.

'Juffrouw Davies,' riep de directiesecretaresse me. 'Wilt u binnenkomen?'

'Ja, dank u.' Ik was opgelucht dat ik een helder hoofd had en mijn antwoord duidelijk hoorbaar en verstandig klonk. Daar gingen we dan!

In dat bekende kantoor zat de sollicitatiecommissie. Rob Martin, onze joviale arts. Hij kende mij goed en glimlachte vriendelijk.

God, had ik als eerste verpleegkundige naar zijn tevredenheid gewerkt? Zou hij me wel als hoofdzuster willen? Kon ik – of wie dan ook – ooit een behoorlijke vervangster voor de efficiënte Bridie O'Connell worden?

Daar zat de directrice, die ik niet goed kende, en haar plaatsvervangster, Kate Ashton, die me verleden jaar had ingewerkt.

Mary Hoy – de oudste docente – maakte ook deel uit van de sollicitatiecommissie. Ik had haar vrij goed leren kennen en zij was op de hoogte van mijn interesse voor leerling-verpleegkundigen. De paar lessen die ik op de school voor verpleegkundigen had gegeven zouden me nu goed van pas komen, bedacht ik.

Een administrateur – de chef personeelszaken – was een onbekende voor me, dus werden we aan elkaar voorgesteld.

Ik probeerde heel bewust nergens aan te friemelen toen zuster Ashton me verwelkomde en me op mijn gemak stelde. Ik voelde me wel een beetje dom, zoals ik daar op een ongemakkelijke harde stoel werd neergezet en niet het voordeel van een bureau had, zoals zij, waarop ik kon leunen of waar ik me achter kon verschuilen. Maar tenslotte was ik de sollicitant.

Wilden ze misschien een ouder iemand, met meer ervaring, die beter op de hoogte was van het reilen en zeilen in het Gartland? Op het laatste ogenblik kreeg ik het toch nog benauwd. Misschien lieten ze me wel weggaan met de mededeling dat het allemaal op een vergissing berustte.

Stel je niet aan, wees ik mezelf scherp terecht en pakte mijn gesteven manchetten goed beet. Dit is de enige kans die je hebt om te bewijzen dat je uitermate geschikt bent voor deze functie. Dus doe je best!

Dokter Martin opende het sollicitatiegesprek. Gezien zijn positie, dacht ik bij mezelf. En ik vermoedde ook dat hij waarschijnlijk het laatste woord bij de benoeming van de hoofdzuster van zijn afdeling had, de zuster die verantwoordelijk voor zijn patiënten was en die zijn orders moest uitvoeren. Peter Simpson had geen tijd voor de details van ziekenhuispolitiek en zou het altijd eens zijn met de beslissing van zijn collega.

Rob Martin vroeg welk verschil ik dacht dat er was tussen de taak van een hoofdzuster en die van een eerste verpleegkundige.

'De hoofdzuster draagt de uiteindelijke verantwoording voor alles wat er op de afdeling gebeurt,' gooide ik eruit, en verraste mezelf met mijn heldere welsprekendheid. 'Ze moet nauw betrokken worden bij beleidsbeslissingen van de afdeling en nauw samenwerken met de artsen wat betreft het ten uitvoer brengen van nieuwe plannen en projecten. Zoals de test die we net hebben afgesloten over het gebruik van plakkend verbandmateriaal in plaats van hechtingen. En,' voegde ik eraan toe, want ik dacht plotseling aan iets anders dat ik van Bridie had gehoord, 'het nieuwe wond-drainsysteem dat u wilt gaan uitproberen.'

Hij was onder de indruk en knikte alsof hij daarmee wilde aangeven dat ik verder kon gaan.

'Uiteraard zal ik meer betrokken raken, ik bedoel een hoofdzuster is meer betrokken,' corrigeerde ik mezelf haastig, maar ik zag dat Rob achter zijn hand glimlachte, 'bij de interne ziekenhuispolitiek, vergaderingen van hoofdverpleegkundigen moeten bijwonen, en helpen met de opmaak van het boek over behandelingen en helpen met cursussen voor herintredende verpleegkundigen.

En dan zijn er nog de keuzes wat betreft de aankleding van de afdeling.' Het klonk oppervlakkig, maar het was wel waar. 'De keuze van nieuwe gordijnstof en de kleur van de verf wanneer de afdeling daarvoor aan de beurt is. En het personeel. Het voltallige personeel: zusters, artsen, paramedisch personeel, iedereen ziet de hoofdzuster als de toonaangevende figuur. De eerste verpleegkundige kan de zaak gaande houden door per voorval te besluiten wat er gedaan moet worden, maar de definitieve beslissing ligt altijd bij het hoofd. Familieleden willen altijd met hun klachten naar de 'leiding'.

'Dat klopt, kind. Daar komt het op neer. Je draagt de verantwoordelijkheid. Je draagt het teken van 'Verder dan hier kan niet!' En Rob Martin wees met zijn wijsvinger naar beneden.

Na die rumoerige conclusie gaf hij me door aan de docente. Zij was geïnteresseerd in mijn betrokkenheid bij de verpleegkundigen in opleiding en mijn plannen voor hen op de afdeling.

Ik sprak vrijuit en uitgebreid over de manier waarop ik lessen in de overdrachten had gevlochten en ik hoopte maar dat dit indrukwekkend en verfrissend klonk. Ik vertelde hoe ik iedere mogelijkheid aangreep om de meisjes tijdens hun stage zoveel mogelijk van onze afdeling te laten zien. Het was een van tevoren vastgestelde opleiding die afhankelijk was van de willekeurige gevallen die op de afdeling voorkwamen.

'Ik zou graag een lijst opstellen met praktische handgrepen die afgestreept kunnen worden als ze die onder de knie hebben. Het is te hopen dat ik in de gelegenheid zal zijn iedere leerling af en toe een patiënt naar de operatiekamer te laten begeleiden, een operatie te laten meemaken en voor de patiënt te laten zorgen in de periode voor en na die operatie. Als dat mogelijk is in verband met de rest van het personeel,' voegde ik er voor Kate aan toe en glimlachte even naar haar. 'Ik heb het idee dat zowel de patiënt als de leerling er wel bij varen het hele operatieproces van voorbereiding tot en met herstelperiode mee te maken. De zuster begrijpt dan ook beter wat de patiënt allemaal moet doormaken.'

Zuster Hoy vertelde aan de commissie dat ze al van haar leerlingen had gehoord dat Parker en vooral zuster Davies bijzonder leerzaam voor hen waren.

Poeh, dat klonk tenminste alsof zíj althans aan mijn kant stond.

Nu de administrateur nog. Ik vroeg me af wat hij eigenlijk van het werk van een hoofdzuster af wist!

Hij verschoof zijn papieren een beetje zoals alleen een echte bureaucraat dat kan, en was er duidelijk op uit eens te kijken hoe goed ik voor mezelf kon opkomen. Hij vroeg naar mijn opleiding en de opgedane ervaring, hoewel dit alles zwart op wit voor zijn neus stond op het gefotokopieerde sollicitatieformulier.

Maar goed, het gaf niets. Ik deed mijn woordje en versierde mijn carrière en ervaring zoveel mogelijk. Zo moest dat nu eenmaal bij een sollicitatiegesprek. Hij slikte het ziekenhuis waar ik mijn opleiding had gehad, evenals mijn kinderaantekening.

'Hoe denkt u over het feit,' aarzelde hij, 'dat u qua leeftijd heel dicht bij uw leerlingen staat, en dat velen van het vaste personeel aanzienlijk ouder dan u zullen zijn?'

Wat een rotvraag! Dat was een stoot onder de gordel! Hij suggereerde dat ik te jong was om de verantwoordelijkheid op me te kunnen nemen. Hij had precies de vinger op mijn zwakke plek gelegd en ik moest die op de een of andere manier goedpraten. Ik was me ervan bewust dat ik na deze provocatie moeite had me te beheersen en rustig te blijven.

'Ik heb mijn leeftijd het afgelopen jaar – als eerste verpleegkundige – niet als een bezwaar ervaren,' antwoordde ik kort en bondig, en ik probeerde mijn gevoelens van woede niet te laten blijken. 'De oudere personeelsleden reageren – voor zover ik weet – gunstig op mijn ervaring en bekwaamheid. Als ik mijn werk goed doe, is het voor hen verder niet belangrijk dat ik net zo oud ben als hun dochters. We zijn geen van allen te jong of te oud om af en toe nog eens iets van een ander te leren.'

Dat klonk nogal hoogdravend, maar ik vond dat het het teamwerk op Parker goed weergaf.

'Wat betreft de jongere meisjes,' voegde ik eraan toe, 'die hebben een ingeworteld respect, of misschien wel angst, voor iedereen die in het blauw gekleed gaat. Ik weet trouwens niet of ik in hun ogen wel zó jong ben. Als je achttien bent, is iedereen boven de eenentwintig stokoud. Wat mijzelf betreft, ik kan me nog goed in hun leven en opleiding inleven, juist omdat het voor mij nog niet zo lang geleden is dat ik zelf leerling was. Ik krijg de indruk dat de leerlingen hun problemen graag met mij bespreken. Ik denk dat het er ook mee te maken heeft wíe je bent, en niet alleen hoe oud je bent,' beëindigde ik mijn betoog.

'Juist.' Hij leek tevreden over mijn reactie. Als laatste stelde hij me nog de vraag of ik iets af wist van de voorstellen van de District Health Service en ik kon hem een schets geven van wat ik speciaal voor het sollicitatiegesprek in mijn hoofd had gestampt, ook al was dat niet zo erg veel.

De directrice besloot het gesprek met te informeren naar de veranderingen die ik op Parker zou willen invoeren indien ik daar de leiding zou hebben. Dat was een moeilijke vraag, aangezien de afdeling zo uiterst efficiënt door Bridie was geleid, dat ik geen grondige wijzigingen nodig achtte. Maar ja, ik moest iets zeggen en ik kletste me eruit door uit te weiden over het instellen van meer verpleegkundige handelingen voor leerlingen.

Ik wilde graag een aantal verpleegkundige taken afschaffen en vooral het ouderwetse idee dat de eerste jaren alleen maar goed zijn om po's te geven en mensen te wassen, terwijl de derdejaars leerlingen alle injecties en verbanden mochten doen. Ik was erg vóór het idee van geïndividualiseerde, geïntegreerde patiëntenzorg.

Ik wilde dat de leerlingen inzagen dat andere mensen in het ziekenhuis ook met de patiëntenzorg te maken hadden en ik dacht erover in de toekomst de fysiotherapeuten en de sociaal werkster bij onze afdelingsvergaderingen te betrekken. Ik wilde tevens ziekenverzorgsters en ouderejaars leerlingen meer bij de administratieve kant van de zaak betrekken. Zuster Hoy glimlachte waarderend bij dat voorstel.

'En ik hoop actief bij de directe zorg voor bedlegerige patiënten betrokken te blijven, en niet in het kantoor vast te roesten,' eindigde ik nadrukkelijk.

'Dank u, zuster Davies.' Kate Ashton keek even naar haar collega's of die ook alle benodigde informatie hadden gekregen.

Het sollicitatiegesprek was voorbij en ik was geestelijk en lichamelijk uitgeput. De sollicitatiecommissie ontspande zich op hun stoelen en mompelde onder elkaar. Mij werd gelukkig – nee – genadig toegestaan te vertrekken.

Ik had een half uur lang mijn bestaan moeten verdedigen. Ik had het daar zo druk mee gehad dat het veel korter leek. Had ik dat werkelijk allemaal gezegd?

Nu het voorbij was, pakte ik snel een koffie in de afdelingskeuken, rolde mijn mouwen op en ging verder met het werk dat net als op iedere andere dag nog allemaal gedaan moest worden.

De mensen die het voor het zeggen hadden, lieten de sollicitanten een week wachten voor ze de beslissende brief met trillende handen konden openmaken.

Ik rende iedere dag naar de brievenbus. Nooit eerder was ik zo vroeg in de ochtend zo wakker en snel van reactie geweest. Op de dag dat het antwoord eindelijk kwam, was de post laat en had ik vroege dienst.

Susy had instructies alle brieven met het frankeerstempel van het ziekenhuis open te maken. De telefoon met de buitenlijn rinkelde toen ik naar de overdracht luisterde, dus het kantoor zat vol dag- en nachtdienstpersoneel.

'Ja, ja, ik luister,' antwoordde ik, en was me bewust van de stilte die in het kantoortje viel en van de vele ogen die op mij waren gevestigd.

'Ik heb hem,' gilde ik – achteraf bekeken veel te hard – maar ik was niet in staat mijn vreugde te beteugelen.

Er leek een algehele zucht van verlichting om me heen geslaakt te worden en van alle kanten klonk 'gefeliciteerd', 'goed gedaan', 'ik ben blij voor je', 'we wisten wel dat je het kon'. En Sandra Dix verraadde de zaak door te vertellen: 'Goddank, we waren al doodsbenauwd dat we die oude theetante zouden krijgen die hier een keer kwam kijken op jouw vrije dag'.

Allemachtig, dáár waren ze allemaal opvallend zwijgzaam over geweest! Wat een heerlijk team had ik geërfd.

'Nou moet je trakteren, hoofdzuster Davies,' hielp Burrows me aan mijn feestelijke plichten herinneren.

'Uiteraard, en met plezier.'

Wat later op die dag heb ik wat mensen uit het ziekenhuis uitgenodigd om op onze spontane theeparty te komen. Het zou slechts een symbolisch 'kopje en proost' worden, want we hadden het nog steeds zo druk dat we niet veel tijd konden doorbrengen met gezellig kletsen en thee drinken. Er lag een non in het zijkamertje, dus moest ons spontane feestje in de keuken gehouden worden.

Ik vroeg een paar meisjes van de vaste staf van de mannenafdeling boven en zuster Fowler van de IC. Zuster Poli zei dat ze graag even langs zou komen om een beetje bij te komen na een tragische gebeurtenis met een kind met brandwonden dat net op haar afdeling was overleden.

Ik vertelde het nieuws persoonlijk aan Janet Morrison van gynaecologie. Ze omhelsde me enthousiast.

'Geweldig, Helen, je verdient het. Ik ben zo blij dat je aan de overkant van de gang blijft.'

'Kom je ook even thee drinken, jij en je stafverpleegkundige als die straks komt?' vroeg ik haar. 'Het is alleen maar een kopje thee in de keuken, maar er zijn wel lekkere gebakjes bij.'

Ze trok een gezicht bij de lekkere gebakjes en dat verbaasde me, aangezien ik wist dat ze dol op zoetigheid was.

'Ik kan je nu mijn nieuws ook net zo goed vertellen, het wordt binnenkort toch duidelijk zichtbaar. Ik ben in verwachting,' vertelde ze, en ze verraste me daarmee.

Ik wist dat Janet al twee kinderen had, die inmiddels op lagereschoolleeftijd waren. Ik wist ook dat ze erg op haar baan gesteld was en ik kon me niet voorstellen dat ze die wilde opgeven. Dus ik was niet helemaal zeker of ik haar nu hartelijk moest feliciteren of mijn deelneming moest betuigen.

Ze zag aan mijn reactie dat ik niet precies wist hoe ik moest reageren.

'Nu ik een beetje over de eerste schrik heen ben, vind ik het wel leuk, hoor,' zei ze.

'O mooi, dus je laat de baby wel komen?'

Dat was ook weer zoiets van de tegenwoordige tijd. Geen enkele foetus was meer een vaststaand feit. Hij kon aanvaard of afgewezen worden, hij kon toegestaan worden tot een voldragen kind uit te groeien of zonder meer in de vuilnisemmer terechtkomen.

'Ik kon met al mijn werk op Harvey en met zoveel abortussen de cijfers onmogelijk nóg hoger maken door ook tot een abortus over te gaan. Trouwens,' lachte ze, 'toen mijn kinderen eenmaal goed en wel van de nieuwe baby op de hoogte waren, konden we de zaak toch niet meer terugdraaien. Ik heb trouwens toch meer geluk dan de meesten: ik krijg mijn zwangerschapsverlof en mijn moeder heeft al aangeboden om voor de baby te zorgen als ik doorga met werken. Ik ben ervan overtuigd dat het goed voor mijn moeder zal zijn het gevoel te hebben dat ze weer nodig is; sinds mijn vader is overleden, voelt ze zich enigszins overbodig. Ik was alleen bang dat ik Harvey kwijt zou raken. Mijn werk is zo belangrijk voor me geworden nadat ik die eentonige periode thuis had meegemaakt toen de twee anderen nog klein waren. Nee, we redden het wel.' Ze klonk gelukkig en leek volledig verzoend te zijn met de situatie.

'Geweldig, jò, ik ben blij dat je het allemaal naar je zin hebt kunnen regelen. Wanneer ben je uitgeteld?' vroeg ik.

'Ongeveer gelijk met Kiki Woods.'

'O, dat is gewéldig. Ik denk dat ik het heerlijk zou vinden om ervaringen met iemand uit te wisselen, zeker een oude rot die al overal van weet.' Ik was werkelijk blij met die toevallige samenloop van omstandigheden.

'Onder ons gezegd, geloof ik namelijk dat ze een beetje bang is. En al haar familie woont in Guyana, ze voelt zich nogal eenzaam in deze periode in haar leven. Ze zal best blij zijn met een lotgenote.'

'We zullen elkaar ongetwijfeld op het consultatiebureau ontmoeten. Ik ben ook niet meer zo bij wat betreft het krijgen van baby's, hoor. Ik zal weer lessen moeten gaan nemen. Ik heb begrepen dat het tegenwoordig allemaal heel anders gaat. Alles gaat via ademhalingsoefeningen, en de hartslag van de baby wordt voortdurend gecontroleerd. Toen ik mijn twee kinderen kreeg, werd me in ijltempo WBK toegediend en verder mocht je schreeuwen tot de baby er was.'

Ze moet gezien hebben hoe ik mijn wenkbrauwen fronste, want ik had nog nooit van WBK gehoord.

Janet beschreef het. 'Wonderolie, Bad en Klysma.'

'Ja,' was ik het met haar eens, 'die dingen liggen nu wel wat anders, dat weet ik uit mijn stage op de kraam.'

Toen ik wegliep, riep Janet me terug. 'Hé, wil je nog iets grappigs horen? Maar je moet het niet verder vertellen, hoor. We kregen hier vanochtend een punk met groen haar.'

'Groen haar?'

'Ja, en dat was nog niet alles. Ze had haar schaamhaar ook groen geverfd. En op haar buik stond geschreven: 'Verboden het gras te betreden!'

De thee was een bescheiden aangelegenheid, die we tijdens de rustige periode van het middagbezoekuur hielden, maar dat was voldoende om mijn promotie tot hoofdzuster te vieren. Ik was verbaasd dat ik me niet anders voelde. De promotie was zo belangrijk voor me dat ik wilde dat het te merken was. Maar Parker was hetzelfde, het werk was hetzelfde, de patiënten kwamen en gingen. Het leven ging verder, maar voor mezelf wist ik dat het nu míjn afdeling was. Ik nam me plechtig voor mijn uiterste best te doen om de afdeling onder mijn leiding op rolletjes, efficiënt en vooral naar ieders tevredenheid te laten werken.

GEZICHTSVERMOGEN

Ik was er best trots op dat ik nog niet ten prooi was gevallen aan dat gevreesde virus dat het personeel bij bosjes neermaaide. Eigenlijk waren degenen die aan de griep ontsnapt waren tamelijk tevreden over het feit dat de afdeling op rolletjes was blijven lopen, ondanks het wanhopige en langdurige personeelstekort.

Het kwam ongelukkig uit dat de epidemie precies samenviel met de laatste weken van Bridies verblijf in het Gartland, net op een tijdstip dat ze best een beetje rust had kunnen gebruiken om alles netjes af te werken voor haar vertrek. Ze moest hard werken in het ziekenhuis en daar kwam dan bij de verkoop van haar flat en het inpakken van haar spullen, die naar Ierland verscheept moesten worden. Maar we werden allemaal opgeroepen onze schouders er-onder te zetten – onze speciale posities maar even te vergeten – en aan de slag te gaan met het routinewerk dat nou eenmaal gedaan moest worden. Zelfs zuster Ashton kwam helpen en voelde zich nergens te goed voor. Het gaf ons allemaal een warm gevoel van kameraadschap.

Er moesten een paar regelingen worden getroffen om het werk te vergemakkelijken. Achteraf bekeken vraag ik me af of sommige taken die wij blindelings doen, niet eens wat nader onder de loep genomen zouden moeten worden. Was het echt wel zo belangrijk dat bedlegerige patiënten dagelijks gewassen werden? Tijdens die be-wuste weken was dat beslist niet altijd het geval. Konden revali-derende dames hun eigen bedden niet opmaken, zoals ze thuis ook gedaan zouden hebben? Waren we niet bezig op een manier te werk te gaan die eigenlijk in ons eigen nadeel én dat van de patiënten werkte? Hoeveel werk werd er verzet omdat het altijd al zo was gedaan, omdat het goed stond, hoe vaak deden we dingen omdat 'we' die altijd al zo hadden gedaan?

Rond die tijd begon ik wat meer na te denken en meer te zien in het Verpleegkundige Proces. Dit richt zich erop de verpleegkundige zorg zo te verstrekken dat deze voldoet aan de specifieke noden van iedere patiënt, om in zijn behoeften te voorzien – of beter gezegd: in zijn behoeften als individu; iets dat vaak over het hoofd wordt gezien. Het staat lijnrecht tegenover het idee een patiënt als een schoolvoorbeeld te zien en volgens de boekjes te behandelen, de boekjes die de persoonlijke verschillen en voorkeuren negeren.

Grappig genoeg genoot Bridie van de korte tijd die ze tijdens haar laatste werkperiode bij de bedlegerige patiënten doorbracht, en haar vreugde werkte aanstekelijk op de rest van de afdeling. Misschien beschouwde ze het als een juiste finale van haar carrière als verpleegkundige of misschien bevestigde het juist haar beslissing het ziekenhuis te verlaten en was dit net wat ze nodig had nu ze er toch mee wilde ophouden. Ze voelde zonder twijfel wel enige aarzelingen over deze belangrijke stap in haar leven, maar ze was tot het laatst een plichtsgetrouwe verpleegkundige en ze wilde haar afdeling in een redelijk ordelijke staat voor mij achterlaten.

Tegen de tijd dat het personeel zo langzamerhand weer van hun ziekteverlof terugkwam, waren Bridie en ik behoorlijk moe. Ik vierde hun terugkomst door een avondje uit met Peter. Het was fijn me even buiten het ziekenhuis te kunnen ontspannen. Omdat ik zo moe was, steeg de alcohol me regelrecht naar het hoofd. Ik sliep als een blok in de wetenschap dat alles op de afdeling weer normaal zou zijn nu het personeel eindelijk weer voltallig was. Toen ik in slaap viel, dacht ik aan al het achterstallige papierwerk dat nog gedaan moest worden; daar zou ík nu mee belast worden.

De volgende ochtend voelde mijn linkeroog aan als een prikkerige, gepelde kruisbes.

Doreen zag dat ik naar mijn oog keek en zei dat het er rood uitzag. 'Dat ziet er lelijk uit, het doet zeker wel pijn, hè?' vroeg ze vol medeleven.

'Eigenlijk doet het geen pijn, maar het kriebelt verschrikkelijk. Misschien komt het door de mascara of is het een oogwimper, maar ik zie eigenlijk niets.' Het speuren op zoek naar iets had het probleem ook niet bepaald verbeterd. 'Ik heb gisteravond nogal wat gedronken en ik ben nogal laat gaan slapen. Het viel niet mee om vanochtend op te staan en ik voel me nog steeds een beetje gammel,' legde ik uit, 'maak je maar geen zorgen, misschien is het een lichte conjunctivitis (oogbindvliesontsteking), dat gaat wel weer over.'

Ik wist dat het rood worden van een oog ten gevolge van een of andere normale irritatie niet ongewoon was en ik was ervan overtuigd dat mijn lichaam deze hindernis wel zou aankunnen. Het was alleen zo'n verschrikkelijk irritant gevoel dat ik mezelf er niet van kon weerhouden zo nu en dan in mijn oog te wrijven, al wist ik dat ik dit niet moest doen en de situatie op die manier alleen maar erger maakte.

De volgende dag was het verre van beter, het oog was duidelijk ontstoken en voelde korrelig aan, alsof er zandkorreltjes onder mijn oogleden zaten die over mijn oog heen werden getrokken. Mijn oog begon te tranen en ik depte voortdurend met een zakdoekje de overvloedige tranen die ongehinderd over mijn wang stroomden. De patiënten waren bijzonder geïnteresseerd en hadden medelijden met me, ze vroegen herhaaldelijk hoe het met de ontsteking van mijn nu langzaam opzwellende oog was. Wat een vertoning! Een zuster met een rood opgezwollen oog, waardoor mijn gezicht er belachelijk uitzag en ik voortdurend mijn oog met een gaasje depte.

Toevallig kwam ik Peter in de gang tegen, hij zag meteen dat er iets aan de hand was, te meer omdat ik voor de zoveelste keer mijn oog depte. Hij was de laatste tijd bijzonder in oogheelkunde geïnteresseerd geraakt en was een artsenpraktijk op de oog- en KNO-afdeling begonnen.

Peter tilde mijn kin op en keek in mijn ogen, net zoals dat altijd in doktersromannetjes gebeurt! Maar zijn commentaar luidde niet hetzelfde. 'Hmm, mooie boel, je hebt daar een fraaie conjunctivitis, meisje,' was zijn geïnteresseerde en gruwelijk deskundige diagnose.

'Ja, dat dacht ik al, ik denk dat het door de make-up komt.' Ik was al opgehouden het te gebruiken, want ik vond dat dit nu extra bijdroeg tot het afschuwelijke gezicht. 'Ik denk dat ik het nog erger heb gemaakt door erin te wrijven en nu loop ik het de hele tijd te deppen. Het is zó irritant,' zei ik nijdig door dit akelige gedoe.

'Probeer ervan af te blijven, dan gaat het vanzelf wel over,' raadde Peter me aan.

Maar dat was niet het geval en de volgende dag was het nog veel erger. Ik deed 's morgens mijn ogen open – althans ik deed één oog open. Het andere zat stevig dichtgeplakt door een pasta-achtige afscheiding die een korst had gevormd. Het bovenlid zat op het onderlid geplakt en ik moest mijn wimpers spoelen om de korsten eraf te krijgen voor ik weer daglicht kon ontwaren. Maar toen kon ik nog steeds niet erg goed zien. Mijn oogleden waren zo opgezwollen dat ik ze nauwelijks open kon houden en het bovenste ooglid hing als een opgezwollen paddestoel naar beneden. Het hele gebied was dik, het vocht had zich in en rondom het weefsel verzameld als reactie op de ontsteking, en de nu veel korter lijkende oogharen prikten tussen de opgezwollen massa door. Toen ik de zaak wat beter bekeek, zag ik dat mijn linkeroog bedekt was met een dikke, troebele, geleiachtige laag – de gezwollen bindweefsels.

Een gezond oogbindvlies is een doorzichtig vliesje dat de voorkant van de oogbal bedekt. Normaal gesproken is het helder en niet eens zichtbaar, tot het rood wordt door conjunctivitis of gezwollen en geleiachtig wordt door het optreden van oedeem.

Ik zag absoluut veel minder met het linkeroog en nu merkte ik pas hoe lastig het was om een troebel en onduidelijk gezichtsvermogen te hebben. Mijn gezicht stond scheef door de ongelijke zwelling en mijn gelaatstrekken waren afgrijselijk vervormd. De wind blies koude lucht in mijn oog en dat veroorzaakte weer meer pijn, waardoor het erger ging tranen, en mijn wangen begonnen ook pijn te doen. Het was geen wonder dat de passagiers in de bus me aangaapten, want ik zag er beklagenswaardig uit.

In het ziekenhuis zocht ik eerst Peter op, voor ik naar de afdeling ging.

'Dit is beslist een geval waar chlor aan te pas moet komen,' zei hij opgewekt, en gaf me wat chloramfenicol oogdruppels en zalf. Hij gebruikte – zoals veel Engelse artsen – graag dit soort gewone afkortingen en in de oogheelkunde scheen een onmogelijke hoeveelheid ingewikkelde lange woorden voor te komen. 'Neem die druppels elk uur en vergeet het niet één keer. Gebruik 's nachts de zalf en doe een oogverbandje op je oog.' Hij gaf me een paar pakjes steriele oogverbanden en ik was blij dat het niet zo'n akelig plastic ding was dat met een elastiekje om je hoofd ging.

Ik zorgde ervoor de druppeltjes en de zalf op tijd aan te brengen, maar de genezende werking was niet geweldig. Het oogverband beschermde het oog en het voelde warm en prettig aan, maar het werd ook kletsnat van de afscheiding die mijn oog produceerde. Ik bleef werken, hoewel het behoorlijk inspannend was om het rechteroog al het werk te laten doen dat anders door twee ogen wordt gedaan.

En natuurlijk was het geen gezicht toen ik mijn uniform aan had. Het personeel, de patiënten en hun bezoek gaven dan ook het nodige geamuseerde en meelevende commentaar. 'Tot uw orders, kapitein,' was de meest voor de hand liggende en populaire en ook werd ik wel 'mevrouw Nelson' genoemd.

Het was bijzonder lastig en irritant en ik had er erg veel hinder van; nu besefte ik pas hoe vervelend en onaangenaam het is om niet goed te kunnen zien. Aangezien ik altijd twee volmaakt goede ogen had gehad, had ik dat altijd als normaal geaccepteerd, en me nooit gerealiseerd hoe belangrijk dat was.

Ik gebruikte het medicijn dagen- en nachtenlang, druppelde naarstig en bracht zalf aan, maar de conditie verbeterde slechts heel langzaam. Het was een uiterst traag en langdurig proces.

Toen ik me op een avond echt beroerd begon te voelen en de symptomen zich tot aan mijn hals begonnen uit te breiden, had ik mijn hoofd er met liefde afgehakt. Ik had hoofdpijn en het leek of mijn hoofd wel twee keer zo groot was, mijn neus zat dicht en het leek wel of al mijn holtes vol zaten. Mijn mond en keel waren droog en pijnlijk en zaten vol kleine witte zweertjes. Ik bracht een onrustige nacht door en probeerde zonder veel succes mijn verstopte neus open te krijgen, ik hoestte, snufte en snoot tot ik niet meer kon.

Het was een verfomfaaide en breekbare Helen die zichzelf de volgende ochtend in de spiegel bekeek. Toen ik klaar was met het oogritueel, zag ik tot mijn tevredenheid dat het weefsel rondom het oog wat minder gespannen en gezwollen was. Eindelijk op de goede weg, dacht ik, tot ik een bijzonder angstaanjagende en weerzinwekkende ontdekking deed.

Mijn linkeroog zat vol vers rood bloed; het druppelde er niet uit, maar het zat opgesloten achter het bindweefsel. Dit beeld maakte me kotsmisselijk en ik ging als een geslagen hond op de rand van de wc zitten. Mijn gezicht was spierwit en ik begon me nu ernstig af te vragen of mijn gezichtsvermogen gevaar liep. Ik keek nog een keer. Het oogwit was nu in plaats van zoals gewoonlijk sneeuwwit, paarsachtig geworden van vers nieuw bloed dat achter de conjunctiva werd vastgehouden.

Hier moest ik niet mee blijven rondlopen. Dit kon gevaarlijk worden. Ik belde een taxi om me naar mijn werk te brengen en ging regelrecht naar Peters praktijk.

'O mijn God,' zei ik zenuwachtig, 'moet je nu toch eens kijken!'

Hij tuurde vluchtig in mijn oog en kwam prompt, zonder de minste aarzeling, met zijn diagnose.

'O, dat is een sub.conj,' zei hij zonder zich erover op te winden.

'En?' drong ik aan, en was op het ergste voorbereid want ik had geen idee waar hij het over had.

'Dat is een subconjunctieve bloeding,' legde hij uit en hij sprak de woorden zorgvuldig uit. 'Dat komt vaker voor bij een hevige conjunctivitis zoals jij hebt gehad. De kleine vaatjes achter de conjunctiva worden opgerekt en verslappen door de zwelling. Vervolgens barsten ze onder die druk, het bloed kan zich verspreiden en verzamelt zich onder de conjunctiva. Maak je maar geen zorgen, Helen, het ziet er erger uit dan het is.'

'En wat moet ik nu doen?' Ik was gespannen en trillerig en enigszins geïrriteerd door zijn blasé aandoende antwoord, maar toch wel gerustgesteld dat het dus niet zo erg bleek te zijn.

'Je kunt er niets aan doen. Je zult er gewoon een paar weken mee moeten leren leven.'

'Een paar weken!' herhaalde ik. 'Moet ik er een paar weken lang zó uitzien?'

'Ik ben bang van wel. Het bloed wordt langzamerhand afgebroken door de natuurlijke middelen van het lichaam, net als bij een blauwe plek. Ik geef toe dat het er akelig uitziet, maar het is beslist onschuldig. Je kunt zo solliciteren bij Frankenstein-films,' maakte hij er een grapje van, en hij probeerde me op mijn gemak te stellen.

Toen ik hem vertelde dat mijn neus zo verstopt had gezeten, knipte Peter met zijn vingers.

'Dat is het. Al dat gesnuit en gesnotter heeft natuurlijk het scheuren van de vaatjes tot gevolg gehad. Het klinkt alsof er een virus in je gezicht aan het werk is geweest, geen wonder dat de antibiotica niet werkten. Het is waarschijnlijk toch dat griepvirus geweest, het is bij jou alleen anders tot uiting gekomen.' Hij was blij weer een medisch raadsel opgelost te hebben en ik was blij te horen dat ik bezig was te herstellen van een virus dat ik niet had kunnen ontlopen.

Na dat zenuwslopende voorval ging ik snel vooruit, tot ik weer mijn oude gezonde zelf was, maar het was een goede les voor me. Ik begreep hoe geschrokken en van streek leken kunnen raken als ze ontdekken dat hun iets mankeert. Ik begreep de angst en zenuwen voor het onbekende en de zorgen terwijl je je de ergste dingen in het hoofd haalt nu veel beter. Op dit ogenblik was ik de leek en ik voelde dezelfde paniek die iedereen voelt over zijn lichaam en de afloop van een ziekte.

Ik wist maar heel weinig van ogen af. Het was letterlijk een blinde vlek in mijn verpleegkundige kennis.

Tijdens mijn opleiding had ik oogheelkunde nooit helemaal begrepen. Uiteraard had ik alle verplichte lessen erover gevolgd en ik had een algemeen begrip van gebruikelijke afwijkingen en verpleegkundige handelingen die met de zorg voor ogen in verband stonden. Alles wat de structuur en de werking van dat orgaan betrof was zo klein, zo ingewikkeld en gedetailleerd dat ik er de voorkeur aan had gegeven het specialisme links te laten liggen. Het was te ingewikkeld voor mij om te ontrafelen tijdens de korte duur van mijn opleiding en ik besloot dat ik me liever op andere onderwerpen concentreerde die ik gemakkelijker kon begrijpen.

Ik heb ook nooit een stage op de oogheelkundige afdeling gelopen, en ik ben evenmin op de oogheelkundige poli geweest, waar de minder belangrijke en routine-oogafwijkingen worden behandeld. Op de Eerste Hulp hadden we wel eens een ongeluk binnengekregen, dat de dienstdoende arts dan behandelde. Brandende vloeistoffen die gespoeld moesten worden of een vreemd lichaam dat verwijderd moest worden, zo'n lastig stofje dat als een baksteen aanvoelt.

Ik was zelfs altijd bang als de arts het ooglid terugklapte, en dus eigenlijk binnenstebuiten haalde, om de onderkant van het roze, vochtige ooglid te onderzoeken en het aanstootgevende deeltje weghaalde. Oogdruppels toedienen of zalfverbanden aanleggen vond ik geen probleem en ik was heel handig met oogspoelen, maar als het moeilijker werd, werd ik heel nerveus.

De gedachte fijne oogharen te moeten knippen of hechtingen uit een oog te moeten verwijderen maakte me bang. Ik kreeg altijd visioenen van uitschietende scharen! Van details bij een oogoperatie kreeg ik altijd kippevel. Het idee alleen al van een mes dat door een oogbol snijdt of een ziek oog dat uit de kas wordt gehaald en een gapende holte achterlaat! Ik vroeg me af hoe operatiezusters het zo interessant konden vinden, aangezien het gebied nogal beperkt is. De chirurg bestudeert het minuscule orgaan en gebruikt de kleinste precisie-instrumenten en moet hechten met een mini-naaldje en een draad zo dun als een ooghaar. Zijn werk vereiste dat hij over een perfect gezichtsvermogen beschikt om goed te kunnen functioneren en in vele gevallen is hij genoodzaakt vergrootglazen te gebruiken om het werkgebied te vergroten.

Bij alle andere vormen van chirurgie is de patiënt in slaap en heeft zijn ogen dicht, maar in de oogoperatiekamer was het griezelige dat een patiënt beide ogen wijd open had, hoewel hij er niets mee kon zien. Nee, dat was niets voor mij, ondanks het feit dat die twee bescheiden, ingewikkelde bolletjes reuze belangrijk waren voor een gewoon en zorgeloos leven.

Tijdens mijn kinderaantekening hadden we regelmatig opnames van kinderen die scheel keken. De arme, boos kijkende kinderen – sommigen waren werkelijk misvormd door die afwijking – die langs hun neus keken en niet in staat waren rechtuit te kijken, werden op een fantastische manier veranderd door een eenvoudige operatie die de gespannen spieren die de oogbol beheersten, ontspanden.

Mijn antipathie tegen alles wat met ogen te maken had, werd langzamerhand een algemeen gebrek aan interesse in dat specialisme, en die emotionele blokkade had mijn verstandelijke greep op het onderwerp aangetast. Ik had een vaag begrip van de gewone afwijkingen die iedere willekeurige patiënt op een algemene afdeling kan krijgen, of die feitelijk iedereen kunnen overkomen. En Suzy – mijn huisgenootje – liet eeuwig haar contactlenzen vallen. Er heerste regelmatig paniek als ze weer eens een van die rotdingen had laten vallen en we ter plekke moesten blijven staan en zorgvuldig over de grond moesten tasten om die kleine, doorzichtige dingetjes te zoeken. Als ze onzichtbaar zijn op het oog, zijn ze net zo onzichtbaar op de vloer van de badkamer!

Bij oude mensen komt vrij regelmatig staar voor en ik merkte op dat de poedel van mijn tante er ook aan leed; een akelig neveneffect van inteelt. Het is een toestand die gemakkelijk herkenbaar is: het normaal gesproken zwarte middelpunt wordt met een ondoorzichtig wit iets overdekt en verhindert het noodzakelijke doordringen van het licht dat onontbeerlijk is om iets te kunnen zien.

Ergens had ik ook nog opgepikt dat acuut glaucoom – groene staar – een oogheelkundig noodgeval was. Een plotselinge, dramatische opbouw van de oogdruk kon blindheid veroorzaken als die druk niet snel verminderd werd.

En nu wist ik beslist ook alles van conjunctivitis af. Zelf een ziekte doormaken is de beste leermeester voor iedereen in de gezondheidszorg. Mijn gezichtsvermogen was alleen maar vaag aangetast geweest, het was echter voldoende voor me om te beseffen hoe kostbaar gezichtsvermogen is. Zelfs de meest gewone dingen veroorzaken al grote belemmeringen, vooral bij ouderen die zich een dergelijke vermindering van een van hun zintuigen nauwelijks kunnen veroorloven.

Ten slotte was het Peter die een nieuw licht op het gebied van ogen wierp. Tijdens zijn werk op de interne afdelingen was hij geboeid geraakt door het aantal afwijkingen dat hij tegenkwam die complicaties gaven wat betrof de ogen. Afgezien van alle eigen specifieke afwijkingen, zijn de ogen een schitterend diagnostisch gereedschap, aangezien ze vele algemene ziektebeelden weergeven: het geel worden bij geelzucht, het bleke bindweefsel bij bloedarmoede, het blauwe oogwit bij een zeldzame beenziekte, staar bij diabetespatiënten, tekenen van het oog bij hoge bloeddruk, de tranende ogen bij hooikoorts, uitpuilende ogen bij schildklierafwijkingen en de verzonken ogen bij uitdroging.

Peter opende mij de ogen voor ogen, en de schat aan informatie die daarachter lag. Ik raakte geïnspireerd door zijn nieuwsgierigheid en nauwgezette studie van dat onderwerp. Ik had ogen nooit echt in verband met de rest van het lichaam gebracht; voor mij waren het twee ronde dingen, twee ingewikkelde ronde dingen die hun werk deden. Hun niet benijdenswaardige positie in het hoofd, met zenuwbanen die naar de achterkant van de hersenen leidden, betekende dat ze in staat waren klassieke waarschuwingen van problemen binnen de hersenen te geven, zodat menige neurologische gesteldheid gediagnostiseerd kon worden op basis van abnormaliteiten die het gezichtsvermogen betroffen.

Ogen kunnen de leek heel veel vertellen. Wat is er nu aantrekkelijker dan de grote blauwe kijkers van een baby of de heldere glimlachende ogen van een kind en de kundig opgemaakte ogen van een jonge vrouw? Daar staat tegenover dat iedere fout of smet in of rondom de ogen gemakkelijk tot een soort misvorming kan leiden.

Als kind kon ik nooit doen alsof ik ziek was tot mijn moeder had vastgesteld dat ik de glazige blik had die bij koorts hoorde.

Sluwe ogen, krankzinnig starende ogen, een vunzige blik hebben, een vermoeide blik hebben, warme moederlijke ogen hebben, ontwijkende ogen, je recht aankijken, een zijdelingse blik, recht door je heen kijken. Waarom anders zouden de ogen van een verdachte bedekt worden, dan omdat het een verraderlijk gebied is, het onthullende venster tot de ziel? Ik bekeek dit bescheiden orgaan nu eens met andere ogen en het bleek een bijzonder interessant en belangwekkend onderwerp te zijn.

Ik was nog op tijd van mijn ziekte hersteld om het afscheidsfeest voor Bridie bij te wonen. Die groots opgezette gebeurtenis was georganiseerd en geregeld door onze sociale medewerksters Doreen en Burrows, geholpen door gulle giften in de vorm van voedsel en drank om het feest op gang te helpen.

Het feest werd in de zaal van het sociaal centrum gehouden en werd door al Bridies vrienden en collega's uit het ziekenhuis bijge-woond. Ik kreeg de indruk dat Bridie een beetje overweldigd was door al die mensen die haar zo'n fantastisch afscheidsfeest bezorg-den. Zelfs de mensen van de nachtdienst kwamen tijdens hun lunch-pauze nog even langs om het glas op de vertrekkende verpleegkun-dige te heffen.

Rob Martin hield een keurige toespraak en overhandigde Bridie een mooi gezamenlijk afscheidsgeschenk, dat tevens als huwelijks-cadeau dienst deed.

De geweldige avond was een gedenkwaardig vertrek voor iemand die zich jarenlang vol toewijding voor het ziekenhuis had ingezet. Ik geloof dat ik zelfs af en toe een traantje zag toen ze afscheid nam van haar collega's met wie ze zo lang zo nauw had samengewerkt.

Bridie omhelsde Rob Martin bijzonder teder, om de nadruk te leggen op het definitieve afscheid van dat super-effectieve chirurgi-sche Parker-team.

Toen hij zijn jas aantrok, wendde hij zich tot mij.

'Tot morgen, zuster.'

De volgende ronde, om negen uur morgenochtend, zou aanvan-gen met mij als de nieuwe hoofdzuster van de afdeling Parker.

WEERZIEN

George Carter was vermoedelijk de enige die werkelijk onder Bridies vertrek zou lijden. Hij was hoofd op Fleming, de afdeling mannenchirurgie boven.

George en Bridie waren een vreemd stel, beiden uitersten in hun soort, maar toch vulden ze elkaar op de een of andere manier aan; misschien zagen ze in de ander wat ze zelf misten. Bridie had een doortastende, voortvarende en besliste manier van doen, was fysiek gezien levendig en altijd in staat uitgebreid over elk willekeurig onderwerp te kletsen.

George was daarentegen een saai, kleurloos, peinzend type, rustig en bedachtzaam, en zijn voortdurend gefronste wenkbrauwen wekten de indruk dat de verantwoordelijkheid van de afdeling zwaar op zijn schouders drukte. Gedurende de vele jaren waarin ze hadden samengewerkt, hadden deze twee merkwaardige mensen op hun werk vriendschap met elkaar gesloten gebaseerd op wederzijds begrip, en ik had het idee dat hij Bridie erg zou missen.

Het was des te vervelender voor George, omdat hij tegelijkertijd ook zijn eerste verpleegkundige was kwijtgeraakt en de onbekende kwaliteit van een vervangster nog maar moest afwachten. Hij vond het altijd al moeilijk om met vreemden om te gaan en wendde zijn ogen tijdens een gesprek steeds af, alsof hij zich schaamde iemand recht aan te kijken.

Het had beslist met zijn leeftijd te maken, maar George hield niet van veranderingen. Hij hield van de status quo en je kon er zeker van zijn dat hij altijd tegenstribbelde als een willekeurige collega iets nieuws voorstelde. Het was vooral pijnlijk tijdens de hoofdenvergaderingen, dan kon je er iets onder verwedden dat George weer zou aankomen met inspirerende opmerkingen zoals 'laat die zaak toch rusten' of met de moordenaar van iedere vorm van vooruitgang: 'Maar we hebben het toch altíjd zo gedaan, waarom zouden we het dan nu veranderen?'

Eigenlijk bestond zijn praten hoofdzakelijk uit klagen; de leerlingen hadden geen discipline, de hoofden brachten te veel tijd door met vergaderen, de administrateurs begrepen niet wat afdelingen nodig hadden en de artsen – de zielepoten – waren te jong! Als je naar George luisterde, was je er al snel van overtuigd dat het ziekenhuis binnen korte tijd in elkaar zou storten.

Het was alleen jammer dat niemand de moeite nam om naar George te luisteren. De mensen hadden de neiging met een grote boog om hem heen te lopen en het was te veel gevraagd om te proberen hem in een gesprek te betrekken. Bridie was de enige die nog wat sympathie of interesse had kunnen opbrengen voor de pessimistische ellende van deze man.

George Carter sloeg nooit een lunch in de kantine over. Hij kreeg dan een 'mannenportie' van de kok; dit tot irritatie van de kleinere vrouwen die net zoveel honger hadden, maar minder kregen, hoewel ze er hetzelfde voor betaalden. Hij was altijd present rond lunchtijd, en hij las tijdens het eten heimelijk de krant die op zijn schoot lag, ook al had hij gezelschap aan tafel.

Afgezien van dat dagelijkse uitje, was onze zusterpost zijn toevluchtsoord en Bridie zijn klankbord.

Feitelijk was hij een lachwekkend en bespot figuur in het Gartland geworden, hoewel hij helemaal in zijn eigen wereldje opging en verder nergens iets van merkte. Zijn afdeling en zijn patiënten vormden zijn bestaan. De rest van de wereld had er wat hem betrof niet hoeven te zijn.

Het was jammer dat George erom vróeg belachelijk gemaakt te worden. Hij was lang en een beetje gebogen, slungelachtig en onelegant. En hij was er niet vanaf te brengen de door hemzelf verkozen 'werkkleren' te dragen. Deze donkergrijze gruwel was zijn kenmerk, herkenbaar aan de versleten glanzende, kale plekken op de knieën en het zitvlak. Zijn broekomslagen kwamen van tijd tot tijd in de mode en verdwenen vervolgens weer uit het modebeeld. Daaroverheen droeg hij zijn lange witte jas, waarop de blauwe epauletten met de letters SRN bevestigd waren (State Registered Nurse).

George bewoog zich langzaam en nadrukkelijk, een sombere man die langzaam scheen te denken. Maar eerlijk is eerlijk: hij was een goede verpleegkundige en een efficiënt leider. Hij genoot ervan de afdeling te organiseren, en wanneer het gesprek op het aantal werkende personeelsleden kwam, had hij de interessante gewoonte zichzelf nooit als deel van het werkende team te zien.

George Carter was na de oorlog de verpleging ingegaan als een natuurlijk gevolg van zijn dienst bij het medische onderdeel van het leger. Er waren in die dagen niet veel mannen die een carrière als verpleegkundige kozen. En zij die het wel deden werkten hoofdzakelijk op orthopedie of psychiatrie waar hun spierkracht noodzakelijk was. Om vrijwillig het legioen van oude vrijsters binnen te treden waaruit de algemene verpleegkunde bestond, werd als iets voor 'flikkers' gezien, iets voor homo's. De verpleging is lange tijd een uitzonderlijk verdachte baan voor een man geweest.

De afgelopen jaren hebben steeds meer mannen het vak gekozen en ze doen het bijzonder goed. Velen zijn zelfs in staat naar de top door te stoten, vooral op de gebieden van onderwijs en administratie, en dan schuiven ze hun vrouwelijke collega's zonder meer opzij, wier loopbaan verstoord wordt door het krijgen en opvoeden van kinderen.

De verpleging was een goede, vaste, betrouwbare baan voor George. Zijn vrouw zat op de kraam in de nachtdienst. Hun huwelijk moet een 'drempelhuwelijk' geweest zijn. Een vluchtig kusje en 'hallo' als de een naar zijn werk gaat en de ander net thuiskomt. Maar ze zorgden ervoor dat hun vrije dagen altijd samenvielen en de vaste vrije dagen van George waren heilig. Dus we aanvaardden maar dat hij van nature een onbuigzame figuur was.

Zelfs na mijn promotie bleef hij 'meneer Carter' voor me en ik bleef 'zuster Davies' voor hem. Ik heb nooit durven voorstellen elkaar bij de voornaam te noemen. Hij kwam ook nog maar zelden naar Parker nadat Bridie was weggegaan.

Dinsdag was de enige dag waarop we geen operaties hadden. De operatiekamer werd dan voor gynaecologische operaties gebruikt, dus dan had Harvey – de afdeling aan de overkant – zijn drukke dag.

Dinsdag was ook voorraaddag: dan bracht ik de ochtend altijd door met het nakijken van de voorraden van de afdeling en met het aanvragen van wat we de rest van de week vermoedelijk nodig zouden hebben. Het was een hele kunst voldoende voorraad te hebben, en niet tegen het weekend met lege planken te zitten. Het werd als een slecht teken beschouwd als zusters van andere afdelingen moesten gaan lenen, maar er waren situaties waarin onverwachte noodgevallen onze voorraden uitputten.

De steriele pakken werden in het rek bijgevuld door de sterilisatie. De centrale sterilisatie-afdeling bereidde een uitgebreid aantal verband- en behandelingspakketten voor die twee keer werden ingepakt, gesteriliseerd en dagelijks op de afdelingen werden bezorgd.

Andere voorraden moest ik zelf halen. Ik moest de vaste instrumenten stuk voor stuk controleren, zoals catheters, neussondes, hechtingsscharen, handschoenen en pleisters en beslissen hoeveel er besteld moest worden, welk aantal redelijk was.

Terwijl ik op een trapje stond en halverwege was met het tellen van dozen spuiten en naalden, meende ik de stem van George op de achtergrond te horen, die bekende mompelende, mopperige, weinig inspirerende klank.

'Zuster, ik wilde u even voorstellen aan onze nieuwe eerste verpleegkundige,' herhaalde hij nu harder en duidelijker. 'Misschien wilt u hem Parker even laten zien.'

'Jazeker, ik kom eraan,' mompelde ik met de balpen tussen mijn tanden geklemd, en ik stommelde naar beneden terwijl de nieuwe jongen me de helpende hand reikte.

'Lieve God… Helen Davies!' zei hij verbaasd toen hij me aankeek.

'Bernie! Bernard Marshall. Hoe bestaat het. Dat kan toch niet waar zijn!' juichte ik. 'Wat is de wereld toch klein!' En spontaan omhelsden we elkaar daar in de voorraadkamer.

Die arme George stond in de deuropening en was nogal geschrokken van deze uitbarsting van genegenheid, hij keek begrijpelijk nogal verlegen en wist niet wat hij ermee aan moest. Ik grinnikte nog om dit toeval, maar beheerste me om hem de situatie uit te leggen.

'Meneer Carter, dit is gewoon óngelooflijk. Bernard en ik hebben tijdens de opleiding in het Cottingham General in dezelfde groep gezeten, dus u begrijpt dat we oude vrienden zijn.'

'Wat leuk,' was zijn onverschillige antwoord; hij kon ons enthousiasme niet delen. 'Tja, dan kunt u meneer Marshall wel meenemen naar de kantine nadat u hem de afdeling heeft getoond, nietwaar?'

'Met alle plezier. Kom maar, Bernie, dan zal ik je aan mijn dames voorstellen'. En we maakten een bliksemronde over Parker, dat geografisch gezien een tweelingzusje van Fleming was.

'Zuster, als dat de nieuwe dokter is, krijg ik nu een terugval,' mompelde een van mijn patiënten zachtjes toen Bernie en ik het dagverblijf verlieten.

Ik kende hem al zo lang dat ik helemaal was vergeten wat voor indruk Bernie maakte als je hem voor het eerst zag, met die staalblauwe ogen en die bos glanzend zwart haar. Ik zag dat hij nog steeds een potje kon breken bij de dames. Zijn aanwezigheid zou ongetwijfeld ook weer de nodige hoop wekken bij een stel vrijgezelle meisjes die in het ziekenhuis werkten. Ongetrouwde, knappe en bereikbare jongemannen waren dun gezaaid in het Gartland.

Hoewel we in het Cotty General zo onze gedachten hadden gehad over de seksuele voorkeuren van Bernie, was het altijd een onbeantwoorde vraag gebleven. In onze groep van twintig leerlingen hadden vier manlijke leerlingen gezeten. We waren allemaal achttien jaar oud, leerden hard en hadden moeite ons met onze magere salarisjes naar behoren te voeden en af en toe ook eens uit te kunnen gaan. Onder elkaar uitgaan of paartjes vormen kwam eigenlijk niet ter sprake. Bij sociale uitjes werd er van de meisjes verwacht dat ze financieel gezien voor zichzelf zorgden.

En of hij nu van jongens of meisjes hield maakte geen verschil, Bernie was een allerplezierigst mens, een charmeur op wie iedereen gesteld was en hij werd door velen benijd. Op achttienjarige leeftijd probeerden we niet de heimelijke verlangens van anderen uit te zoeken, vooropgesteld dat we op die leeftijd al achter onze eigen voorkeuren waren.

Feitelijk toonde hij geen enkele voorkeur.

Maar één ding was heel duidelijk, Bernie had één alles overheersende interesse en dat was zijn carrière, en hij besteedde al zijn energie in die richting. Zelfs toen we nog maar pas waren begonnen, was het al duidelijk dat hij leidinggevende kwaliteiten bezat: hij was altijd zeker van zichzelf en overtuigend, maar hij bleef vriendelijk en werd nooit verwaand zoals sommige andere mannen.

We dachten allemaal dat hij het wel ver zou brengen, hij was typisch zo iemand die gouden vingers had, de goden waren hem welgezind, ze hadden hem schoonheid, hersens en handigheid geschonken. Alles leek hem altijd goed te gaan, maar hij werkte er ook hard voor.

'Eens op een dag zal ik aan de top staan en de zaken rechttrekken,' zei hij altijd, en we twijfelden er geen seconde aan dat hij dit meende.

'En wat brengt jou naar deze middelmatige omgeving?' vroeg ik toen we naar de kantine liepen. 'Ik dacht dat jij linea recta naar een opleidingsziekenhuis in Londen zou gaan, en tot aan je nek toe in de vooruitgang en het onderzoek zou zitten.'

'Nee hoor, ik ben ervan overtuigd dat ik hier veel meer ervaring zal kunnen opdoen. Het Gartland is representatief voor wat er op gezondheidsgebied voor de meeste mensen te krijgen is. Goede dagelijkse medische voorzieningen en chirurgie,' antwoordde hij. 'Er is nog voldoende tijd over om me naderhand te specialiseren.'

'Dat is waar,' was ik het met hem eens. Het Gartland voorzag in een dagelijkse basis-gezondheidszorg. We deden meer aambeien en liesbreuken dan hartchirurgie.

'En bovendien kom ik hiervandaan, weet je wel?' voegde hij eraan toe.

Natuurlijk, hij was degene die van huis was gegaan om in een regionaal opleidingsziekenhuis opgeleid te kunnen worden.

'Mijn vader is gestorven, dus nu woon ik weer thuis. Mijn moeder wordt al wat ouder en is niet zo gezond meer. Ik wil graag in de buurt zijn en zij vindt het fijn om voor mij te koken,' ging Bernie verder. 'Het werkt eigenlijk erg goed. Ik heb mijn opleiding in de psychiatrie gedaan in "Het Grote Gekkenhuis", een eindje verderop. Ik had het gevoel dat ik mijn opleiding moest voltooien door ook de geest en niet alleen het lichaam te bestuderen. Toen besloot ik terug te gaan naar de algemene gezondheidszorg om een hoofdenbaan te krijgen, terwijl ik studieverlof krijg om mijn diploma te halen. Daarna ga ik het onderwijs in. En jij, Helen?'

Typisch Bernard om zijn hele leven al te hebben uitgestippeld. Geen wonder dat er geen plaats was voor liefdesaangelegenheden. Zijn carrière verliep geheel volgens plan.

'O, ik ben hier beland omdat ik bij Tony weg wilde. Herinner je je hem nog?'

Bernie knikte. 'Aardige vent. Maar niets voor jou.'

'Precies! Ik ben samen met hem bij het Cotty weggegaan en naar de pediatrie gegaan, daar heb ik mijn aantekening gehaald en toen heb ik besloten de hele zaak eraan te geven en ervandoor te gaan. Voor mij was het Gartland niet veel meer dat een stipje op de kaart – letterlijk,' zei ik nonchalant. 'Het bleek een goede stap te zijn geweest. Ik heb het hier naar mijn zin, en nu heb ik bovendien mijn eigen afdeling gekregen, aangezien ons hoofd zo vriendelijk was ontslag te nemen. Het is allemaal op rolletjes gegaan.'

We gingen met onze koffie in de kantine zitten.

'En hoe denk je met George overweg te kunnen?' Ik giechelde ondeugend omdat ik wist wat voor een onmogelijke, oude zure zanik hij was.

Bernie legde zijn gezicht in zijn handen en kreunde.

'Je bedoelt "onze vrolijke Frans" zeker. Jezus, wat een zak. "Daar hebben we niet voldoende personeel voor, daar hebben we geen tijd voor" is alles wat ik tot nog toe van hem heb gehoord,' zei Bernie, en deed de klagerige stem van George na.

'Ik weet het. Hij is vreselijk, hè? We hebben het de afgelopen vijftig jaar zo gedaan, dus dan moet het wel goed zijn.' Ik kon me niet inhouden en moest lachen als ik eraan dacht dat die twee zouden moeten samenwerken.

Bernie was een gezellige vent, hij hield gewoon van zijn werk, terwijl George het allemaal een zware, ernstige verantwoordelijkheid vond. George bevond zich in een voortdurende staat van 'paniek uit voorzorg'.

Het schoot ook door me heen dat George verbijsterd zou zijn als ooit ter sprake kwam dat Bernie homo zou kunnen zijn. Hij wilde dat mensen en dingen in ieder opzicht normaal en niet ingewikkeld waren.

'George krijgt de zenuwen van een briljant mens zoals jij, Bernie,' plaagde ik hem.

'Och, we redden het wel. Hij doet me denken aan die oude theetantes die er ook in het Cotty rondliepen,' hielp Bernie me herinneren.

In het Cotty General waren we zes jaar geleden allemaal zeer eensgezind geweest toen onze groep met de opleiding tot verpleegkundige was begonnen. Er was direct een saamhorigheidsgevoel onder de leden van de 'maartgroep' geweest. Het was een natuurlijke en prettige staat om een geheel te vormen met je eigen groepje, allemaal even onkundig en onschuldig ten aanzien van wat er voor je in het verschiet lag in het gekozen beroep.

Na de preklinische periode kregen we de meest ondergeschikte baantjes en Bernie was er als de kippen bij om ons de 'po-, was- en billenbrigade' te dopen en dat was in die tijd uiterst toepasselijk.

Onze weken op school waren een verademing en het was een prettige afwisseling om 's avonds en in de weekeinden eens vrij te hebben. Maar in die korte tijd moest het theoretische werk wel gedaan worden, en we moesten heel wat feitenmateriaal opnemen. We deden allemaal goed ons best en hielpen elkaar over en weer door elkaar te stimuleren. En ik herinner me dat Bernie ook tóen de zaken al snel doorhad en altijd bezig was een of andere sufferd alles in te pompen.

Als aanvulling op onze praktische lessen oefenden we op elkaar, voordat we op echte patiënten werden losgelaten. Meestal zorgden we ervoor dat de jongens het slachtoffer waren bij een of andere onplezierige handeling, en de lessen waren altijd leuk. Bernie trok zijn zwembroekje aan en werd door twee giechelende meisjes in bed gewassen terwijl de rest van ons kritisch toekeek.

Een andere jongen bood aan een neussonde door zijn neus te laten duwen en ik was eeuwig dankbaar dat ik mijn eerste reis in zijn neus mocht doen. De eerste pogingen zijn altijd het ergst. Het is beter om het zenuwachtig en giechelend te midden van een klas vrienden te moeten doen, dan aan een bed te staan naast een minstens zo nerveuze patiënt die je weifelend aankijkt.

Als leerling oefenden we verbanden op elkaar, namen elkaars temperatuur op, en zetten elkaar op de po om eens te voelen hoe vreemd en ongemakkelijk dat aanvoelt. Sommigen van ons moesten doen alsof ze bewusteloos waren en lagen op de grond te wachten tot ze gereanimeerd werden door leerling-collega's. Het was een leuke en realistische manier van leren.

De manlijke leerlingen volgden dezelfde cursus als de vrouwelijke en deden alles wat hun vrouwelijke collega's deden, op de intieme handelingen bij vrouwelijke patiënten na.

Jongens volgden de lessen over gynaecologische afwijkingen wel, maar werkten niet op afdelingen die specifiek waren ingesteld op vrouwen met problemen aan de voortplantingsorganen. Ze werden eerder op de mannenpoli voor geslachtsziekten geplaatst, die eufemistisch de 'speciale poli' werd genoemd. Daar werd het delicate specialisme van seksueel overdraagbare aandoeningen behandeld.

Bernard en ik hebben een keer samengewerkt op de afdeling mannen intern, waar veel patiënten met urologische afwijkingen lagen, evenals algemene interne gevallen. Interne afdelingen nemen vrijwel alles op wat geen directe chirurgische behandeling behoeft of niet onder een ander specialisme thuishoort. Dus is een interne afdeling nogal eens een mengelmoes van allerlei dingen; stuipen, bewusteloosheid en valpartijen, hartklachten, longproblemen, hersenbloedingen, bewuste overdoses, diabetes, en afwijkingen in het bloedbeeld. Feitelijk iedereen bij wie een orgaan of systeem niet goed werkt. Intern is – afgezien van het feit dat er overwegend oude en verzwakte patiënten met vaak meerdere klachten liggen – een afwisselende en interessante afdeling.

Op de interne afdeling werden veel tests en onderzoeken gedaan in een poging de basisdiagnose vast te stellen en de behandeling daaraan aan te passen.

Het is het werk van de zusters om de verschillende monsters te verkrijgen die voor deze onderzoeken nodig zijn, dus krijgt het personeel de opdracht de verschillende soorten afvalstoffen van het lichaam te pakken te krijgen. De pieperige patiënt wordt aangespoord op te hoesten om zo een beetje van het dringend benodigde sputum te verkrijgen dat onder een microscoop bekeken moet worden; er wordt een beetje ontlasting uit de po geschept met behulp van een lepeltje dat aan het deksel van het monsterpotje vastzit.

De patiënten worden gebombardeerd met bloedafnames en vingerprikken, evenals huidkrasjes om op allergieën te testen. Hoewel deze tests essentieel zijn en in het belang van de patiënt, had ik toch vaak medelijden met die arme mensen die van de vroege ochtend tot de late avond stukjes en beetjes van zichzelf moesten afgeven.

Het onderzoek dat ik het ergste vond, was het beenmergonderzoek. Een stukje beenmerg werd uit het centrum van óf het borstbeen (sternum) of het heupbeen (pelvis) door een grote holle naald opgezogen. Hoewel de patiënt plaatselijk verdoofd was, kon hij toch de spanning voelen als de dokter met volle kracht op het harde bot duwde om daardoorheen te dringen voor hij het zachtere, centrale merg bereikte. Ik kromp altijd in elkaar als hij zo hard op de borst van de patiënt stond te duwen, die grote naald in de zieke boorde tot er uiteindelijk een krakend geluid klonk dat aangaf dat hij zijn bestemming had bereikt. Het was bijna alsof ik het nog meer voelde dan de patiënt.

Aangezien het de interne afdeling voor urologie was, moest er altijd veel urine afgenomen worden. Dit ging in de vorm van vierentwintiguurs-urine om de verschillende werkingen van de uitscheidingsorganen over een heel etmaal te kunnen vaststellen.

'Die urinebokalen van Intern-3 zal ik nooit vergeten,' hielp Bernie me herinneren. 'Rijen en rijen grote piespotten, net als een of andere kelder van een dronkelap die zijn bocht in grote potten stookte.'

De grote glazen bokalen stonden op een plank in de spoelkeuken en werden naarmate de dag verstreek steeds voller. Ons urine-'hok' toonde zijn kleurige waren, variërend van een waterig kleurtje via goudgeel tot het stroperige amberkleurige van geconcentreerde monsters.

Alles bij elkaar genomen stonk het niet zo erg in de spoelkeuken als je zou verwachten, aangezien de wc's zich daar ook bevonden. Er bestaat niets ergers dan de beruchte Franse pissoirs. Alleen oude of geïnfecteerde urine heeft die smerige geur, maar onze bokalen waren afgesloten met een schroefdeksel en hielden op die manier hun inhoud veilig en fris.

De mannen moesten 's ochtend precies om acht uur hun blaas leegmaken om de vierentwintiguurs-urine af te ronden. De ouwe rotten wisten precies wat er van hen werd verwacht en konden zelf wel voor hun geëtiketteerde bokalen zorgen. Anderen gebruikten een urinefles die bij hun bed hing en de zusters haalden die dan op in een rammelende flessenhouder waarmee ze als een melkmeisjes over de afdeling liepen.

De grote en zware verzameling bokalen werd voor het specifieke onderzoek naar het laboratorium gebracht. Dan werd de spoelkeuken grondig schoongemaakt en in orde gebracht voor de verzameling van de volgende dag.

De manlijke patiënten maakten altijd grapjes over onze unieke spoelkeuken en doopten die het 'Piesparadijs', 'de zaal bokalen van James Riddell' of 'the pop shop'.

Bernard was erg geliefd op Intern-3; zelfs het hoofd – een oude tang – zag in dat hij zijn gewicht in goud waard was. Hij kon altijd een zware, onbeweeglijke patiënt met gemak optillen, hij hielp oude gezichten te scheren, was er als de kippen bij een mopperige oude man om te praten, maar hij was net zo op zijn gemak met de jongere mensen op de afdeling.

Aan het einde van de afdeling bevond zich een zaaltje met zes bedden waar jonge mannen lagen. De meesten waren jongens die door de professor in de urologie werden behandeld. Ze werden unaniem 'de nieren van de prof' genoemd en lagen er voor onderzoek, dus konden ze rustig in de zaal liggen die het verst verwijderd was van de zusterpost.

Ze keken televisie, speelden kaart of domino en gaven er over het algemeen de voorkeur aan zich overdag aan te kleden en niet in pyjama rond te lopen. De jongens mochten korte wandelingen in de tuin maken, naar de ziekenhuiswinkel gaan en boodschapjes voor sommige oudere patiënten doen.

Hun bijgebouw heette Liberty Hall. Deze jongemannen leden vaak aan ernstige ziekten en genoten tamelijk veel vrijheid, om op die manier vrede met hun situatie te krijgen. De nierjongens stond een onzekere toekomst te wachten. Werd het transplantatie of lange perioden van ziekenhuisopnamen om gedialyseerd te worden?

Dialyse is een ingewikkelde handeling waarbij het bloed door een machine wordt schoongespoeld. Deze machine neemt het werk van de nieren over en filtreert alle ongerechtigheden uit het bloed. Zowel een operatie als een dialyse zijn deprimerende dingen die het toe-

112

komstige leven van verder gezonde jongemannen kunnen overschaduwen.

Zelfs de hoofdzuster deed een oogje dicht als er een blikje bier de afdeling werd binnengesmokkeld. Bernie was meestal de leverancier van dergelijke vloeibare goede tijden. Hij was de belangrijkste verbindingsschakel met de buitenwereld, inclusief het wedden in de wedwinkel, dat weer de nodige opwinding verschafte bij de races van die middag op de televisie. Het was een onschuldige bezigheid die de saaie uren van gedwongen ziekenhuisopname hielp door te komen.

Onnodig te zeggen dat jonge vrouwelijke zusters genoten van de levendige, stimulerende sfeer vol grappen in het bijgebouw, en daar als een magneet naartoe werden getrokken wanneer het wat rustiger op de afdeling was. Maar ze werden vlot genoeg teruggeroepen door de hoofdzuster wanneer bleek dat door hun langdurig verblijf andere patiënten werden verwaarloosd. Bernie had echter alle vrijheid in het bijgebouw: hij was een man en daarom werd zijn aanwezigheid altijd als noodzakelijk gezien en niet – zoals bij de meisjes – als een vluchtpoging.

'Ik heb nog steeds contact met Percy. Af en toe schrijven we elkaar een briefje of een kaart,' vertelde Bernie.

Ik groef in mijn geheugen om me de mannen voor de geest te halen die ik op Intern-3 had gekend.

'Ach, je weet toch nog wel. Die oude man met Parkinson. We hielpen hem altijd naar het bijgebouw te komen om naar het sportprogramma te kijken,' hielp Bernie me herinneren.

'Ach ja, natuurlijk.' Plotseling wist ik het weer en ik zag mezelf en Bernie weer die oude gehandicapte man naar zijn lievelingsplekje bij de televisie helpen. 'Hij voelde zich zo vereerd dat hij bij de jongens in het bijgebouw kon komen en hij was zó dankbaar dat hij geaccepteerd werd.'

Percival Pott was geen naam die je gemakkelijk vergat. Een van de eerste bekende artsen met dezelfde naam had verschillende opvallende, karakteristieke condities beschreven. Onze Percy was niet zo gelukkig. Hij was het slachtoffer van Parkinson en het had zich bij hem snel geopenbaard; hij werd er behoorlijk door gehandicapt.

Het gebied van de hersenen dat de spiercontrole en de soepele uitwerking van de bewegingen beheerste was beschadigd, terwijl de rest van zijn hersenen helder en actief was gebleven. En achter dat uitdrukkingsloze gezicht, dat veel van een plastic masker weg had, school een geïnteresseerde, boeiende, onderzoekende geest. De gezichtsmusculatuur was gespannen. De ideeën in zijn geest konden met geen mogelijkheid meer naar de buitenwereld weerspiegeld worden en dat was verschrikkelijk frustrerend voor Percy.

Het is voor Parkinson-patiënten erg frustrerend dat hun uiterlijke verschijning hun gedachten niet kan weerspiegelen. De meesten van ons zijn eraan gewend op gezichtsuitdrukkingen te vertrouwen, op de glimlachjes, de grimassen, tranen en pruilen, en om tijdens een gesprek onze reactie uit te drukken. Een herkende reactie zal aangeven hoe goed – of niet goed – we ontvangen worden. Daarom is het uiterst ongelukkig om tegen een uitdrukkingsloos, roerloos, niet reagerend gezicht te spreken. Het probleem wordt nog eens versterkt door ongecontroleerd gekwijl tijdens het spreken, dat toch al moeizaam, monotoon en tamelijk onsamenhangend klinkt vanwege lichamelijke belemmeringen. Het is gemakkelijker die mensen maar te ontlopen.

Maar Bernie ging erbij zitten en probeerde het toch. Hij overwon de problemen die het vergde om meer over meneer Pott te weten te komen. Met veel geduld en doorzettingsvermogen slaagde hij erin met Percy te praten en hem uit zijn isolement te halen. Bernie merkte zijn interesse in sport op en stelde hem aan de jongens in het bijgebouw voor, die hem ongeveer adopteerden. Ze leken blij te zijn iets voor een medepatiënt te kunnen doen.

Percy Pott trilde zo hevig dat hij niet in staat was de eenvoudigste dingen uit te voeren. Zelfs een kopje thee naar zijn lippen brengen was onmogelijk vanwege de ongecontroleerde trillingen. Hij moest door iemand anders worden gewassen, geschoren, aangekleed en gevoerd, naar de wc worden geholpen en afgeveegd worden. Percy was altijd blij als Bernie hem hielp, met hem had hij een warme en fijne verhouding opgebouwd.

'Ja, ik weet het weer,' zei ik. 'Klassiek Parkinson-geval. Die gebogen, trieste houding en die stijve ellebogen, net een kind dat met zijn treintjes speelt; hij was zo verstijfd dat het leek of zijn gewrichten waren vastgezet en dichtgeschroefd. Ik herinner me ook weer die zielige pogingen om over de afdeling te schuifelen met het voortdurende getril van zijn hoofd en handen.'

'Arme oude Percy, hij was er wel erg aan toe. Hij is nu in een tehuis voor ongeneeslijk zieken: dat is niet zo akelig als het klinkt. Ik ben er een keertje geweest. Hij heeft het daar erg naar zijn zin, er zijn voldoende zusters en vrijwilligers die graag een brief voor hem schrijven. Ik weet hoe fijn hij het vindt om post te krijgen, dus het minste wat ik kan doen is antwoorden,' zei Bernie.

Zo'n onzelfzuchtig, attent gebaar was nou typisch iets voor Bernie Marshall. Het was heerlijk om over de goede oude tijd te praten en over onze oude vrienden. Bernie en ik bliezen onze vriendschap weer nieuw leven in, zowel beroepsmatig als privé. Hij kwam regelmatig bij de flat langs om mij en Susy op te zoeken, die hij zich ook nog vaag uit het Cottingham herinnerde. Ik was heel blij dat Bernie weer een collega werd. Het was een fijne dag voor me toen Bernie Marshall in het Gartland opdook.

AFTAKELING

Tijdens deze bijzonder drukke weken had Ivy P. wel haar meest noodzakelijke verzorging gekregen, maar we hadden geen tijd gehad om haar zoveel aandacht te schenken als we anders deden. Tijdens de haast van al het afdelingswerk dat in vliegende vaart gedaan moest worden, werd Ivy P. gewassen, uit bed gezet en gevoerd en verder aan haar fysiotherapielessen overgelaten.

Toen de paniektijden een beetje afnamen, waren we weer in staat wat meer aandacht aan haar persoonlijke verlangens te schenken. Het had er alle schijn van dat ze geestelijk snel achteruitging en dat was bepaald niet beter geworden door onze gedwongen verwaarlozing of het gebrek aan interesse van haar familieleden.

Hun bezoekjes namen af naarmate haar verblijf langer werd. Wat moesten ze nog tegen haar zeggen? Ze leek toch niets meer te begrijpen, laat staan dat ze nog interesse voor hun leven kon opbrengen. Zelfs de kleinkinderen lieten haar tamelijk onverschillig en dat was kwetsend. De eens zo warme, gulle en vriendelijke oude dame veranderde snel in een op zichzelf geconcentreerd, irritant en ruziezoekend mens waar bijna niet meer mee om was te gaan. Ze was nergens tevreden mee en Ivy was openlijk ondankbaar. Geschenken werden geweigerd – luidkeels – omdat ze de verkeerde kleur hadden, of omdat er een andere vergezochte kleinigheid aan mankeerde.

'Neem dat maar weer mee, je weet dat ik niet van bananen houd,' schreeuwde ze geïrriteerd tegen haar zoon.

Het was geen wonder dat ze niet meer kwamen. Het was een uur van kommer en kwel om bij die tierende oude zeurkous te zitten die slechts in de verte op de moeder van vroeger leek. Het moet hartverscheurend voor hen zijn geweest die langzame aftakeling en het verval te zien van iemand van wie ze zoveel hadden gehouden.

Ik deed mijn best hen ervan te overtuigen dat alles in verband stond met haar geest die niet meer werkte zoals vroeger, de veranderingen in haar persoonlijkheid waren een medisch probleem en iets waar hun moeder niets aan kon doen. Maar ik zag in hun ogen hoe ze zich voelden: woedend en vol schuldgevoelens, liefde vermengd met vijandigheid, maar uiteindelijk wanhoop over het feit dat ze niet met haar konden communiceren.

Het personeel begreep de veranderingen in de persoonlijkheid van Ivy wel; het waren aanwijzingen voor het snel voortschrijdende proces van dementie. In haar geval werd het vermoedelijk door arteriosclerosis veroorzaakt, het harder worden van de wanden van de slagaderen waardoor de bloedtoevoer naar de hersens werd verminderd. De cellen van de hersenen kregen steeds minder zuurstof en stierven af. Deze mensen ervaren een vermindering van het leervermogen, het geheugen, de gevoelens en het bewustzijn van zichzelf en anderen. Ze worden smerig en onverzorgd omdat ze alle interesse in hygiëne en hun uiterlijk verliezen.

Het is opvallend dat een dement iemand er niets meer bij kan leren, maar dat hij een zuivere en gedetailleerde herinnering heeft aan de gebeurtenissen uit zijn jeugd. Ivy wist om tien uur 's ochtends absoluut niet meer wat ze diezelfde dag voor het ontbijt had gegeten, maar ze kon zich gemakkelijk maaltijden uit haar jeugd herinneren die ze voor het fornuis in het keuken had gegeten.

Op een keer zag Doreen mevrouw Penrose op de gang, bijna op de afdeling mannenneurologie, en op zoek naar de wc. Ze was niet in staat de juiste deur te vinden. Als ze wat sneller ter been was geweest, had ze wie weet waar terecht kunnen komen voor ze was ontdekt.

Sinds ze op Parker was, hadden we de duidelijke veranderingen in Ivy's gevoelens en gedrag kunnen gadeslaan. Ze was niet langer de vriendelijke lieverd die sinaasappels aanbood. Als je niet oppaste, gooide ze ze nu naar je hoofd. Ivy was snel in tranen, en daar hoefde geen bepaalde reden voor te zijn. Ze was labiel en werd voortdurend heen en weer geslingerd tussen tranen, glimlachjes, woedend geschreeuw of lieve omhelzingen, al naar gelang haar stemming.

Ivy nam tegenwoordig nog maar zelden de moeite haar kunstgebit in te doen. Ze had er geen bezwaar tegen zich aan een zacht dieet te houden: een voortdurende herhaling van gehakt, puree, zachte vis en een ongelooflijk walgelijke samenstelling van gemalen kip. Het was te lastig voor haar om een kopje op te pakken, dus kreeg ze haar vloeistof in een plastic bekertje toegediend waar een stevig handvat en een zuigmondje aan zaten.

Mevrouw Penrose werd zienderogen ouder en verloor steeds meer haar wil om te leven, het leek haar allemaal te veel te worden.

'Och, laat me vandaag maar, lieverd,' zei ze dan met een verdrietige, depressieve klank in haar stem als we haar in bed wilden komen wassen. 'Ik geloof dat ik vandaag misschien doodga. Het kan me ook niets schelen.'

En dat geloofde ze ook werkelijk. Ze zei het iedere dag weer en ze geloofde het iedere dag opnieuw.

Tot mijn verbazing was Sandra Dix nogal in Ivy geïnteresseerd. Toen ik net op Parker was komen werken was Sandra een slonzig, nonchalant meisje geweest. Een ziekenverzorgster die met name opgeleid was om zorg aan bedlegerigen te verlenen, en kijk eens aan, dat deed ze waarachtig.

Ik wist dat Sandra nogal eens met dokter Salah optrok, die een passende vaderfiguur voor haar was. Ik wist niet zeker of het een verhouding aan het worden was, maar het was algemeen bekend dat hij een vrouw in Egypte had. Maar hun kleine tête-à-têtes deden haar beslist goed, althans voorlopig, en ze had veel interesse in zichzelf en haar werk. Dus droeg ik de zorg voor Ivy op aan Sandra Dix. Het meisje reageerde warm op die verantwoordelijkheid.

We zagen in haar papieren dat het komende zaterdag Ivy's verjaardag zou zijn.

'Wat dacht je van een feestje op de afdeling voor haar?' stelde Sandra voor.

'Tja,' aarzelde ik.

'Ja, toe, zuster,' juichten de andere zusters eensgezind.

'Van de keuken krijgen we wel een cake, ik ga wel even met Jack praten,' bood Burrows aan.

'En ik zal haar haren netjes doen,' zei Doreen enthousiast.

'Goed, dat is dan afgesproken. Ik zal haar zoon opbellen,' besloot ik, 'ze willen misschien wel meedoen.'

Ivy's verjaardag was geen groots feest, maar we zorgden er in ieder geval voor dat de dag niet ongemerkt voorbijging. De keuken deed ons alle eer aan met een geglazuurde cake en dat betekende dat wanneer de hele afdeling een plakje moest hebben, iedereen een stukje ter grootte van zijn eigen vinger kreeg. De familie Penrose kreeg allemaal een stukje met een kaars erop.

Naderhand was ik blij dat we de moeite hadden genomen, en zelfs de zoon en schoondochter bedankten ons warm. Het was moeilijk uit te maken of Ivy enig idee had gehad van wat er gaande was, maar er gleed een blik van herkenning over haar gezicht toen we om haar heen gingen staan en 'Lang zal ze leven' zongen. Er sprongen tranen in haar ogen. Ze hield de hand van haar zoon stevig vast en dat alleen al maakte het voor ons de moeite waard.

Ik was van mening dat ik moest prijzen als er iets te prijzen viel en ik prees Sandra voor haar goede inval. Aangemoedigd door dit succes stelde Sandra de volgende dag voor dat we Ivy in bad zouden doen.

Het was waar dat deze zware dame een goede douche tussen haar vele plooien goed kon gebruiken. Ze was nog niet incontinent, maar ze had wel ongelukjes van tijd tot tijd en ze werd ook steeds vergeetachtiger en ze was nooit dol geweest op de langdurige waspartijen in bed.

'Ze begint echt een beetje te vervuilen, zuster. Ik bedoel dat je haar kunt ruiken,' verzekerde Sandra Dix me, 'en een lekker bad zou haar beslist opfrissen. De nieuwe opnames zijn er toch nog niet, dus we hebben wel even tijd,' voegde ze eraan toe.

Ik bewonderde Sandra's zorg en wilde haar initiatief en enthousiasme niet de kop indrukken. Maar bij het idee alleen al mevrouw Penrose overeind te moeten sleuren, kreeg ik rugpijn. Ze leek tegenwoordig zwaarder dan ooit, nu ze zo apathisch was en weinig geneigd om mee te helpen.

'Goed idee,' zei ik, en plaatste het welzijn van mijn patiënte op de eerste plaats. 'Ik zal vragen of meneer Marshall naar beneden kan komen om ons te helpen haar op te tillen.'

Deze taak vereiste de spierkracht van een sterke man en ik wist dat Bernie best zou willen helpen. Op dit soort ogenblikken zou een ijzeren verpleegster een uitkomst zijn geweest om de ruggen van de verpleegkundigen te sparen, maar aangezien we die niet hadden, moesten we ons tevreden stellen met mannenkracht.

'Maar denk erom dat je haar nagels níet knipt!' onderbrak Burrows streng.

Sandra en ik keken haar verbaasd aan na die vreemde waarschuwing.

'O, en waarom niet?' vroeg Sandra. Ik kon bijna zien hoe haar haren overeind gingen staan bij het lokaas dat haar oude vijandin haar toewierp.

'Omdat het zondag is, en dat brengt ongeluk,' legde onze oude bijgelovige ziekenverzorgster uit, 'je moet op vrijdag en zondag nooit nagels knippen, dat brengt beslist ongeluk.'

Dat was voor mij ook nieuw, maar Burrows had het laatste woord op het gebied van bijgelovigheden. Ik haastte me om een twistgesprek door de generatiekloof tussen deze ziekenverzorgsters te voorkomen.

'Mevrouw Penrose is diabetespatiënte, dus laat die nagels in elk geval maar. We moeten maar eens vragen of de chiropodist dat wil doen.'

Ik feliciteerde mezelf dat ik daar zo snel aan had gedacht en de zaken daarmee had gered, en ik liet beide zusters tevredengesteld achter. Ik hoopte in stilte dat de chiropodist niet op een vrijdag zou komen!

De badkamer van Parker was net een Turks bad. De buizen van de radiator waar de dames hun broekjes op droogden, waren altijd gloeiend heet.

Sandra straalde competentie uit met haar plastic schortje en zwaaiend met een badspons.

De enorme naakte mevrouw Penrose zat in een rolstoel, gehuld in handdoeken op haar bad te wachten. Met zijn vieren lukte het ons haar aan de aflopende kant het bad in te laten glijden, hoewel Bernie het leeuwedeel van het gewicht voor zijn rekening nam. Haar plotselinge tewaterlating veroorzaakte een golf en er liep een beetje over de rand toen haar lichaam een grote hoeveelheid water verplaatste. In tegenstelling tot baden thuis, die tegen een muur gebouwd zijn, zijn baden in een ziekenhuis alleen met het kraangedeelte tegen een muur aan gebouwd om het personeel op die manier de gelegenheid te geven de patiënt van drie zijden te omringen.

Sandra zeepte de oude mevrouw Penrose netjes in. De zuster was tevreden bezig met haar werk, maar de patiënte leek minder enthousiast.

Ik had de afdeling in de bekwame handen van zuster Burrows achtergelaten en maakte van de gelegenheid gebruik de medicijnen en kostbaarheden van een andere patiënt die naar de geriatrie was verhuisd even weg te brengen.

'Ringen, horloge, geld, een, twee, drie en vijf, dat is acht pond los geld en een spaarbankboekje.' Ik telde de verschillende dingen en keek toe terwijl de zuster alles controleerde en tekende voor de overdracht.

'Fijn dat ze hiernaartoe kon, zuster, ik ben ervan overtuigd dat het haar hier beter zal gaan. Ze loopt goed als ze een beetje wordt aangespoord, weet je,' zei ik.

'Maak je maar geen zorgen, we hebben haar zo snel mogelijk weer op de been,' verzekerde de zuster me. Ze waren op die afdeling veel beter uitgerust op het gebied van revalidatie dan wij op de algemene afdelingen.

Terwijl we met elkaar stonden te praten, werd er gedempt een boodschap over de intercom uitgezonden. Hoorde ik het goed? Ik concentreerde me om het de tweede keer beter te kunnen verstaan.

'Hartstilstand. Parker,' klonk het heel duidelijk.

'O nee! Ik moet weg, zuster!'

Ik draaide me om, holde het doolhof van de geriatrie uit en rende door de gangen naar mijn eigen afdeling. Mijn maag draaide zich om en mijn keel werd dichtgeknepen van angst en spanning. Ik bewoog me heel moeizaam, het leek wel of ik lood in mijn benen had, of ik uit een verschrikkelijke droom wilde zien weg te komen. Het had nooit eerder zo lang geleken voor ik op Parker terug was.

Terwijl ik voortrende vroeg ik me af wie het kon zijn. We hadden eigenlijk geen typische hartpatiënten. Toen dacht ik boos: Verrek, dat moet natuurlijk nu gebeuren. Waarom uitgerekend nu ik pas de leiding heb overgenomen en ik net even niet op de afdeling ben? Verdomme, verdomme, wie kan het toch zijn?

Ik kon het gevoel niet van me afzetten dat dit een ongunstig licht op mij als nieuwe hoofdzuster zou werpen, hoewel dit nuchter bekeken natuurlijk een overgevoelige egoïstische, verwarde manier van denken was en pure onzin. Ik had die eerste maanden een sterk verantwoordelijkheidsgevoel en het duurde enige tijd voor dat zich in normale banen liet leiden.

Ik zag de Rode Duivel, onze naam voor de reanimatiekar, al voor me uitgaan. Ik hoorde de voetstappen van verschillende artsen van het reanimatieteam achter me aankomen.

Toen ik de hoek omsloeg naar Parker, stond de Rode Duivel net stil in de gang voor de badkamer.

'Niet Ivy Penrose! En in bad nog wel!' zei ik bij mezelf, volkomen van de kook door het idee.

Het idee dat Ivy in die situatie gereanimeerd zou moeten worden, was onvoorstelbaar. Dat die kolossale vrouw op de stenen vloer getild zou moeten worden en daar zou liggen met een heel reanimatieteam met alles erop en eraan, en dat in de kleine ruimte van de natte bedompte badkamer. Wat een toestand!

Bernie was er al. Hij moest de trappen afgerend zijn zodra de 333-oproep had geklonken. Hij stond aan het hoofdeinde, trok Ivy half achterover om haar mond te openen en de rubber tube aan te brengen.

'Zuster, trek de stop eruit en laat het water weglopen,' schreeuwde hij tegen Sandra.

Toen ze daarmee bezig was, zag Sandra – die in paniek leek te zijn – mij staan.

'Ik wist niet wat ik moest doen, zuster. Ivy begon plotseling heel vreemd te doen; ze werd heel slap en zwaar en ze gleed naar beneden in het bad. Haar gezicht werd rood en opgezwollen en haar ogen rolden in de kassen. En toen klonk er een soort rochelend geluid. Ik kon in mijn eentje nog net haar hoofd boven water houden. Ik heb naar Burrows geroepen om alarm te slaan,' legde Sandra ter verdediging uit.

'Het is goed, Sandra, dat was goed, je hebt het goed gedaan, echt waar,' probeerde ik haar gerust te stellen toen we over de natte badkamervloer liepen en ik een draagbaar zuurstofapparaat aansloot op het zuurstofmasker dat over Ivy's gezicht lag.

'Pols is goed, sterk en regelmatig,' zei Bernie tevreden, en knielde in de nattigheid om met zijn hand de halsslagader van de patiënte te voelen.

De artsen kwamen allemaal tegelijk en grepen in het voorbijgaan de instrumenten die ze nodig hadden van de grote reanimatiekar. Die stond op een beroerde plek, gedeeltelijk in de ingang van de badkamer.

'Kan ik iets doen, zuster?' schreeuwde Burrows vanaf de gang. Zij had niet het figuur om te proberen zich tussen de spleet tussen de kar en de deur door te wurmen.

'Nee, blijf jij maar bij de andere patiënten.' En direct erachteraan riep ik: 'Rij die kar een eindje áchteruit, wil je, vraag maar of een van de verpleeghulpen je helpt.'

Het leek niet erg zinvol om dat ding ook nog de badkamer in te persen. De badkamer was al een voorraadkamer van allerlei karretjes, rolstoelen, infuusstandaards en waskommen.

'Sandra, neem jij het zuurstofapparaat even over aan jouw kant, dan hebben we wat meer plaats.' Ik duwde het naar haar toe terwijl ik het masker op Ivy's gezicht hield.

Peter had dat weekeind dienst, dus maakte hij automatisch deel uit van het reanimatieteam. Hij stond klaar om de ECG- (elektrocardiogram-)elektroden aan haar ledematen te bevestigen om de werking van haar hart te kunnen vastleggen.

'Helen, kun je haar benen even afdrogen, dan kan ik deze snoeren aanbrengen,' vroeg hij.

122

'Sandra, geef me alsjeblieft even een handdoek,' zei ik automatisch tegen het meisje dat er onhandig bij stond niets te doen.

'Doe maar geen moeite!' kwam een strenge stem van het hoofdeinde.

Het was de anesthesist die in zijn groene kleding met een rubber tube en een laryngoscoop klaarstond, gereed om haar te helpen met ademhalen. Hij had een blik op Ivy geworpen, haar pols gevoeld, haar oogleden opengetrokken en onze aandacht op haar inmiddels weer teruggekeerde, luidruchtige, rochelende manier van ademhalen gevestigd.

'Luister daar eens naar. Ze haalt beter adem dan ik! Jezus, wie heeft hiervoor het alarm laten afgaan? Ze heeft een CVA. Ik word voor een doodgewone beroerte weggehaald bij een IC-patiënt die beademd moet worden!'

Hij gooide de rubber tube vol minachting terug op de kar en gaf de laryngoscoop – een bijzonder teer instrument – tot mijn opluchting aan dokter Fothergill, onze nieuwe arts in het team van dokter Martin.

'Dit is denk ik iets voor de neuro-jongens, maar bel me wél als ze geïntubeerd moet worden. Ik zal in dat geval met alle genoegen langskomen,' zei hij tamelijk sarcastisch tegen de jongere arts.

Sandra keek schaapachtig en was erg van streek, dus gaf ik haar over het bad heen een knipoogje, het arme kind. Een dergelijke uitbarsting van de anesthesist was volkomen overbodig geweest.

Na die aanmatigende woorden gingen de meeste andere leden van het team ook terug naar de plek waar ze bezig waren geweest. Peter en dokter Fothergill waren zo vriendelijk om nog even te blijven en ons te helpen. Ze hadden gezien hoe kolossaal het probleem was! Ivy was niet bewusteloos, maar ze was in de war, bang, aan één kant verlamd en niet in staat te spreken. En dat met haar afmetingen en vastzittend in het bad.

Ik gooide wat handdoeken over haar heen om haar zolang warm te houden en riep een verpleeghulp toe een brancard te halen.

Ik trok aan het rode koord van de afdelingsbel en toen Burrows verscheen, vroeg ik of ze Ivy's bed wilde opmaken en voorbereiden op haar terugkomst.

'Dat is al gebeurd, zuster, en ik heb al gebeld om een paar rekken voor langs het bed,' was haar vaardige antwoord.

'Mooi zo,' zei ik, en zuchtte van opluchting terwijl ik op de rand van het bad ging zitten en mijn mouwen oprolde. 'God, wat is het hier warm.' Mijn gezicht was rood en mijn dijbenen plakten tegen elkaar door de vochtige atmosfeer.

'Gaat het, Bernie?' vroeg ik, toen ik plotseling weer aan de benarde positie dacht waarin hij zuurstof moest toedienen.

'Ja hoor. Ze ademt nu regelmatiger.' Hij streelde voorzichtig over haar gezicht en haren om de angstige dame wat gerust te stellen. Zijn voortdurende aanwezigheid was zonder twijfel kalmerend.

'Goed, laten we haar maar terug naar bed zien te krijgen en daar dan de schade eens opnemen. Burrows, wil je alsjeblieft een paar dekens halen?' begon ik de operatie te organiseren, terwijl de jonge dokter Fothergill enigszins onzeker de ongewone situatie gadesloeg.

De waarnemend directrice kwam binnen; ze had de hele afdeling afgezocht naar de hartstilstand.

'Vals alarm. Het was een beroerte,' legde ik uit.

'Hm, het ziet er toch niet best uit,' fluisterde ze discreet. 'Kan ik helpen haar weer op de afdeling terug te krijgen – of gaat ze naar de IC?' vroeg ze.

Ik keek naar dokter Fothergill.

'Ik denk dat we haar voorlopig hier houden,' bevestigde hij, 'ze kunnen daar toch niet meer voor haar doen dan de meisjes hier.'

Het was een hele hijs en we tilden de gigantische dame met zijn zessen vanuit het bad op de hoge brancard. Haar verlamde zijde was ongelooflijk zwaar geworden.

'Houd de brancard even goed vast, Burrows,' commandeerde ik zenuwachtig terwijl we onze vracht over de gladde vloer tilden. We wikkelden haar op de brancard stevig in dekens, zo stevig dat de zware, slappe, verlamde ledematen niet doelloos langs haar zijden zouden vallen.

Terwijl we naar de afdeling terugreden, schuifelde Bernie achteruit en hield het zuurstofmasker op zijn plaats. De andere patiënten hadden de gang discreet verlaten en zich in het dagverblijf verzameld. Ten slotte hadden we Ivy terug in bed en was de dokter in staat een wat grondiger onderzoek te verrichten.

'Niet best,' stelde hij vast, 'het is aan haar dominante kant en er is een totale verlamming en gevoelloosheid aan één kant van haar lichaam. De tijd zal leren hoe en of de hersenen dat zullen oplossen.'

Een cerebro-vascular accident (CVA) – of beroerte – vindt meestal plaats wanneer een gespannen bloedvat scheurt dat zich diep in de hersenen bevindt. De lekkage van bloed vormt een stolsel en die aanwezigheid is een storende factor bij de zenuwimpulsen naar en

124

van de hersenen. Als gevoelsboodschappen van het lichaam naar de hersenen gaan en verstoord worden, is de patiënt niet meer in staat iets te voelen; dit heet gevoelloosheid. Wanneer motorische bood-schappen die afkomstig zijn van spieractiviteiten in het lichaam worden tegengehouden wanneer ze de hersenen willen verlaten, kan de patiënt zich niet bewegen en blijft verlamd. Bij een beroerte vindt de bloeding in een van beide helften van de hersenen plaats en tast de tegenovergestelde kant van het lichaam aan.

De mate van beschadiging bij een CVA kan enorm variëren, van een lichte flauwte tot plotselinge dood en allerlei tussenvormen. Bij Ivy had de bloeding haar dominante kant geraakt. Het was erg lastig voor haar dat ze het gebruik van haar rechterarm en -been was kwijtgeraakt; en haar spraakcentrum was ook geraakt.

Er is niets te doen aan de schade die een beroerte veroorzaakt, het probleem zit te diep in de hersenen om te proberen dat gebied te bereiken. Alleen de tijd zou leren of Ivy's verlamming definitief zou zijn, of ze weer in staat zou zijn te spreken en of ze ooit zou herstellen.

Sandra had de badkamer opgeruimd en schoongemaakt. De hele vloer moest schoongeschrobd worden na de massa natte voeten die daaroverheen waren gegaan. Er lagen overal kletsnatte handdoe-ken. Ze zag er zelf ook tamelijk vochtig uit – net als wij allemaal trouwens – en ik stelde voor dat ze een lange koffiepauze zou nemen zodat ze een droog uniform kon aantrekken.

'Ik was zo bang, zuster. Dat afschuwelijke gerochel en gereutel en haar gezicht zwol op of ze zou ontploffen.' Arme Sandra, wat een angstaanjagende ervaring voor haar.

'Zuster, zou het misschien niet zijn gebeurd als ik niet had voor-gesteld haar in bad te stoppen? Kan al dat gesjouw het veroorzaakt hebben?' gaf ze uiting aan haar gedachten op een toon vol schuld-gevoel.

'Je hoeft jezelf niets te verwijten, Sandra,' zei ik nadrukkelijk tegen haar. Ik begreep maar al te goed hoe die twijfeltjes zich op een onrechtvaardige manier in haar zouden boren en tot een zwaar en verstikkend schuldgevoel zouden uitgroeien.

'Het is gebeurd en je hebt gedaan wat je kon, en je hebt geen moment geaarzeld. Het was toeval, dat is alles. Luister, ze had ook een beroerte op de wc kunnen krijgen, of op de röntgen, of bij de fysio, of zelfs thuis, waar geen enkele vorm van professionele hulp voorhanden zou zijn geweest. Het leven zit vol toevalligheden. Je kunt de mensen niet opgesloten of onderuitgezakt op een stoel laten zitten vanwege wat er zou kúnnen gebeuren. Het leven gaat verder, weet je.'

Ik geloof dat deze woorden haar er een beetje overheen hielpen. En ze hielpen mijzelf ook, aangezien ik me er ook een tikkeltje zorgen over maakte dat onze uitgebreide zorg tot deze ramp had bijgedragen. Maar dat was natuurlijk niet zo.

'Ja, maar die dokter, hij vond dat het verkeerd was om het reanimatieteam te roepen,' stelde ze vast. 'Misschien reageerde ik te heftig.'

Ik wist dat zijn stomme commentaar haar had gekwetst en zorgen baarde. Het was overbodig geweest en getuigde van slechte manieren van zijn kant, ten koste van een arme, geschrokken zuster. Ik had willen zeggen dat hij een stomme, verwaande kwast was, maar aangezien ik Sandra langer dan vandaag kende, was ik bang dat ze dit naderhand in een gesprek terloops zou herhalen, dus dat hield ik maar wijselijk voor me.

'Tja, ik had wel eens willen weten wat hij in jouw plaats zou hebben gedaan,' zei ik tegen haar, en voegde er een 'hm hm' aan toe. 'Een plotselinge collaps in bad kan van alles betekenen. Je had alle recht om hulp in te roepen, dat had ik zelf ook gedaan, dat kan ik je verzekeren.'

Ik pakte de hoop handdoeken op om ze naar de spoelkeuken te brengen. 'Vooruit, Sandra, ga nou maar.' En samen met haar liep ik de badkamer uit.

'En ik had niet eens haar nagels geknipt,' had Sandra nog het laatste woord.

Het was zo'n grappige gedachte dat ik een glimlach niet kon onderdrukken.

Het was mijn taak om de familie op de hoogte te brengen van het nieuws dat de toestand van hun moeder plotseling zo was achteruitgegaan. Ze wilden natuurlijk graag de dokter spreken en ik stelde voor dat – aangezien Ivy niet in direct levensgevaar verkeerde – ik het wel voor hen kon regelen dat ze hem de volgende dag tijdens het bezoekuur zouden kunnen spreken. Tegen die tijd zouden de neurochirurgen wel langs zijn geweest om hun moeder te onderzoeken, en waren ze misschien in staat een prognose te geven over toekomstverwachtingen.

De daaropvolgende vierentwintig uur ging Ivy niet verder achteruit, maar de toestand verbeterde ook niet. Ze bleef erg in de war en rusteloos, worstelde op onelegante wijze met haar goede arm en was hopeloos gefrustreerd door de verlamming aan de andere kant. Mevrouw Penrose rolde tegen de rekken van het bed aan en er bestond gevaar dat ze zichzelf zou bezeren, dus wikkelden we verbandgaas om de tralies.

Het had op geen ongemakkelijker tijdstip kunnen gebeuren, maar net voor het bezoekuur ontdekte Doreen dat Ivy het in haar bed had gedaan. Om de zaken nog erger te maken, hadden haar rusteloze handen in het vuile gebied rondgewoeld en het resultaat was een royale vingertekening met ontlasting over de lakens, de tralies, haar nachtpon, haar gezicht; het zat tot onder haar vingernagels.

Doreen en een leerling wasten haar snel en maakten haar weer toonbaar voor haar bezoek, dat nog met dokter Fothergill stond te praten.

De neurologen waren niet bereid enig uitsluitsel te geven over haar herstelkansen. Ivy's zoon was geïrriteerd en wilde niet accepteren dat de artsen geen duidelijke conclusie konden trekken. Hij deed zijn best de artsen tot de een of andere uitspraak te dwingen, namelijk of ze in leven zou blijven of niet. Dit was onmogelijk te voorspellen en geen arts zou zijn beroep in gevaar brengen door daar een slag naar te slaan.

Meneer en mevrouw Penrose junior waren zichtbaar van streek door het beeld van hun moeder. Ze lag omringd door kussens met één kant van haar gezicht zichtbaar verlamd en afhangend. De lip hing slap naar beneden en daar droop ongecontroleerd kwijl af. Het beeld dat ze bood was erg veranderd door de vervorming van haar gezicht.

Het infuus zag er ook angstaanjagend uit, evenals de catheter. Ze waren tevens van streek door haar gewoel en haar verwarde, onverstaanbare gekreun. Ze herkende haar bezoek absoluut niet. Haar arme hersens waren niet in staat de omgevingsprikkels te vertalen, en haar poging tot communicatie bestond uit niet meer dan wat onsamenhangende en doelloze bewegingen.

Meneer Penrose vroeg of ze niet iets kalmerends mocht hebben tegen al die verontrustende activiteit.

'We willen haar liever niet kalmeren, aangezien dat het vaststellen van haar neurologische staat bemoeilijkt,' legde dokter Fothergill uit, en daar werden ze dus ook niets wijzer van.

'Het is moeilijk haar graad van bewustzijn vast te stellen als ze onder invloed van kalmerende medicijnen is,' vertaalde ik de woorden van de arts in iets begrijpelijker termen.

127

'Eh, ja,' zei dokter Fothergill, die net van de universiteit kwam en de kunst van het omgaan met echte patiënten en hun familieleden nog niet geheel machtig was. Lijken op een plaatje zijn zonder twijfel veel gemakkelijker in de omgang!

Ten slotte kalmeerde Ivy Penrose toch wat en worstelde niet meer zo verwoed met de vreemde wereld om haar heen. Al was het erg naar dat dit alleen maar gebeurde omdat haar conditie verslechterde. Ze gleed langzaam af naar een staat van steeds diepere bewusteloosheid.

Uiteindelijk lag Ivy in een diep coma en was ze zich totaal niet meer van haar omgeving bewust. Wekenlang gingen we door haar te wassen, te draaien en een vloeibaar dieet via een neussonde toe te dienen. Er was geen schijn van verbetering in Ivy's zwaar getroffen hersenen. Naarmate er meer tijd verstreek, begon de situatie er steeds hopelozer uit te zien.

Bovendien ging haar lichamelijke toestand ook achteruit. Het ene orgaan na het andere begon het op te geven.

Het laatste spoortje waardigheid was haar nu ook ontnomen. Ze was incontinent en niet meer in staat haar urine in te houden. Het was moeilijk te geloven dat ze ooit weer de beheersing over haar blaas zou terugkrijgen, zelfs al zou ze eventueel toch nog herstellen.

Haar hart, dat al niet zo best was, werd steeds slechter. Het zwakke pompmechanisme kon het bloed niet langer efficiënt rondpompen en haar benen zwollen op door het teveel aan vocht. Ze was een schitterend voorbeeld van oedeem en ik gebruikte het om aan leerling-verpleegkundigen te tonen. Enorm opgezwollen enkels en voeten en een gespannen en glanzende huid. Wanneer je er met je vinger in duwde, bleef de afdruk er een tijdje in staan.

'Verschrikkelijk oedeem,' legde ik uit, 'een teken van zware retentie, of slechte vochtafvoer. Mijn vingers duwen het vocht tijdelijk opzij, daarom laten ze deze afdruk achter.'

'Gò, het lijkt wel klei!' zei een enthousiast meisje en ze bekeek de gezwollen, gevlekte benen. 'Je kunt het bijna vormen.'

Ja, dat was een goede vergelijking. Ik vond dat haar tenen ook net worstjes leken. Haar vingers waren opvallend dik, zodat haar trouwring diep in haar huid sneed. De ring was in de loop der jaren wat afgesleten, maar Burrows had gewaarschuwd dat het ongeluk bracht om hem te verwijderen. En tot hij een gevaar vormde, was er geen noodzaak deze geliefde herinnering aan voorbije jaren te verwijderen.

Het vocht had zich ook rondom haar longen genesteld en die moerassige organen raakten uiteindelijk ook geïnfecteerd. Lange tijd roerloos in bed liggen brengt altijd gevaren voor de longen met zich mee. En nu hadden de microben Ivy's longen dan eindelijk aangevallen. Ze nestelden zich daar om zich te vermenigvuldigen en dit vochtige toevluchtsoord tot hun thuis te maken.

We haalden de rijdende röntgenmachine naar de afdeling om de artsen de gelegenheid te geven de staat van haar longen beter te beoordelen. De foto's kwamen net binnen toen dokter Martin zijn ronde wilde beginnen.

Rob Martin gooide de deur van de zusterpost open en liep op zijn gebruikelijke manier het kantoor in, met zijn discipelen achter zich aan.

'En wat heeft u vandaag voor me, zuster?' vroeg hij op zijn joviale manier, en wreef zich in de handen alsof hij zin had er eens flink tegenaan te gaan.

Ik zette de foto in de lichtkast zodat hij en wij hem allemaal konden bekijken. De foto bevestigde de uitgebreide longontsteking die zich daar had genesteld.

'De laatste foto van mevrouw Penrose,' zei ik tegen hem.

'Hm, ziet er niet best uit,' vond hij, en bekeek de diagnostische foto van wat dichterbij.

Hij leunde zwaar tegen de kast en legde zijn elleboog op de bovenkant, waar ik alle aantekeningen netjes had neergelegd.

'Het probleem is: wat moeten we nu doen?' Hij speelde met zijn verfomfaaide snor, zoals ik hem wel vaker had zien doen als hij ernstig en diep nadacht.

'Wat is het laatste nieuws van de neuro-jongens, Fothergill?' vroeg hij aan de jonge arts.

'Geen goede vooruitzichten wat hen betreft, ben ik bang, dokter. Ze reageert nu al dagenlang niet meer, hersenfunctie is nul komma nul. Haar hart begint het op te geven, ze heeft zwaar oedeem, het is geen wonder dat haar longen vol water zitten. Ze zou enorme doses digitalis en lasix moeten hebben om al dat vocht kwijt te raken en dan ben ik er nog niet van overtuigd dat haar nieren een dergelijke plotselinge afvoer aan zouden kunnen. De diabetes is stabiel, dat gaat gemakkelijk met die neussonde,' eindigde hij een beetje optimistischer.

'En hoe is het met haar huid, zuster?' vroeg dokter Martin aan mij.

'Schitterend, geen probleem. Het ironische is dat nu ze bewusteloos is, we haar kunnen draaien en keren zodat haar huid ongedeerd blijft,' antwoordde ik naar waarheid.

'Dus blijven we met de vraag zitten of we de longontsteking al dan niet moeten behandelen.' Nu speelde hij met zijn vingers terwijl hij zijn handen in elkaar gevouwen hield.

'Zuster?' Hij liet me schrikken door zich tot mij te wenden en mijn mening te vragen.

'Eh, ik? Tja, eh, tja, eerlijk gezegd ziet het ernaar uit dat haar kansen op herstel, na die beroerte, te verwaarlozen zijn. Ze was er al niet best aan toe voor dit gebeurde. Ik vraag me af wat voor leven we haar te bieden hebben, zelfs als er maar het kleinste kansje bestond dat ze erdoorheen kwam.' Ik probeerde een redelijke schatting te maken van haar kansen, maar god zij dank lag de definitieve beslissing niet in mijn handen.

'Inderdaad. Wat is op den duur het beste voor de patiënt? Het leven van een kasplantje? Ik denk van niet,' zei dokter Martin zonder er verder omheen te draaien.

Ik probeer mijn zusters er altijd van te weerhouden hun patiënten als 'kasplantjes' of 'vegeterende patiënten' te betitelen, maar er waren omstandigheden – en dit was er één van – waar het wel toepasselijk was.

'Het probleem is dat we tegenwoordig tot zoveel in staat zijn dat het moeilijk is om te weten waar we de grens moeten trekken en wat het beste is voor de patiënt. We kunnen ons best doen het leven met infusen en medicijnen en allerlei apparaten te verlengen, maar waarvoor? Ik denk dat het logische gevolg daarvan zou zijn dat er grote aantallen patiënten zouden komen met slangen en fysiotherapeuten om zich heen, die zelfs niet de geringste kans hebben ooit weer een onafhankelijk, doelbewust of interessant leven te leiden. Zouden ze dat zelf verkozen hebben?

Het is nu minstens zo'n groot dilemma voor artsen geworden om de beslissing te nemen níet te behandelen als wel. Ik ben ervan overtuigd dat de laatste beslissing toch wel genomen moet worden, met het oog op zowel de kwaliteit van het leven als op de kwantiteit ervan.' Dokter Martin was een goede spreker.

'Komt wat wij de patiënt te bieden hebben zijn persoon als geheel ten goede? Ik ben van mening dat we nu geen heldhaftige gevechten moeten gaan leveren. We moeten ons terugtrekken en de natuur haar gang laten gaan. Is iemand het daar niet mee eens?'

Niemand.

'Schrijf dan maar geen antibiotica voor, Fothergill,' was de laatste instructie van dokter Martin.

Toen hij de afdeling naderhand verliet, wendde hij zich nog even tot mij.

'Is dat nou geen waanzin, zuster?' zei hij met een soort wanhoop in zijn stem. 'Het is werkelijk ongelooflijk wanneer je erover gaat nadenken. Wij worstelen met onszelf over een onbevredigend bestaan van een vrouw die ruim zeventig jaar een nuttig en gelukkig leven heeft geleid. En daar,' hij knikte naar Harvey, 'vernietigen de gynaecologen kleine perfecte foetussen.'

En toen, alsof hij automatisch terugschakelde uit zijn filosofische gedachten, voegde hij eraan toe: 'Maak het mevrouw Penrose wel zo prettig mogelijk. Ik weet dat je dat zult doen. Je kunt het wel uitleggen aan je zusters als ze het er moeilijk mee zouden krijgen, hè?'

Ik zou daartoe in staat zijn, omdat ik het met hem eens was. Hij gebruikte me handig bij het nemen van de beslissing.

Het was een vreemde gril van de ontwikkeling van de medische wetenschap die een arts in gewetensconflict brengt wanneer hij beslist om níet te behandelen. Staat het onthouden van een behandeling aan de patiënt gelijk aan moord? Of is het juist genadig wanneer men moeder natuur de kans geeft houvast te krijgen – zij die uiteindelijk toch altijd wint. Is het wreed om ellende te verlengen, of vriendelijk om ieder draadje leven vast te houden?

Nu de natuur haar gang kon gaan, gleed Ivy Penrose twee dagen later stilletjes deze wereld uit. Haar luidruchtige, gorgelende ademhaling stopte in de vroege ochtenduren.

Tegen de tijd dat wij op de afdeling kwamen, hadden de nachtzusters het lichaam al weggebracht en het bed was afgehaald, klaar om schoongemaakt en opnieuw opgemaakt te worden.

Het was een paar uurtjes een kaal plekje: we misten Ivy. Zij hoorde daar te liggen, en we misten de drukke bezigheden die de laatste tijd bij haar hadden gehoord. Maar het bed werd al snel opgeëist door een nieuwe patiënt die niets over de vorige bewoner wist.

Doreen maakte het nachtkastje schoon; Ivy had zich een enorme hoeveelheid rommel vergaard tijdens haar verblijf in het ziekenhuis. Zwart verrotte bananen, grote hoeveelheden verschrompelde sinaasappelen, verfrommelde brieven, een paar aangebroken pakjes koekjes, grote voorraden onderbroekjes en nachtponnen. Vele bevlekt met remsporen.

En ... de tanden, allemachtig, dat reeds lang vergeten kunstgebit lag helemaal achteraan in het laatje, in een oude zakdoek gerold. Wat moesten we daarmee? Dat moest bij het lichaam blijven, dat maakte deel uit van de presentabele verscheiden mevrouw Penrose.

We konden er niets aan doen dat we moesten giechelen toen Doreen de zusterpost inkwam, zwaaiend met de beruchte tanden. Aangezien ze nu eenmaal een schatje was, stelde Doreen zich beschikbaar om het gebit naar het mortuarium te brengen. De meesten van ons kregen al de zenuwen bij het idee alleen al daarnaartoe te moeten.

Ivy's zoon had opgebeld; hij zou de overlijdensakte komen halen. Die werd van officiële zijde verlangd voordat een lichaam naar zijn laatste rustplaats kon worden gebracht. Hij nam haar paar kostbare bezittingen mee, maar wilde de kleren niet hebben. Alle resten uit het leven van mevrouw Penrose – op de kostbare bezittingen na – zouden ongetwijfeld bij het Leger des Heils terechtkomen, waar ze misschien nog wat goed konden doen.

Terwijl ik hem over de afdeling vergezelde, was het ironisch dat er net bloemen werden bezorgd. Ik leidde hem weg bij de UVV-dames die armen vol bloemen uitdeelden die over waren van een begrafenis. Nu de paarse linten eraf waren was er geen enkele reden voor hem om de herkomst van die bloemen te raden, maar ik vond het gezien de omstandigheden toch geen prettig idee.

'Het is werkelijk maar beter dat moeder uit haar lijden is verlost, zuster. Het was verschrikkelijk om haar zo te zien lijden; ik ben blij dat het ging zoals het nu is gegaan. Ze had het hier erg naar haar zin, daar ben ik van overtuigd. Om eerlijk te zijn, ik zag ertegen op dat ze weer zou herstellen en dat ik haar naar een of ander tehuis had moeten brengen om daar weg te teren, want we hadden haar nooit meer in huis kunnen hebben. Ja, dat zou echt verschrikkelijk geweest zijn.'

Ik schudde zijn uitgestoken hand en knikte rustig alsof ik wilde bevestigen dat ik zijn gemengde gevoelens wel begreep, en dat hij zich er niet voor hoefde te schamen. Hij was werkelijk verdrietig door de dood van zijn moeder, hoewel hij opgelucht was dat de zaken deze wending hadden genomen. Een natuurlijke dood bij ouderen is veel gemakkelijker te aanvaarden dan een te vroege dood bij een jonger iemand.

Meneer Penrose bedankte ons allen voor wat we hadden gedaan

en voor onze vriendelijkheid en liet als blijk van dank 'een kleinigheid voor de zusters' achter.

We waren allemaal aangedaan over de dood van Ivy Penrose, ze was een levende legende op Parker geworden. Ik heb nog steeds een levendige herinnering aan die stevige dame met het haarnetje die sinaasappels weggaf.

Sandra Dix was het meest van streek over de dood van Ivy. Ze had die dag late dienst en zag een nieuwe patiënt liggen op de plaats die zo lang van Ivy was geweest.

Burrows zei: 'Ja, ze is naar St.-Petrus gegaan.'

Het was een vriendelijke uitdrukking die ik wel eerder had gehoord. Iedere leek zou natuurlijk denken dat ze naar een ander ziekenhuis was verhuisd. Wij wisten dat ze de 'poorten van St.-Petrus' bedoelde, een eufemisme voor overlijden.

Het is nooit goed om je te veel aan een patiënt te hechten, zoals Sandra had gedaan. Ze had veel van zichzelf gegeven en daardoor verloor ze uiteindelijk ook veel.

Sandra Dix verviel weer in haar nonchalante manier van doen en liet zich nooit meer overhalen zich te zeer aan een patiënt te hechten.

ERGERNIS

'Echt waar, zuster, ik wilde haar niet van streek brengen. 'k Zweer het, zoiets zou ik nooit doen. 't Is toch zo'n aardig meisje, ik begrijp het niet,' hield mevrouw Hall met haar zware Devon-accent vol.

Zuster Pettigrew was de afdeling afgerend en had zich op het personeelstoilet teruggetrokken om bij te komen van de schrik en even een paar tranen te plengen.

'Ze liet dit menu bij me achter en kwam even later terug om te zien wat ik wilde hebben. Ik heb tegen haar gezegd dat ik dat niet wist omdat ik dat ding niet kon lezen. Ik kan namelijk niet lezen, zuster,' legde mevrouw Hall uit, 'maar dat kan míj niet schelen. Ik schaam me er niet voor. En toen rende ze weg. Ik hoop niet dat het mijn schuld is.'

'Och, ik had je wel even kunnen helpen hoor, had het toch even gevraagd,' mengde de chique Leanda Belfield uit het aangrenzende bed zich in het gesprek; ze klonk verbijsterd.

'Dat wilde ik niet doen, u zag eruit alsof u zich niet zo goed voelde,' antwoordde mevrouw Hall en ze doelde op de vele slangen waarmee mevrouw Belfield tijdens haar ziekenhuisverblijf omringd was.

'Dat stelt toch niets voor. Een infuus en een maagsonde.' Ze tikte terloops tegen de slang die uit haar neus kwam, 'die zitten er alleen maar vanwege de ileus die na mijn operatie de kop opstak. Het gaat prima met me.'

Leanda stelde zichzelf voor aan haar nieuwe buurvrouw, die enigszins van de kook was door de ziekenhuisvaktaal. Mevrouw Hall wist totaal niets van medische zaken af en Leanda was juist bijzonder geïnteresseerd en had veel kennis op dat gebied verworven. Ze wist hoe haar lichaam in elkaar zat en was er als de kippen bij om indruk op haar medepatiënt te maken.

Wat een rampzalige combinatie bleek dat trio op Parker! Aan de ene kant Kitty Hall, de ongeletterde moeder van zes kinderen, naast de wereldse Leanda Belfield, die berucht was om haar overbezorgdheid voor haar lichaam. Die twee samen met de zenuwachtige, trillende, bibberende leerling-verpleegkundige Alison Pettigrew leverden me meer dan voldoende werk op.

Van de drie verschillende mensen maakte ik me de meeste zorgen over zuster Pettigrew, die vrijwel voortdurend veel te heftig reageerde op allerlei kleine, onnozele dingetjes. Ze had uitgelegd dat ze zich voor gek voelde staan toen ze had gemerkt dat mevrouw Hall niet kon lezen of schrijven, en ze was niet in staat geweest haar gevoelens op een verstandige, volwassen manier onder controle te houden.

'Lieve God,' zei ik, 'analfabetisme is tegenwoordig zoiets zeldzaams dat iedereen versteld zou staan, misschien zelfs wel een beetje geamuseerd zou zijn. Maar het was niet noodzakelijk om zo openlijk te reageren. Mevrouw Hall schaamde er zich helemaal niet voor. Op haar leeftijd is ze eraan gewend andere mensen te vragen haar de dingen voor te lezen.'

Alison Pettigrew was als laatste redmiddel naar mijn afdeling gestuurd, om hier wat extra vriendelijke en persoonlijke supervisie te krijgen. Haar eerste stage na haar preklinische periode was een ramp geweest.

Alison en de hoofdzuster van interne hadden elkaar van het begin af aan zonder aanwijsbare reden niet mogen lijden. Een van die onverklaarbare menselijke antipathieën. Zoiets van: 'Wat heb je tegen me?' 'Het feit dat je bestaat.' De hoofdzuster van interne was een eenzijdige oude feeks die niet goed op nerveuze, onhandige troela's reageerde en het moeilijk vond de minder bekwame leerlingen te aanvaarden. Maar Alison stond nog heel onwennig tegenover de verpleging en na een bijzonder gespannen tijd op interne werd ze gered en naar mij gestuurd om bij te komen. Daarna kon altijd nog besloten worden of ze al dan niet geschikt was voor de verpleging.

Het was een lief, gedwee kind, maar misschien te gevoelig. Zelfs ik kon me voorstellen dat een veeleisende hoofdzuster, zoals die van interne, Alison mateloos irritant vond.

Ik vond het een eer en voelde me gevleid dat ik was uitverkoren deze zuster door een moeilijke periode heen te helpen. Het leek erop dat het op Parker goed zou gaan, ze deed haar werk met plezier en kon het goed vinden met de patiënten en de andere personeelsleden.

Maar ik had toch mijn twijfels of ze gehard genoeg zou worden voor dit werk, dat zowel op fysiek als op geestelijk gebied behoorlijk veeleisend kan zijn. Haar grootste probleem was haar gebrek aan gevoel voor humor, en dat is mijns inziens een eerste vereiste voor

135

iedere willekeurige verpleegkundige om het beroep te overleven. Alison nam alles even serieus, trok zich alles persoonlijk aan, ook als het veel beter was luchtig over de dingen heen te stappen.

Als ze al van streek raakte door een klein misverstand dat van geen enkel belang voor de patiënt was, vroeg ik me af hoe ze zich ten opzichte van ernstiger zaken zou houden. De verpleging kan een doos van Pandora vol ellende opengooien en je kunt het niet allemaal ontlopen! Ik vroeg me af of Alison in staat was zieke mensen datgene te bieden wat noodzakelijk is in de verpleging. Tijdens de opleiding had ik regelmatig collega's ermee zien ophouden toen het werk zwaarder werd.

Maar Alison had me verteld dat ze hoofdzakelijk heimwee had. En ze was ervan overtuigd dat dat wel zou overgaan als ze eenmaal gewend was, en ik kon me voorstellen dat een prettige werkkring haar daaroverheen zou kunnen helpen. Ze was uit het noorden naar het zuiden gekomen en ze miste haar familie en vrienden meer dan ze had verwacht en dat was in haar werk te merken.

'Maar, o zuster, ik wil zo graag verpleegster worden!' smeekte ze.

Hm, de geest was gewillig, maar het vlees was zwak? Meisjes hebben vaak van die geromantiseerde ideeën over de verpleging en een volkomen verkeerd beeld van wat het beroep in werkelijkheid inhoudt. Als ze er dan eenmaal mee zijn begonnen, staan ze versteld van het smerige, weerzinwekkende werk dat van hen wordt gevergd.

Maar ja, ik vond dat ik ten minste haar interesse moest handhaven. Echter wel met beide benen op de grond, en ik zou haar alle hulp geven nu ze de gelegenheid had met de opleiding te beginnen. Het was nog niet zo lang geleden dat ik zelf leerling was geweest en ook ik had mijn ongelukkige dagen in de verpleging gekend: ellendige, ontmoedigende afdelingen of akelige hoofdzusters die me het leven zuur maakten.

Het verloop onder leerling-verpleegkundigen is tamelijk groot. Na een ambitieuze start worden ze al snel gedesillusioneerd over de lage salarissen, de lange uren en de onregelmatige werktijden. Plús het niet kunnen aanzien van menselijke ellende. In dit beroep kun je geen onwillige zusters handhaven, en je moet ook niet met ongeschikte mensen hoeven werken.

Ik vond het wel interessant dat onze buitenlandse leerlingen, die uit verre streken kwamen zoals Mauritius, Singapore, Maleisië, Zuid-Amerika en Ierland, gewoonlijk minder aanpassingsproblemen hadden dan onze eigen Engelse meisjes. Als mammie zo'n kleine vijfduizend kilometer verderop woonde had het blijkbaar geen zin om naar huis terug te rennen, dus zetten ze hun tanden op elkaar en aanvaardden hun nieuwe leven.

Maar wie kon er nu van streek of beledigd raken door Kitty Hall? Ze was de meest gedweeë, meegaande patiënt die je je maar kon voorstellen, en absoluut niet agressief. Ze was plooibaar, accepteerde alles en had het volste vertrouwen in de artsen en verpleegkundigen in wier handen ze haar leven legde. Kitty wist ook niet beter.

'Sentimenteel maar gelukkig, zo ben ik nu eenmaal,' zei Kitty over zichzelf. 'Ik heb nooit de moeite genomen me om boekenwijsheid of schrijven te bekommeren. En nu is het te laat. Mijn man vult al mijn formulieren en papieren, verzekeringen en bewijzen in.'

Eén ding had ze wel goed geleerd, en dat was zich voort te planten; ze had zes gezonde kinderen als bewijs.

'En dat is de oorzaak van mijn problemen, zeggen ze, nou ja, gedeeltelijk dan, denk ik,' verkondigde ze met gedempte stem. Ze had geprobeerd om het woord 'hemorroïden' uit te spreken, maar daar was ze niet in geslaagd, dus hield ze het maar op 'aambeien', aangezien iedereen dan wel wist wat ze bedoelde.

Kitty Hall had overal spataderen; op haar benen, haar anus en tijdens de geboorten rond de vulva.

'Het leek wel of er een tros druiven onder me hing nadat ik die baby's had gekregen.'

Haar aambeien vormden haar huidige probleem. Dat zijn gezwollen adertjes rondom de anus die naar buiten puilen, daar dan gevangen zitten en steeds groter en pijnlijker worden. Verschillende zwangerschappen dragen aan deze toestand bij, evenals herhaalde constipatie waardoor hard persen noodzakelijk is om ontlasting te krijgen. Het zou ook erfelijk kunnen zijn, dus het kan voorkomen dat meerdere gezinsleden aan de kwaal lijden.

'Stel je voor, ik wist daar allemaal niets vanaf. Toen ik die klompen uit mijn billen zag steken, dacht ik dat ik een of ander verschrikkelijk gezwel had, een vréselijke ziekte of zo, dat ik op de een of andere manier anders was. Ik had het toen Spaans benauwd,' vertelde Kitty me in vertrouwen toen we haar bij de opname om bijzonderheden vroegen.

'Maar toen ik het aan mijn zuster vertelde, kreeg ik de verrassing van mijn leven. Zij had er al jaren last van en ons mam ook. Het schijnt heel gewoon te zijn. Nou ja, mensen praten meestal niet over dat soort dingen, hè?' Ze keek me met grote ogen verbaasd aan over de stoutmoedige conversatie die ze durfde te voeren.

Zusters doen dat wel, dacht ik. Zusters praten in alle gemoedsrust bij de thee over billen en ontlasting en allerlei walgelijke afwijkingen. We vergeten soms wel eens hoe weinig sommige patiënten eigenlijk van zichzelf af weten.

Evenals de naar buiten gestuwde aderen bij haar anus had Kitty Hall ons ook een paar behoorlijk misvormde aderen in haar benen getoond. En dat was ook een toestand die niet beter werd door herhaalde zwangerschappen of haar baan als werkster, die haar lange tijd achtereen op de been hield.

De kronkelende, lichtpaarse aderen lagen op haar dunne benen als touwen met knopen erin. Gezonde aderen hebben kleppen aan de binnenkant en die zorgen er samen met de pompende werking van de omringende spieren voor dat het bloed terug naar het hart wordt gestuwd. Indien die kleppen het begeven, staat het bloed in de vaten stil en dat heeft grote, gezwollen, knobbelige aderen tot gevolg.

'We moeten die benen na de operatie wel in de gaten houden,' zei dokter Fothergill nadat hij Kitty Hall had onderzocht en in de zusterpost aantekeningen maakte. 'Als zich in die benen een stolsel vormt en ze niet snel weer op de been komt, is ze een uitgezocht slachtoffer voor een embolie.'

'Begrepen,' zei ik en wendde me tot zuster Pettigrew. 'Schrijf dat er in het dossier bij: "Belangrijk: snel mobiliseren."'

Ik had Alison Pettigrew direct na dat dwaze voorval meegestuurd met dokter Fothergill om hem tijdens zijn patiëntenronde te vergezellen. Het was hetzelfde als iemand direct weer op de rug van een paard zetten nadat hij daarvan af is gevallen. Terug naar waar je vandaan komt, voor je de tijd hebt gekregen je er te druk over te maken en alle zelfvertrouwen te verliezen.

Alison had de verantwoordelijkheid fijn gevonden en gemerkt dat ze een geschikte troostschenkster was voor die lieve mevrouw Hall, die de vragen en het onderzoek verschrikkelijk had gevonden.

'Ze bleef maar vragen wanneer de "echte" dokter zou langskomen,' giechelde Alison. 'Ze dacht dat dokter Fothergill te jong was om een échte dokter te kunnen zijn.'

'Ik kan maar beter een baard laten groeien om meer geloofwaardigheid te krijgen,' zei dokter Fothergill tegen haar.

'Tja, nou ja, je moet de gevoelens van de patiënten ook een beetje begrijpen. Oude patiënten, jonge artsen; jonge patiënten, oude artsen; vrouwelijke patiënten, manlijke artsen en andersom, we kunnen niet altijd krijgen wat we verwachten – of graag zouden willen. Het kan soms beschamend zijn en dan moeten de zusters in staat zijn het weer recht te praten en de patiënt gerust te stellen. Soms worden er dingen tegen de zusters gezegd die ze nooit van hun leven aan een man zouden vertellen.'

'O ja, ze vond het verschrikkelijk toen de dokter een rectaal onderzoek deed,' ging ze verder, en voegde er toen aan toe: 'Maar ja, ik denk dat iederéén dat verschrikkelijk zou vinden.'

Een rectaal onderzoek is het onderzoek van het rectum met een behandschoende vinger. Erg onbevallig, erg onwaardig, maar bijzonder noodzakelijk.

'Maar je moet wel bedenken dat ze erg veel last van die ellendige aambeien heeft, dus ik ben ervan overtuigd dat ze bijzonder opgelucht zal zijn wanneer de operatie voorbij is.' Alison deed het Devon-accent van Kitty na: ''k Ga halluf dood van de pijn, dokter.'

'Het is een prettige diagnose om op de poli vast te stellen,' voegde de arts eraan toe. 'Iedereen die op de rand van zijn stoel zit in een poging het gewicht van zijn billen te houden, heeft een pijnlijke kwaal in de buurt van zijn anus.'

'Dat begrijp ik wel,' zei Alison. 'Ze zagen er ook afschuwelijk uit, heel grote en gespannen uitpuilende klompen. Ik had al eerder gemerkt dat ze altijd op haar zij in bed ligt.'

Ik reikte door het glazen doorgeefluik naar de spreekkamer en pakte de medicijnen die voor mevrouw Hall waren voorgeschreven.

'Dit is een verzachtende crème die in de anus moet worden gespoten. Er zit een speciaal lang mondstuk aan.' Ik liet het aan de leerling zien. 'Wil jij voorzichtig wat crème aanbrengen, wel het mondstuk eerst goed insmeren, hoor. Als je het haar van tevoren even uitlegt, kan ze het misschien zelf ook doen; als dat niet lukt, moeten de zusters het voor haar doen.'

Toen dokter Fothergill op het punt stond weg te gaan, had hij nog een laatste vraag.

'En kan iemand haar misschien raad geven omtrent haar dieet? Haar rectum lijkt wel een steengroeve. Er bestaat een vicieuze cirkel van niet willen gaan, niet meer gaan, met als gevolg constipatie en dat maakt een eventuele stoelgang helemaal onmogelijk. En vervolgens komt dan dat gedenkwaardige en vreselijke ogenblik wanneer de rectale aderen naar buiten puilen, openbarsten, bloeden en nooit meer uit zichzelf naar binnen gaan.'

'Ze heeft nog nooit van vezels gehoord en zou er niet over denken om appelschil te eten. "O dokter, je moet fruit altijd eerst schillen, dat zei mijn oma altijd, want anders bekomt het je niet." Typisch westers dieet, onvermengd puur witbrood, gemakkelijk voedsel, geen verse groente en "gezond" geschild fruit. Jesses.'

De medische wetenschap heeft onlangs de noodzaak van vezelrijke voeding ontdekt. Vezels zijn een afvalprodukt dat door zijn aanwezigheid de darmen tot regelmatige arbeid aanspoort waardoor stevige, goed gevormde ontlasting wordt geproduceerd.

Kitty kwam dit echter te laat te weten en bij haar moesten die overtollige zwellingen operatief verwijderd worden.

Ik maakte in gedachten een aantekening dat ik deze operatie binnenkort eens met de zusters moest bespreken tijdens een vergadering. Het is een operatie waar vaak luchtig over wordt gedaan en die als een eenvoudige operatie zonder problemen wordt afgedaan. Er wordt maar zelden de nadruk op gelegd dat het voor de patiënt uitzonderlijk pijnlijk is. Die tere omgeving is erg gevoelig en wordt tijdens de operatie nog gevoeliger gemaakt, dus is het naderhand een onmogelijke opgave je draai nog een beetje te vinden.

Kitty moest nog aan de afdeling wennen, haar omgeving leren kennen en voorbereid worden op de operatie die haar te wachten stond. Ze stond op vriendelijke voet met onze amateur-deskundige mevrouw Belfield, die ervan genoot dat ze in een positie was om haar kennis over het reilen en zeilen van Parker te kunnen delen. En het was fijn als iemand die in het ziekenhuis goed bekend was, een ander te hulp kwam die na opname in deze vreemde omgeving duidelijk onder een cultuurshock leed.

Hoewel ik er niet van overtuigd was of het wel goed zou blijven gaan, aangezien ze zo'n verschillende achtergrond hadden. Maar ziekte is een uitstekende sociale gelijkmaker.

En Leanda Belfield wist heel veel van ziekten. Ze had een nimmer aflatende, bijna obsessieve interesse in lichamen, ziekten en alle andere medische problemen. Ze verkondigde dat ze een 'gezondheidsmaniak' was, geheel in beslag genomen door kwakzalvers, modediëten, meditatie, kruidenkundigen, homeopathie en haar bevriende osteopaat die alles genas.

Nou ja, niet alles blijkbaar. Te oordelen naar haar aantekeningen was er nauwelijks een deel van haar lichaam dat in het verleden geen behandeling had ondergaan of enige aandacht had gekregen. Haar kroniek van slechte gezondheid bevatte onder andere het verwijderen van haar blindedarm, galblaas en eeltknobbels van de grote teen, en ze was ervan overtuigd dat ze binnenkort ook een verwijdering van de baarmoeder zou moeten ondergaan en dat haar ogen eens nagekeken zouden moeten worden. Vermoedelijk dacht ze dat ze vandaag of morgen beslist helemaal gezond zou worden.

Ik moet toegeven dat ze behoorlijk kon uitweiden en interessante verhalen kon vertellen over de landen waar ze met haar overleden echtgenoot was geweest. Haar leven was doorspekt met medische feiten: malaria in de Filippijnen, gierstkoorts in Singapore, giftige slangen, tropische beesten en vliegen, tot en met de fatale hartaanval van meneer Belfield in Hamburg.

Toen mevrouw Belfield pas was opgenomen, was ze een prettige patiënte geweest, hoewel enigszins overdreven.

'Ik heet Leanda, L-e-a-n-d-a, een leuke naam en erg ongebruikelijk, het was een idee van mijn lieve moeder. Maar iedereen noemt me Lele. Dus meisjes, jullie moeten me állemaal Lele noemen, daar stá ik op,' zei ze nadrukkelijk.

Sommige meisjes gehoorzaamden en voelden zich aangetrokken door haar gezellige geklets. Ze gaven zich helemaal bloot en verstrekten haar allerlei persoonlijke gegevens en dat hebben ze naderhand berouwd.

Ik en verschillende anderen waren van het begin af aan wat terughoudender; we vonden dat ze een beetje te intiem werd; té gauw té intiem. Ze kon ook wel gewoon verpleegd worden zonder meteen een boezemvriendin te worden. We gaven er de voorkeur aan onze beroepsmatige afstand te houden door aan het 'mevrouw Belfield' vast te houden.

Als we alleen in de spreekkamer waren hadden we het sarcastisch over *lady* Belfield, wanneer ze de lakens begon uit te delen en het personeel op hun taken wees.

Lele Belfield was goed op de hoogte van ziekenhuizen en kende het klappen van de zweep. Ze gedroeg zich vaak als lid van het personeel in plaats van als patiënt, omdat ze de routine, de vaktaal en de regels op haar duimpje kende. Het probleem was dat ze aan beide kanten kon staan. Soms wendden de patiënten zich tot haar om raad of uitleg als ze ons niet lastig wilden vallen.

'De hoofdzuster heeft niet graag dat we op de spreien zitten, Kitty.' Ze gaf haar medepatiënten standjes op het gebied van de regels. Of: 'Zorg dat het personeel niet merkt dat je op het toilet zit te roken.'

En dan wisselde ze weer van kant en werd de lastige patiënt. 'Het is al tien over en er is nog steeds geen koffie geweest, zuster.' Of: 'Ik krijg altijd mijn ijzerpil bij mijn ochtendmedicijnen, weet je.' Ze zat zoals zo vaak de zusters oplettend op de vingers te kijken. Ze had een aantal jaren van haar jeugd met tb in haar ruggewervels in een gipskorset in een orthopedisch ziekenhuis doorgebracht. Tijdens die periode was ze ongetwijfeld de kunst van het zusters-op-de-vingers-kijken, op-de-klok-kijken en het naleven van de regels machtig geworden. Ziekenhuizen oefenden een morbide aantrekkingskracht op haar uit en ze voelde zich in die omgeving op haar gemak, in tegenstelling tot de meeste andere patiënten, die bang zijn om te komen en maar al te blij zijn weer weg te kunnen.

De wetenschap die Leanda had vergaard was aanzienlijk, maar ze had niet geleerd om diplomatiek te zijn. Zelfs mensen uit de medische sector die patiënt worden proberen niet de afdeling vanuit hun bed te leiden. Leanda kon het niet laten zich overal mee te bemoeien. Soms was het gemakkelijk, soms hielp het andere patiënten, vooral Kitty, die aan haar lippen hing als ze sprak. Toch begon Leanda vervelend, irritant en bemoeizuchtig te worden, en ik was me ervan bewust dat de zusters haar begonnen te ontwijken wanneer dat maar enigszins mogelijk was.

Bovendien had ze zich onmogelijk gemaakt door met de ene zuster over de ander te praten en nachtdienstpersoneel tegen dagdienstpersoneel uit te spelen. ''s Nachts zijn ze zo slordig en lawaaierig, en ze doen alsof ze mijn temperatuur opnemen, maar in werkelijkheid doen ze dat helemaal niet.'

Het was moeilijk dergelijke opmerkingen te accepteren, vooral wanneer je het idee had dat jij als volgende aan de beurt was om over de hekel gehaald te worden. Dus was het personeel opgelucht toen ze zagen dat Leanda Belfield een nieuw slachtoffer had gevonden dat met 'oh's' en 'ah's' op haar medische voorgeschiedenis reageerde toen die haar werd voorgeschoteld.

Lele's huidige kwaal was haar *pièce de résistance,* waarmee ze de medici lange tijd had beziggehouden; haar niet-specifieke rugpijn was lange tijd als zijnde 'psychisch' afgedaan, 'neurotisch', 'hypochondrie', maar eindelijk was er een naald in haar darmen gelokaliseerd.

'Ik kan me er niets van herinneren, maar ik zal er tijdens het naaien wel eentje hebben ingeslikt.' Aannemelijk hoewel onwaarschijnlijk, maar er was geen andere uitleg.

En daar zat hij dan in een potje van het lab. Een naainaald, het zichtbare bewijsstuk om het verhaal te staven tegen iedere nietsvermoedende voorbijganger die onschuldig informeerde: 'En wat is er bij u gebeurd?' Ze liepen prompt in de val.

Haar operatie was geen probleem. Een ongecompliceerde snede in de buikwand; het openen van de huid, spieren, peritoneum, en de darmen, naald verwijderen, dichtnaaien en laten genezen. Maar uiteraard moest Leanda een complicatie krijgen, ook al was zij de laatste die dit erg vond.

Af en toe komt het voor dat de darmen na een operatie reageren door korte tijd niet meer te werken; ze houden een pauze terwijl het lichaam zich weer herstelt. Er wordt geen voedsel of vocht door het spijsverteringskanaal gelaten, het is er doodstil. Er is niets te horen van het normale gerommel; er heerst een onheilspellende stilte. De darmsappen hopen zich op, maken de patiënt misselijk en het gebrek aan vochtopname veroorzaakt uitdroging. De zaken worden weer normaal wanneer de verlamde darmen hun werk spontaan weer oppakken.

Ondertussen werd Leanda Belfield aan een infuus gelegd en had ze een maagsonde gekregen; vocht en voeding kreeg ze via het infuus, terwijl de maagsappen via de maagsonde werden afgezogen. Ze wachtte de normale werking af met het geduld dat je alleen ziet bij echt 'gehospitaliseerden', iemand die ervan geniet in een ziekenhuisomgeving te zijn. Verder was haar herstel probleemloos. Leanda liep al weer rond en was overal te zien, trots met haar infuus als een slanke danspartner.

De vijandigheid van het personeel kwam pas goed tot uiting toen geen van hen er veel voor voelde de hechtingen bij Leanda te verwijderen. Normaal gesproken is dit iets dat iedereen graag doet, maar de meisjes waren bang dat deze speciale patiënte erg veeleisend, kritisch en hinderlijk zou zijn. Ik loste de zaak op door Alison Pettigrew mee te nemen, zodat zij die handeling ook eens kon bekijken.

Het was voor haar de eerste keer dat ze zou zien hoe hechtingen werden verwijderd en ze was opgewonden bij het vooruitzicht. We legden samen alles klaar op de chirurgische kar en verzamelden de spullen die we nodig konden hebben, zoals verschillende ontsmettende vloeistoffen, verband en instrumenten.

Ik legde mevrouw Belfield plat op bed neer, met haar hoofd op een kussen, en ik hoopte maar dat ze alles niet zo goed zou kunnen zien, anders zou ze misschien erg kritisch worden.

'Denkt u eraan dat ik allergisch ben voor elastoplast, zuster. O, en ik wil liever niet dat u dat roze spul gebruikt, dat kriebelt zo.' Leanda wist precies wat ze wel en niet wilde. Ik begon nerveus te worden.

Leanda was helemaal opgevrolijkt bij het idee proefkonijn voor zuster Pettigrew te mogen zijn bij het verwijderen van haar hechtingen.

'Och, dat is niets bijzonders hoor, kind, dat zul je wel zien. Dat heb ik al zo vaak meegemaakt, daar is echt niets aan,' zei ze nonchalant.

Ik besprak de handeling van het hechtingen verwijderen met de leerling, en ze staarde naar de buik van mevrouw Belfield toen ik het verband dat over de wond lag, wegtrok. Ze merkte direct het gat op waar de drain had gezeten en ik zei snel dat het toch keurig netjes was genezen.

Vanwege dit extra gat waren de hechtingen er langer in gebleven dan normaal en was de zijde tamelijk diep in de meer dan voldoende aanwezige huid van Leanda gedrongen.

Als gevolg daarvan kwamen de hechtingen er niet op de gebruikelijke gemakkelijke manier uit. Ik moest me inspannen om de hechtingen los te krijgen en op te pakken en extra aandacht besteden aan het doorknippen van het knoopje.

Leanda lag een beetje te mopperen en te kreunen over de duur van het geheel. Ze maakte me nerveus en dat hielp niet bepaald om mijn taak vlotter te laten verlopen. Met trillende vingers probeerde ik de hechtingen omhoog te trekken, maar die verrekte plastic pincet liet ze telkens weer glippen. Ik stond zo gespannen over mijn werkgebied gebogen dat ik er rugpijn van kreeg.

Alison stond het allemaal op te nemen en plotseling merkte ik dat haar gezicht grijs, zelfs bijna groen werd, alsof ze op het punt stond over mij en de patiënte heen flauw te vallen.

Verdorie nog an toe! Daar stond ik met een steriele pincet in mijn schone handen, een blote en kreunende patiënte en een overgevoelige leerling-verpleegkundige die op het punt stond flauw te vallen.

'Alison, ga in de dichtstbijzijnde stoel zitten. Houd je hoofd tussen je benen, vooruit meisje, schiet op,' zei ik tegen haar. 'Is er een zuster in de buurt?' schreeuwde ik vanachter de schermen vandaan.

Burrows stak haar hoofd om een hoekje.

'Neem zuster Pettigrew mee. Ze staat op het punt flauw te vallen. Ik red het hier wel,' commandeerde ik.

144

Die afleiding gaf Leanda een extraatje voor haar toekomstige gesprekken en ze liet me mijn werk verder ongestoord afmaken. Wat Alison betrof nam ik aan dat dit de doorslag wel zou hebben gegeven; dat het nu wel afgelopen zou zijn en dat ik de scherven bij elkaar zou kunnen vegen. Maar nee. Ze kwam weer gauw bij en ging opgewekt verder.

'Ik hoop dat dit de eerste en de laatste keer is geweest,' verklaarde ze filosofisch. 'Ze hebben ons in de preklinische periode gewaarschuwd dat we misschien wel een keer zouden flauwvallen. Onze docente vertelde ons dat zij was flauwgevallen op haar eerste dag in de operatiekamer. En eentje uit mijn groep is flauwgevallen toen we vingerprikken oefenden.'

Goed zo, Alison, dacht ik, eindelijk een doorbraak.

Het bezoekuur was de ergste tijd voor Leanda Belfield. Ze had maar weinig familieleden en aangezien ze zo lang in het buitenland had gewoond, had ze weinig gelegenheid gehad thuis een vriendenkring op te bouwen.

Kitty Hall daarentegen zat nooit om bezoek verlegen. Haar operatie speelde een hoofdrol bij haar uitgebreide en bezorgde familie en ze ondersteunden haar geweldig. Lele kreeg het al snel voor elkaar zichzelf in de Hall-clan te werken, en gaf allerlei commentaar over Kitty's gezondheidstoestand in het bijzonder, en over het ziekenhuis in het algemeen.

Het was de hulp van iedereen die ermee te maken had die leidde tot de kleine achteruitgang van Kitty's toestand. Kitty was na haar operatie goed vooruitgegaan. De pijn was onder controle en ze genoot van haar dagelijkse, kalmerende zoutwaterbaden.

Na een hemorroïdectomie schreven we routinematig een laxeermiddel voor om de doorgang van ontlasting langs de pijnlijke geopereerde plek te vergemakkelijken. Ze kreeg ook haar dagelijkse Guinness om haar aan te laten sterken en ook dat werkte licht laxerend.

Leanda droeg haar steentje bij toen ze haar wat snoepjes gaf. 'Alsjeblieft, neem deze drop maar. Die is goed voor je stoelgang. Hier, neem het hele pak maar, hoor, ik kan ze op het ogenblik toch niet eten. Jij hebt het nu harder nodig, dan houd je de zaken in beweging.'

De familie Hall droeg ook hun steentje bij voor het herstel van hun mam. Het huishouden had onlangs een nieuwe mixer aangeschaft.

145

Met hun 'speeltje' en de nieuwe informatie over gezonde voeding, brachten ze uitgebreide voorraden vers geperst worteltjessap en vruchtenmoes voor hun moeder mee.

Andere bezoekers brachten sinaasappelen en druiven mee, dat extra beetje luxe dat is voorbehouden aan de zieken en zwakkeren.

Met al die 'vriendelijkheden' veranderde de situatie van subliem in potsierlijk. De eens zo trage, geconstipeerde en verstopte darmen werden eens goed aan het werk gezet, en wel op een manier zoals ze nog nooit was overkomen.

De eerste keer gebeurde het gedurende de overdracht van de verpleegkundigen onder etenstijd; Leanda belde.

'O God, kan ze nou niet even wachten tot we klaar zijn,' mompelde Sandra Dix nijdig. 'Die denkt zeker dat zij de zaak moet overdragen.'

Leanda probeerde de boodschap met gebaren over te brengen, maar dat werkte niet.

Alison bood aan even te gaan. We zagen haar naar mevrouw Belfield luisteren, die in de richting van de wc wees. Alison keek even naar het lege bed van Kitty en haastte zich toen naar het toilet. Binnen een paar seconden kwam ze naar ons terugrennen en riep om hulp.

'Mevrouw Hall heeft een ongelukje gehad, zuster. Ze is naar het toilet gerend, maar het was al te laat. Het ligt vol diarree.'

Ik kon mijn ogen niet geloven toen ik Kitty Hall zag, krampachtig op haar handen en voeten in dat kleine wc'tje. Ze had een rood gezicht van de tranen en ze had duidelijk erge pijn. Ze deed haar best de grond schoon te maken met verfrommelde stukjes wc-papier. Nu is het toiletpapier van de overheid altijd al hard en weinig absorberend, dus ze maakte de rommel alleen maar erger.

'O zuster, het spijt me zo dat ik deze walgelijke rommel heb gemaakt. Ik kon het niet ophouden, het kwam er zo opeens uitvallen.' Kitty was heel verdrietig en verontschuldigde zich hevig.

'Maak je maar niet druk, Kitty. Dit soort dingen gebeurt nu eenmaal. Ik maak me op dit ogenblik meer zorgen over jou dan over de rommel. Laten we je eerst eens overeind zien te krijgen.'

Alison en ik ondersteunden haar terwijl we haar overeind trokken en we moesten de zwakke vrouw stevig vasthouden. Haar benen trilden van de pijn die door haar heen schoot en haar gezicht was bleek en bezweet.

'O, ooh,' huilde Kitty, en wist niet op welk pijnlijk deel van haar lichaam ze zich nu het eerst moest concentreren. Ze hield haar buik vast die door een koliekachtige pijn werd getroffen. Tegelijkertijd kromp ze in elkaar van de scherpe pijn bij haar rauwe anus, die overwerkt was door de enorme hoeveelheid ontlasting.

Haar nachthemd zat vol vloeibare ontlasting, het liep langs haar benen en was op haar bonten pantoffeltjes gedruppeld. Ze liet een heel spoor achter op de grond en er zat zelfs ontlasting tegen de muur. De hele omgeving stonk als een riool.

'Laten we je eerst snel weer lekker in bed stoppen.' We droegen haar ongeveer die korte afstand terug naar haar bed, stopten haar in en keken hoe de kleur op haar wangen terugkeerde. Kitty lag verschrikkelijk te rillen door de shock, de pijn, het vochtverlies en de schrik over de rommel die ze had veroorzaakt. Ze was ook van streek omdat ze alles had bevuild, door het gebrek aan controle, iets wat normaal gesproken alleen demente oude vrouwtjes en baby's in de luiers overkomt.

Ik kon haar niet vaak genoeg geruststellen dat het er niets toe deed. Ik drong erop aan dat ze wat zou uitrusten, de hele zaak van zich af zou zetten en een pijnstiller zou nemen.

Hierna was ze bang om weer te laat bij de wc te komen en haar bed te bevuilen. Dat was een reële mogelijkheid, dus gaf ik Alison opdracht twee incontinentiematjes en een warme po op de stoel klaar te zetten, om haar wat gerust te stellen.

'Als je je straks een beetje beter voelt, zullen we je verschonen,' zei ik tegen Kitty toen ze achterover in de kussens ging liggen.

Toen ik haar medicijn ging halen, riep ik Sandra om vast te beginnen met het toilet schoon te maken en dacht daar verder niet meer over na.

We konden Kitty Hall wat kalmeren. Ze lag een beetje bij te komen terwijl Alison naast het bed zat om haar te troosten, toen ik een zeldzame herrie van de kant van het toilet hoorde.

Het ging er werkelijk zeer luidruchtig aan toe. De weergalmende stemmen van een heftige woordenwisseling werden steeds luider.

Sandra Dix stond in een strijdlustige houding de wc-deur open te houden en Maria – de Italiaanse hulp in de huishouding – stond met haar handen stevig in haar zij. Ze waren verwikkeld in een verhitte discussie. Ik zag dat dit verkeerd zou gaan.

'Meisjes, alsjeblieft, rustig toch, de dames proberen een beetje rust te krijgen en ik wil mevrouw Hall al helemaal niet weer van streek maken. Kom even mee naar het kantoortje.'

147

In de veiligheid van de zusterpost legden ze beiden hun probleem uit.

'Zij vragen of ik vloer schoonmaakt, susteh. Vloer zijn al schoongemaakt vandaag,' legde Maria vinnig uit.

'Nou, ik ben ziekenverzorgster en ik zie niet in waarom ik die verrekte vloer moet schoonmaken wanneer we een hulp in de huishouding hebben,' zei Sandra verontwaardigd.

'Ik hoeven van jou geen orders aannemen. Ik ga geen "stront" van vloeren schoonmaken; dat is werk voor zusters.'

Terreinafbakening, wat een toestand. Maar ik begreep de verschillende gezichtspunten wel.

'Eén ding is in ieder geval duidelijk, het moet in het belang van de patiënten op de afdeling gedáán worden. Sandra, als jij nu de str... ontlasting opveegt en Maria, zou jij dan de vloer willen dweilen? Lijkt het jullie zo eerlijk?' vroeg ik, en bood hun de beste oplossing die ik zo snel kon bedenken.

'Nou ja, goed,' zei Sandra met tegenzin en nukkig.

'Ja, is eerlijk, susteh. Ikke ga halen dweil.' Maria was gewilliger.

Iedereen voelde zich schuldig over wat mevrouw Hall was overkomen. We hadden allemaal bijgedragen aan de cumulerende zuivering: een samenloop van goede bedoelingen.

We ontdekten zelfs een nieuwe kant aan Leanda: ze kreeg berouw.

'O, zuster, ik ben ervan overtuigd dat het door mijn drop is gekomen, dat werkt vreselijk goed.'

'Och welnee, mevrouw Belfield. Het is niet door één ding gekomen. Het is alleen jammer dat ú er niet een beetje van heeft genomen, u had het ook wel kunnen gebruiken,' zei ik, waarbij ik doelde op haar aanhoudende darmverlamming en het infuus en de maagsonde die nog steeds op hun plaats zaten.

'Och hemeltje,' antwoordde ze monter, 'het enige dat ík heb gepresteerd was een piepklein zuchtje.'

'Wat? Bedoelt u dat u een wind heeft kunnen laten?' vroeg ik, geschrokken door haar opmerking.

'Ja, ik kon het niet tegenhouden toen ik me bij mijn nachtkastje moest bukken.'

'Geweldig! Werkelijk geweldig!' legde ik de verwarde patiënte uit. 'Dan komen uw darmen eindelijk in beweging.'

Van toen af aan herstelden Kitty en Leanda eensgezind in een geweldige vaart en ze waren de paar dagen voor hun ontslag de koninginnen die met de theewagen rondgingen.

Toen ze inpakten om te vertrekken, wisselden ze adressen uit en ik vond het een leuk idee dat Leanda misschien een vriendin in de buurt had gevonden.

'Weet je, Lele, ik zag er verschrikkelijk tegen op om hier voor mijn operatie naartoe te gaan. En ik ben heel blij dat ik naast jou ben terechtgekomen. Wat hebben we gelachen en gezellig gekletst, hè? Jij hebt het allemaal veel gemakkelijker voor me gemaakt. Ik heb dank zij jou van mijn ziekenhuisverblijf genoten,' gaf Kitty ten slotte toe.

En zo verlieten weer twee tevreden klanten Parker. Zij namen hun herinneringen mee: pijn, opluchting, schaamte en interesse, gekreun en gelach; de ellende en extase van de rijke wereld die het ziekenhuisleven te bieden heeft.

Alison Pettigrew was ook tevreden. Ze is bij ons gebleven, heeft veel geleerd en het nodige zelfvertrouwen opgebouwd. Ze werd ook zwaarder, zoals bij veel nieuwe meisjes het geval is, maar ze is in de verpleging gebleven en ik was blij dat ze haar kans op Parker had gekregen.

OPWINDING

Soms kreeg ik tijdens de overdracht aan de nachtdienst wel eens heimwee naar dat werk. Ik vroeg me af hoe het leven op Parker in het donker zou zijn en benijdde de zusters bijna om dat speciale intieme gevoel dat nachtdienst met zich meebrengt.

Nachtdienst is tijdens de opleiding altijd een van mijn favoriete diensten geweest. Het was prettig je eigen werk in te delen en je eigen baas te zijn zonder dat er een hoofdzuster op je vingers stond te kijken. Er werkten twee of drie leerlingen op een afdeling en er was een nachthoofd, een verpleegkundige uiteraard, die de verantwoordelijkheid over het hele ziekenhuis had. Op die manier werkte je redelijk zelfstandig. De tijden waarop het nachthoofd langskwam waren tamelijk voorspelbaar, en afgezien van noodgevallen werden we aan ons lot overgelaten. 's Nachts voelden de leerlingen zich belangrijk op de afdeling, misschien zelfs wel een beetje machtig wanneer ze voor het eerst werkelijke verantwoordelijkheid kregen en behoorden tot de mensen die het tijdens de kleine uurtjes voor het zeggen hadden.

Veel zusters vonden nachtdienst uitermate zwaar of deprimerend omdat ze hun vrienden en sociale activiteiten misten als ze op die rare tijd moesten werken. Sommigen konden niet goed slapen overdag en raakten volkomen uitgeput door de verandering in hun routine en de verstoring van hun lichamelijk evenwicht.

Maar ik voer wel bij de nachtdienst. Ik genoot als ik het vredige ziekenhuis tegen de schemering binnenliep. Er hing dan zo'n volkomen andere sfeer dan overdag, wanneer iedereen druk in de weer was. De gangen waren stil en leeg op een oude schoonmaker of verpleeghulp na. Het hele gebouw leek 's nachts veel groter en meer te weergalmen met die felle lichten in de gang en de net geboende vloeren.

Aan het einde van de dienst zat er bijna een sadistisch kantje aan het naar huis gaan – naar een lekker warm bed – terwijl alle andere passagiers in de bus net met moeite uit hun bed waren gekomen en zich naar hun werk sleepten. Ik viel als een blok in slaap na een nachtdienst, maar het was wel belangrijk om nog enige sociale activiteiten tussen het slapende en werkende bestaan te persen.

Tijdens mijn opleiding moesten we drie maanden achter elkaar in de nachtdienst: vier nachten werken, drie nachten vrij; op die manier kwamen we in een zekere routine. Mijn Gartland-leerlingen deden een 'interne stage' en dat betekende dat ze op de afdeling waar ze stage liepen zowel dagdienst als nachtdienst deden en zich op die manier dus een beeld konden vormen van de vierentwintiguurs verzorging op iedere afdeling. Ieder systeem heeft zo zijn voor- en nadelen.

De afdeling in kwestie besliste wat er 's nachts gedaan moest worden. Sommige afdelingen waren zwaar, andere werden als gemakkelijk beschouwd. Mijn voorkeur voor nachtdienst stamt waarschijnlijk uit mijn eerste nachtdienst op de afdeling mannenorthopedie en die stond bekend als een van de prettiger afdelingen. De sfeer was prettig, joviaal en zelden inspannend en dus was het daar heel plezierig werken.

Het was een afdeling waar hoofdzakelijk jongemannen lagen met gebroken benen die gezet moest worden of met benen waar na een ongeluk of een sportblessure een pin in gezet moest worden. Er waren nogal wat meniscusoperaties als gevolg van knieletsel, opgelopen bij rugby, en gebroken ledematen, opgelopen bij verkeersongelukken op motoren of met auto's. Afgezien van hun collectie kunstledematen, bouten, schroeven, gips of tracties, waren ze gezond en goed in staat zichzelf en elkaar te helpen.

Het meeste routinewerk wat betrof onderzoeken werd overdag gedaan, maar we kregen 's nachts wel ons deel verpleegkundige zorg en sporadische noodgevallen. Noodgevallen hebben geen enkel respect voor tijd of omstandigheden.

Sommige nachten waren druk en dat betekende altijd heel hard werken omdat er uiteindelijk slechts een minimale personeelsbezetting was. Daar stonden we dan in het schijnsel van een zaklantaarn aan infusen te mieren en achter schermen met beddegoed te frutselen. Zelfs een paar ernstig zieke patiënten die regelmatig gecontroleerd moesten worden, konden het sterk gereduceerde aantal zusters al heel aardig bezighouden. Als je dan om acht uur 's morgens naar huis ging, duizelde het je letterlijk van de voortdurende rondgang voor polscontroles, bloeddrukcontroles, wond- en infuuscontroles, het draaien van patiënten en het opnemen van noodgevallen. Soms vroeg je je af hoe je dit moest volhouden, maar op de een of andere manier lukte dat toch altijd.

Over het algemeen was het echter uitzonderlijk rustig op onze mannenorthopedie, aangezien de meeste patiënten wel zo attent waren om te slapen. En dan was het toegestaan om te lezen, te leren, te breien of brieven te schrijven, nadat de administratie en routinetaken gedaan en de patiënten verzorgd waren.

Als eerstejaars was ik de jongste op de afdeling en Susy French was op mannenorthopedie mijn meerdere. We konden het direct goed met elkaar vinden en hadden het tijdens de nachtdiensten die rustig en zonder problemen verliepen bijzonder naar onze zin. Natuurlijk leerden we elkaar goed kennen tijdens die stille nachten en dat was de basis voor onze verdere vriendschap. In elkaar gedoken in grote bruine leunstoelen, weggekropen in onze capes met warme drankjes en een paar chocolade laxeerkoekjes binnen handbereik, spraken we openhartig over onszelf, of liever gezegd flúisterden we openhartig, op die gedempt verlichte, rustige afdeling. Daar heeft ze me over haar baby verteld die ze had gekregen voor ze de verpleging was ingegaan; een jongetje dat ze ter adoptie had afgestaan, en over de lichte depressie die ze daarna had gehad. Maar dat was allemaal verleden tijd.

Ik moest altijd voor Susy de wacht houden als ze heimelijk een dutje in het zijkamertje ging doen, vooropgesteld dat dit leeg was. Dit was tegen alle regels in en als het nachthoofd er een zuster op betrapte, kon ze de rest van haar opleiding wel vergeten. Maar Susy kon overdag niet goed slapen en gebruikte haar nachtelijke vrije lunchuurtje om zich even uit te strekken. Ik liep ook risico door haar te dekken, maar als ik tijdens haar lunchuurtje doodzenuwachtig alleen de verantwoordelijkheid voor de afdeling had, wist ik dat ik Susy wakker kon maken als er iets onverwachts zou gebeuren.

Voor mij is overdag slapen nooit een probleem geweest. Ik heb me als ik 's avonds om zeven uur opstond en de hele dag had geslapen, nooit zo beroerd gevoeld als wanneer ik om zeven uur 's ochtends moest opstaan; dat heb ik altijd een ramp gevonden.

Een ander groot lichamelijk probleem vormen de darmen. Je moet een sterk spijsverteringsstelsel bezitten om 's nachts om een uur een warme maaltijd te kunnen verteren. Velen van ons namen de moeite niet om 's nachts iets te gaan eten, maar verzamelden zich in de kantine en nipten wat aan de puddingen die er stonden en roddelden een beetje.

Ik raakte verslaafd aan toost met boter en bouillon; dat vormde het hoofdbestanddeel van mijn dieet in de nachtdienst.

Er ontstond een kameraadschap tussen collega's die in de nachtdienst hadden samengewerkt, een speciale band tijdens die speciale periode in het ziekenhuisleven.

Ik denk nog graag terug aan die ochtenden waarop het 's zomers al vroeg licht werd. Bij de theepauze om vier uur 's ochtends nam ik dan een stoel mee naar het balkon en keek hoe de zon opging, luisterde naar de vogels die luidruchtig ontwaakten op hun nestjes en zag hoe de wereld zich langzaam klaarmaakte voor de nieuwe dag. Eerst de stilte van de nacht en een paar auto's; dan kwamen er plotseling meer; de eerste ochtendbus; een paar vroege werkers met hun lunchtrommeltje haastten zich voort; een fietser; een melkboer. De patiënten zouden weldra in hun sluimer worden gestoord en in actie worden geroepen voor een nieuwe drukke ziekenhuisdag en onze ochtendroutine zou opnieuw beginnen. Een van de patiënten die altijd vroeg opstond zou al in de keuken bezig zijn met theezetten voor de morgenronde waar met verlangen naar werd uitgekeken. Hij stond er altijd op de nachtzusters eerst te bedienen.

Een minder aantrekkelijke eigenschap van de afdeling was de hoeveelheid kakkerlakken, altijd trouw aanwezig in iedere ziekenhuisomgeving. Feitelijk hadden alle afdelingen er last van en vooral 's nachts. Die grote, bruine, stijve beesten kropen dan uit hun holletjes om in de duisternis rond te wandelen; ze verzamelden zich op warme plekjes en gingen op zoek naar voedsel. Meestal zag je er wel een paar in de keuken en bij de pijpen van de onderzoekkamer, dus daar hielden we de lichten altijd aan om ze af te schrikken. Hun hoornige schilden boden voldoende bescherming tegen kapot trappen, maar we maakten jacht op ze met ether, wat de parasieten verstikte en hun lichaampjes in elkaar deed schrompelen. Als ze op hun rug lagen met hun pootjes omhoog, veegden we ze op en wisten heel zeker dat er de volgende nacht weer andere zouden komen.

Mannenorthopedie was een leuke afdeling. De jongens plaagden iedereen die daarop inging, maar alleen als ze er zeker van waren dat het goed werd opgenomen. Als heel jonge leerling was ik een logisch slachtoffer.

Mijn doop was een thermometer die in een kopje warme thee werd gehouden en een gigantisch hoge temperatuur aanwees. Stel je mijn blik van schrik en ongeloof voor toen ik die astronomisch hoge waarde las. Ik rende met het nieuws over 'die arme zieke jongen'

153

naar Susy. De andere jongens vonden het een reuzenmop en mijn gezicht vertoonde aanzienlijke overeenkomst met een tomaat!

Maar wij hadden het laatste woord toen Susy en ik met een kom koud water en natte washandjes naar de boosdoener gingen om de arme patiënt met zijn 'hoge koorts' koud af te sponzen.

De jongens verveelden zich en dat was wel te begrijpen. Ze waren vaak weken of maanden achtereen aan het ziekenhuis gekluisterd.

Er deden wat erotische blaadjes de ronde bij de jongere jongens, maar ze zorgden er wel voor dat de zusters die dingen niet zagen, vooral de gediplomeerden niet. We wisten allemaal dat deze blaadjes clandestien de ronde deden, maar respecteerden de wens van de jongens om dit privé te houden. Misschien waren ze wel beleefd en wilden ze ons – dames – niet in verlegenheid brengen. Maar het was waarschijnlijker dat ze zichzelf niet in verlegenheid wilden brengen met een ongetwijfeld urgent en dringend probleem.

Jonge, warmbloedige mannen ondergingen hun gedwongen en langdurig celibaat niet altijd even gemakkelijk. Het gebrek aan seksuele ontspanning werd bovendien verergerd door de onvermijdelijke aanwezigheid van jonge zustertjes. Zij waren zich werkelijk niet bewust van het krachtige effect van hun speels geplaag en luchtig geflirt met de seksueel misdeelden. De jongens zaten gevangen en de meisjes waren onbereikbaar. Zo dichtbij, en toch zo ongrijpbaar.

Ondanks hun frustratie waren de mannen toch maar zelden openlijk suggestief tegen de zusters. Als er ook maar de kleinste avance werd gemaakt, wezen andere patiënten hun collega-patiënt meteen terecht. Het was een soort erecode om geen misbruik van de zusters te maken, niet de hand te bijten die je voedt. Of, zoals een jongen het zei: 'Je moet nooit je eigen stoep bevuilen!'

Naar de zusters tasten werd beslist niet getolereerd en geen enkele zichzelf respecterende patiënt deed zoiets.

Als regel neemt de seksuele interesse af wanneer de geest en het lichaam zich op het genezen van het zieke of verminkte lichaam concentreren. Maar deze jongens waren over het geheel genomen gezond en alert, hadden een geïnteresseerde geest en goedwerkende seksuele organen, maar werden gedwongen passief te blijven.

Het was dus ook geen wonder dat we tijdens de nachtdienst van tijd tot tijd ritmische bewegingen onder de dekens waarnamen – voor de verveelde, gefrustreerde en begrijpelijk opgewonden jongemannen was onschuldige zelfbevrediging de enige seksuele uitlaatklep.

De jongens op de orthopedie leidden een aanzienlijk minder actief leven dan ze buiten het ziekenhuis gewend waren, dus werden ze 's nachts nogal eens wakker. Het duurde een tijdje voor ik besefte dat de 'thee' een onofficiële, vastgeroeste routine op de afdeling mannen-orthopedie was. Het was al bij generaties patiënten een gevestigde en gehandhaafde gang van zaken, lang voordat dat nieuwelingetje ooit een voet op de afdeling had gezet. Het was een vast extraatje voor de patiënten.

In de kleine uurtjes werd de afdeling op een paar snurkers na rustiger en vredig.

'Zuster,' fluisterde een patiënt dan, 'is er nog thee?'

Het was aardig en beleefd om een patiënt af en toe een kopje met iets warms te geven om te helpen beter in slaap te vallen.

Ik kwam terug uit de keuken met een dampend kopje en merkte dat de patiënt zijn buurman had wakker gemaakt met het nieuws dat er thee werd gezet.

Toen ik met het tweede kopje terugkwam was de boodschap al doorgegeven en zaten ze bijna allemaal recht overeind.

En mannen staan bekend om het feit dat ze twee of drie scheppen suiker in hun kopje thee doen, in tegenstelling tot de op hun dieet lettende zusters die er niets in doen.

'Maar de hoofdzuster laat niet zo'n grote voorraad suiker achter voor zoveel onverwachte kopjes,' protesteerde ik.

De orthopedische afdelingszuster had nog gewoonten die uit de donkere oorlogstijd stamden, toen zij was opgeleid. Ze had de tijd van rantsoeneringen nooit achter zich kunnen laten. De voorraden werden achter slot en grendel achter in de linnenkast bewaard en er werd slechts het hoogst noodzakelijke op vastgestelde tijden uitgedeeld.

'We kennen haar, meisje.' En daarop opende de huidige houder van illegale waren zijn nachtkastje om zijn thee- en suikervoorraad te tonen. Die pakken circuleerden eindeloos, van pas ontslagen patiënten naar een herstellende die de verantwoordelijkheid van het bewaren en aanvullen van de kostbare waren dan overnam.

De theeparty's om twee uur 's ochtends waren zo regelmatig dat het gemakkelijker was direct een hele pot te zetten en alles in een keer rond te delen, dan iedere keer met één kopje heen en weer naar de keuken te lopen.

Er waren gelukkig geen po's nodig om de thee een uur later aan de andere kant weer kwijt te raken! Wat dat betrof waren de gemakkelijk hanteerbare urinalen voor mannen een zegen.

Op de laatste nacht van mijn vier nachten op mannenorthopedie werkte ik samen met een andere jonge leerling die de rest van de week nachtdienst op de afdeling zou hebben.

En dus was ik nu extra en 'dreef' in de pool van reservezusters die hielpen waar het nodig was en niet de geborgenheid van een bepaalde afdeling kenden. Het was behoorlijk zenuwslopend, vooral voor de jonge leerlingen die nog maar minimale ervaring hadden en slechts een beperkte kennis van het ziekenhuis.

We kwamen trillend en bibberend op ons werk en hadden er geen idee van wat ons die nacht te wachten zou staan. De pool-meisjes verzamelden zich buiten de centrale zusterpost om hun lot af te wachten en te horen welke taak ze toebedeeld kregen.

Geluiden als 'ha, fijn' werden gehoord als iemand zo gelukkig was naar de prettige gynaecologische afdeling gestuurd te worden. Meelevende geluiden zoals 'pech, jò,' waren te horen voor hen die naar de inspannende en zware intensive care werden gestuurd. De kinderafdeling was altijd in trek, net als de Eerste Hulp; dat was jachtig werken, maar wel interessant.

De afdeling endocrinologie werd altijd als een makkie beschouwd, maar het was er wel griezelig. Zo eenzaam aan het eind van de interne afdelingen. Er lagen nooit veel mensen op de metabolische afdeling, ze waren afgezien van een hormonale storing die nagekeken moest worden, gezond, en sliepen de hele nacht als een blok. De dienstdoende zuster moest zowel 's nachts als 's ochtends verschillende monsters afnemen. Het was geen echte verpleging. Het was een eenzame en saaie baan, die echter werd gewaardeerd door zusters die voor een examen zaten, omdat ze blij waren met de rust en eenzaamheid om even goed te kunnen studeren.

Ik vond het niet erg om naar mannenchirurgie te gaan, want daar had ik in de dagdienst al eerder gewerkt. Het was een stinkend hol, je moest hard werken en er werd veel van je rug gevergd, maar ik vond het niet erg omdat ik de weg op die afdeling kende. Als je de afdeling niet kende was het invalwerk veel zwaarder.

Ik leefde in angst en beven dat ik naar een 'speciale' patiënt gestuurd zou worden die ernstig ziek was, en alle verantwoordelijkheid voor die ene patiënt zou krijgen die voortdurende en individuele zorg nodig had. Hoewel ik wist dat ik niet helemaal alleen op de afdeling was, was ik toch veel te jong om zo'n verantwoordelijkheid aan te kunnen. Desondanks wordt er in noodgevallen zelfs een beroep op jonge leerlingen gedaan en worden ze rustig in het diepe gegooid. Toepasselijk 'pool-zusters' genoemd, waren zij degenen die ieder gat dat ontstond moesten opvullen, vooral wanneer er plotseling iemand van het personeel ziek was geworden. Er werd van hen verwacht dat ze hielpen waar dat nodig was.

Wanneer er geen specifieke nood was, werd de pool-zuster als derde zuster naar de drukste afdeling gestuurd. Dan werd je meestal gebruikt als rondzwervende begrafenisondernemer.

Ik voelde me nooit op mijn gemak als derde zuster op een afdeling, aangezien ik wist dat er altijd een kans was dat ik weggeroepen zou worden om ergens anders te gaan helpen om een lijk af te leggen. Iedere keer als de telefoon ging kromp ik in elkaar; de telefoon ging 's nachts toch al niet zo vaak. Dan was het een opluchting als ik hoorde dat de afdeling een nieuw noodgeval had toegewezen gekregen en mijn aanwezigheid nog enige tijd vereist zou zijn!

Het alternatief was: 'Zuster Davies, het nachthoofd wil graag dat je even op Intern-2 gaat helpen, daar is iemand overleden.' Dit gebeurde vaak rond zes uur 's ochtends, als de normale drukke ochtendbezigheden net waren begonnen en ik mijn gelukkige gesternte begon te danken dat ik er die nacht weer goed vanaf was gekomen.

Ik pakte dan nauwgezet en langzaam mijn spullen bij elkaar. Ik hoefde me niet te haasten, het lijk zou nergens heen gaan – althans niet voor ik erbij was geweest. Mijn maag maakte zich luidruchtig kenbaar en ik voelde dat ik een droge keel kreeg, zodat ik een paar keer moest slikken. De gedachte aan de morbide taak die voor me lag vervulde me met afschuw.

Ik nam er de tijd voor om de lange, lege, stille en helder verlichte gang door te lopen en ik was niet in staat de gedachte aan de figuur onder het laken van me af te zetten en me hem voor te stellen. Was het een hij of een zij? Mager of dik, grijs of blond? Oud of jong, lelijk of aardig, glimlachend of gruwelijk starend?

Ik was er allang aan gewend geraakt mijn eigen patiënten die ik had verzorgd en als mens had leren kennen, af te leggen. Daarvan hadden we er meer dan genoeg op Chirurgie-5 gehad, en dat was geen probleem voor me geweest. Het was niet altijd een prettig einde, maar het was soms onontkoombaar en onvermijdelijk. Soms was ik zelfs dankbaar dat hun verder wanhopig lijden was bespaard en dan was het nog minder erg om betrokken te zijn bij de laatste zorg.

Maar ik had er een hekel aan opgeroepen te worden om een onbekende te helpen afleggen. Dat deed aan horrorfilms denken: midden in de nacht een duister lijk onder een wit laken.

Achter de schermen werkten mijn onbekende collega en ik onopvallend bij het licht van een nachtlampje met het onbekende lijk. Ik werkte altijd het liefst van beneden naar boven en liet het gezicht zo lang mogelijk bedekt. We wasten het ijskoude, mauvekleurige lichaam en droogden het af, vervolgens stopten we de openingen van de darm en vagina vol met watten om te voorkomen dat faeces of afscheidingsprodukten naar buiten zouden lekken. Een slappe penis werd met een stuk pleister afgebonden om het lekken van urine tegen te gaan. Infusen, drains en slangen werden verwijderd en het achterblijvende wondje met een verbandje bedekt.

Wanneer het lichaam omgedraaid werd, gaf het vaak een akelige kreun omdat er lucht door de keelholte uit de longen werd geperst. Loodzware ledematen die niet meer onder spiercontrole stonden, konden op lugubere wijze van het bed afvallen.

Eindelijk kwam het gezicht dan aan de beurt, dat onbekende gezicht onder die massa opgeschoven laken. Ik haatte dat ogenblik van onthulling en mijn fantasie had niets meer met de werkelijkheid te maken. Mijn geest stelde zich de gekste dingen voor en mijn hart klopte in mijn keel. Wat zou ik te zien krijgen? Wie zou ik zien? Hoe zou hij eruitzien? Blauw, wit, met littekens, starend, glimlachend – lévend? Op de een of andere manier had ik het gevoel dat die persoon zijn blik op mij zou vestigen, me aan zou staren, me zou vastgrijpen en me mee zou nemen naar die onbekende bestemming.

Het is onvermijdelijk dat zusters een zekere hoeveelheid dood tegenkomen in de loop van hun werk. Het is een beroepsrisico en iets waar je doorheen moet. Het kan op ieder ogenblik tijdens de opleiding gebeuren, vanaf de eerste tot en met de laatste dag, het blijft onvoorspelbaar. Zusters kunnen de dood onder allerlei omstandigheden tegenkomen: de bloederige, plotselinge dood die de Eerste Hulp wordt binnengebracht als gevolg van een gewelddadig trauma of verkeersongeluk; het onverwachte overlijden van een ziekenhuispatiënt op iedere willekeurige afdeling als gevolg van een hartstilstand of hersenbloeding.

Er zijn patiënten met terminale kanker die de hele afdeling over geschoven worden tot ze bij de deur liggen of het zijkamertje ingaan om daar hun laatste adem uit te blazen. De meesten sterven echter in hun eigen huis of in een speciaal tehuis voor stervenden.

De geriatrische afdeling had uiteraard een hoog sterftecijfer, terwijl op gynaecologie en orthopedie slechts zelden een dode viel. Chirurgische patiënten kunnen ertussenuit knijpen als ze een plotselinge inzinking krijgen. De interne afdelingen hebben hun eigen aantal patiënten bij wie een of meer lichaamsfuncties ophouden met werken: nieren, hart, lever, longen. De laatste keer wordt gevolgd door een zekere dood en dat kan na een langgerekte ziekte een hele opluchting zijn.

Op de kinderafdeling is er de af en toe voorkomende tragedie van een stervend kind en het hartverscheurende en schrijnende ongeloof van de ouders. De zusters moeten bij de hand blijven, naar buiten altijd sterk en troostend zijn, zelfs al hebben ze het gevoel dat ze innerlijk worden verscheurd door hun eigen verdriet.

De zusters moeten niet alleen hun eigen vooroordelen en angsten de baas zien te blijven, maar hebben bovendien ook nog eens met de gevoelens van de stervende patiënt en de verontruste familieleden te maken.

Er is geen enkele zuster die het gemakkelijk vindt om met de dood om te gaan. Maar je moet het kunnen aanvaarden om je werk goed te kunnen doen. Een van de meest effectieve manieren om ermee om te gaan is om de zaak te bagatelliseren, om de grappige kant ervan in te zien. Daarom lijken zusters soms ongevoelig of hard en oneerbiedig als ze vrolijk over dit onderdeel van hun werk spreken. Het is een vorm van afweer. De hysterie van angst en lachen ligt dicht bij elkaar, zoals ik een keer merkte toen een reusachtig lijk weggleed toen we het van het bed op de brancard van het mortuarium tilden. De zusters en de verpleeghulpen moesten eerder hun neiging om in lachen uit te barsten onderdrukken, dan hun angstschreeuw.

Zusters zijn niet naar behoren toegerust om met de dood te kunnen omgaan en de mensen uit onze maatschappij over het geheel genomen evenmin. De dood is het laatste taboe. Over seks zijn we allemaal uitgesproken, maar niet over de dood. De mensen worden naar ziekenhuizen afgevoerd om in een vreemde omgeving verzorgd te worden en te sterven omringd door goedbedoelende vreemden. Vrienden en familie komen niet graag bij dit levende lijk op bezoek, het is of het om iemand gaat die ze nog nooit eerder hebben gezien.

Het wordt aan deze vreemden overgelaten het lijk dat dan in de kunstmatig in elkaar gezette 'kapel der rust' 'slaapt' te verzorgen wanneer de tijd daarvoor is aangebroken.

Tijdens de opleiding voor verpleegkundige trachten de docenten het onderwerp 'sterven' te introduceren en zij betrekken de leerlingen in een gesprek om het in de openbaarheid te krijgen. Maar ook al wordt er nog zoveel over gesproken, het zal nooit de angst wegnemen die een zuster voelt vóór ze haar eerste dode heeft ontmoet.

Zusters worden niet beschermd door hun ervaring of leeftijd. Meisjes van achttien jaar krijgen vaak dingen te zien die rijpere en oudere volwassenen nog van streek zouden maken. Het is voor iedere zuster een gedenkwaardige gelegenheid wanneer ze haar eerste lijk ontmoet; het is een belangrijke ervaring en het is de hindernis waar ze op zat te wachten en die haar in het vak zal inwijden. Tot dat ogenblik is ze er niet zeker van of ze het wel aankan, of ze wel met de verpleging zal doorgaan, of ze niet flauw zal vallen terwijl er van haar verwacht zal worden dat ze dapper is. En dan realiseert ze zich dat de angst veel erger is dan de werkelijkheid en ze is opgelucht dat ze dat obstakel met succes heeft overwonnen.

Maar midden in de nacht, met dat eenzame lijk onder die lijkwade, als haar nekharen overeind gaan staan, begint ze toch weer te twijfelen.

Er was altijd één ding dat ik erg graag wilde om die overtollige vierde nacht voorbij te laten gaan, en dat was tussen de mannen- en vrouwenorthopedie heen en weer rennen.

Het betekende dat ik op de zware vrouwenafdeling werd neergezet, maar ik kon naar de prettiger mannenafdeling lopen voor een geoorloofd bezoekje.

Mannenorthopedie met zijn meestal jonge patiënten was altijd iets heel anders dan de vrouwenkant, waar hoofdzakelijk oudere dames lagen met afwijkingen ten gevolge van slijtage aan heupen, knieën, tenen en rug.

Er waren veel heupoperaties om nieuwe gewrichten aan te brengen als gevolg van een jarenlange steeds sterker invalide makende artrose of na een plotselinge breuk in die buurt; dat komt nogal eens voor bij ouder wordende vrouwen. Op deze afdeling lagen ook herniapatiënten van wie de pijnlijke en onbetrouwbare ruggen gecorrigeerd werden, en er werden veel correctie-operaties uitgevoerd op eeltknobbels aan voeten als gevolg van te nauwe schoenen. 'Wie mooi wil gaan, moet pijn uitstaan.'

Ik was verbaasd dat al die tengere oude dames een operatie ondergingen en overleefden, en dank zij hun stalen gewrichten een prettiger en actievere oude dag zouden krijgen.

Desondanks was het hard werken 's nachts. De meeste dames waren tamelijk snel weer op de been. Ze werden na hun operaties door de zusters en fysiotherapeuten geholpen met het gebruik van looprekken of postoelen. Maar 's nachts waren we bang dat er iets zou kunnen gebeuren en namen we het risico niet dat ze in het donker aan de wandel zouden gaan; dus moesten ze in bed blijven en waren ze tijdens de nachtdienst aan hun bed gekluisterd, tenzij ze volkomen in staat waren zichzelf te helpen.

En dat betekende eindeloos sjouwen met po's, steeds meer po's. Grote billen, dikke billen, die op en van de po gesjord moesten worden. Een nacht op de vrouwenafdeling voelde je altijd goed in je rug.

Het werd ook wel de 'posteeg' genoemd. Het geluid van po's die werden opgestapeld in stalen rekken weerklonk over de afdeling in de stilte van de nacht. En hoewel het tegen de regels was, vroegen sommige dames om een steek – zoals zij dat noemden – onder de dekens of op een stoel, zodat ze er 's nachts snel op konden wippen. Aan de andere kant kwam het ook wel voor dat iemand in slaap viel terwijl ze nog op de po zat en 's morgens om zes uur in die houding werd aangetroffen!

Als regel geven zusters er de voorkeur aan mannen te verplegen. Ze zien althans de voordelen in van het verplegen van mannen. Bedlegerige mannen gebruiken het urinaal tot dit vol is, en dan vragen ze een nieuw. Het anatomische voordeel is heel duidelijk en onmiskenbaar!

De psychologische voordelen worden als je enige tijd met beide geslachten bent omgegaan ook heel duidelijk. Wanneer mannen ernstig ziek zijn of pijn hebben, vinden ze zichzelf erg zielig, terwijl vrouwen sterker zijn en meer veerkracht hebben. Maar zodra ze zich weer beter voelen, zijn mannen er als de kippen bij om zich weer onafhankelijk te maken. Dat is een vorm van ridderlijkheid of verlegenheid of trots; maar wat de reden ook is, ze doen het liever zelf dan dat ze een jong meisje voor ieder wissewasje laten lopen.

En dat kan met de dames wel eens anders zijn. De herstellende vrouwelijke patiënte kan volkomen tevreden zijn met de luxueuze situatie dat ze tijdens haar korte ziekenhuisverblijf op haar wenken bediend wordt. Sommigen worden uiterst luidruchtig en 'zitten boven op de bel', een neerbuigende uitdrukking die we gebruiken wanneer iemand buitensporig onredelijk en veeleisend wordt.

Een ander opvallend verschil tussen mannen- en vrouwenafdelingen is de omgeving; de vrouwenkant ziet er beslist gezelliger uit. De vrouwenafdeling ziet er helder en fris uit, het ruikt er schoon en op de een of andere manier ziet het er verzorgder en schoner uit, alsof de patiënten meer aandacht aan kleine details schenken. De persoonlijke spulletjes die ieder bed omringen vertellen heel wat over de persoon in kwestie, evenals de giften en bezittingen die trots worden tentoongesteld.

Vrouwen krijgen veel bloemen toegestuurd; kleine bakjes met roze roosjes, grote bossen gladiolen en irissen die achter de gordijnen blijven haken, planten in potten met linten en kaartjes vol goede wensen. Dames krijgen vaak meer beterschapskaarten met bloemen en nog bloemrijker bewoordingen erop. Dat doet er ook niet toe, het is de gedachte die telt. En iedere wens wordt uitgestald in de daarvoor bestemde ruimte van iedere patiënt, op het nachtkastje, rondom het hoofdeinde en op het uitzuigapparaat.

Het nachtkastje van een vrouwelijke patiënt staat vol met 'lekkere luchtjes'; exotische talkpoeders en parfums, heerlijke zepen en eau de colognes, papieren zakdoekjes en make-uptasjes, alles klaar om te gebruiken voor het bezoekuur. Er zijn mooie nachthemden en ochtendjassen, bedjasjes en bonten pantoffeltjes, en veel dingen zijn speciaal aangeschaft voor de geplande opname.

Op bijna ieder nachtkastje staat een doos chocolaatjes om een langslopende zuster in verleiding te brengen. Iedere vrouwenafdeling is kleurig en fris, vol ditjes en datjes, bloemetjes en snuisterijen om het geheel een speciaal tintje te geven.

De mannenafdeling is daarmee vergeleken tamelijk somber, er staan vrijwel geen bloemen of persoonlijke zaken. De eeuwige chrysanten die langs de randjes al bruin worden en die aan de dameskant geen eigenaar konden vinden, worden midden op tafel neergezet.

Giften voor de zieke, maar nog steeds macho man bestaan meestal uit fruit, tijdschriften en boeken, zoetigheid, rookwaren of vruchtesap.

De eerlijkheid gebiedt me te zeggen dat ik me op vrouwenorthopedie nooit overbodig voelde, vooral niet tijdens de nacht na een operatiedag. Op die nachten had zuster Bridges altijd dienst. Tot aan haar pensioen had ze in de dagdienst gewerkt en daarna was ze teruggekomen als part-time nachtzuster. Die goede oude Bridges kende de afdeling op haar duimpje en gaf haar 'meisjes' alle zorg en aandacht die ze zich maar konden wensen. Het was duidelijk dat ze zich veilig en geborgen voelden als Bridges dienst had. Ze was net zo oud als de meeste van haar patiënten, maar haar prestatievermogen en zorg wekten vertrouwen.

Ik zal nooit de eerste keer vergeten dat ik haar zag. Ze stond aan het voeteneinde van een bed en trok uit alle macht aan het been van een oude dame.

'Roep gauw een dokter, zuster. De nieuwe heup van deze dame is uit de kom geschoten.' En die kleine zuster Bridges bleef daar zo staan tot de artsen de zaak overnamen en de gewichten en touwen van een tractie opzetten.

Er is één bijzonder drukke en geagiteerde nacht die ik me nog heel erg goed kan herinneren. Toen hadden Bridges en ik – als heel jonge leerling – samen dienst met een Jamaicaanse verpleeghulp die nog heel onwennig tegenover de verpleging stond en in het bijzonder tegenover orthopedie.

Ze werkte hard en leerde snel de weg, maar voelde zich natuurlijk tamelijk nerveus als ze met patiënten te maken kreeg. Ze had geen idee van infusen en catheters, nachtkastjes en dekenbogen, takelinstallaties, stokken, katrollen en pillen. De verpleging zelf vormde geen probleem, daar voelde ze zich wel in thuis: bedden verschonen, patiënten wassen, billen afvegen en inwrijven en hulpeloze patiënten voeden. Bovendien had ze zelf kinderen en in sommige gevallen lijkt de achteruitgang door toedoen van een ziekte op de zorg die een kind vergt.

De orthopedisch chirurgen trokken altijd alle registers open en overtroffen elkaar in ellenlange operatielijsten en zorgden er op die manier voor dat de zusters naderhand meer dan voldoende werk hadden. We hadden die nacht twee dames met eeltknobbels die met hun zwaar ingezwachtelde voeten omhoog op kussens lagen en veel pijn hadden. Tegenover deze twee lag een dame die aan beide handen was geopereerd; ze had een hoge mitella die was gemaakt van drie infuusstandaards en opgerolde handdoeken. In hetzelfde deel – vrouwenorthopedie was toen pas verbouwd en had nu eigen onderafdelinkjes – lag een atletiekfan die een meniscusoperatie had ondergaan. Ook haar hele been zat van onder tot boven in het verband om de knie voldoende steun te geven.

In het gedeelte dat het dichtst bij de zusterpost lag, hadden we de obligate nieuwe heup liggen – er ging geen operatielijst voorbij zonder minstens één heup. In dit geval betrof het een blinde patiënt, en dat vereiste natuurlijk extra zorg van onze kant. Het feit dat ze niet kon zien, beïnvloedde uiteraard haar houvast op de ziekenhuisomgeving, dus het vereiste extra verpleegkundige bekwaamheden om de dame helemaal van haar omgeving op de hoogte te brengen.

De laatste operatie was laatste geworden omdat het een 'vieze' operatie betrof, en we wilden niet dat direct daarna 'schone' patiënten zouden volgen uit angst voor kruisinfectie. Het was een beenamputatie ten gevolge van gangreen, afsterving van het weefsel. Mevrouw Campbell was al eerder op de afdeling geweest, dus ze kende zuster Bridges en de afdeling vrouwenchirurgie. Daarom was het vreemd dat ze zenuwachtig was. Aangezien ze de omgeving en het personeel kende, was het voor haar gemakkelijker zich op haar gemak en veilig te voelen in het ziekenhuis. Natuurlijk had ze een zware operatie voor de boeg die aanzienlijke consequenties met zich meebracht.

Mevrouw Campbell was al jaren diabetespatiënt en hoewel ze haar ziekte goed onder controle had met haar insuline-injecties en dieet, had ze toch arteriosclerose gekregen – een verstopping en vernauwing van de slagaderen – een bekend nevenverschijnsel bij diabetes. Diabetespatiënten moeten bijzonder goed op hun voeten letten en alle behandelingen moeten door een chiropodist – iemand die is opgeleid in de verzorging van voeten – worden uitgevoerd. Iedere beschadiging van de huid kan tot een schaafwondje leiden dat zich weer tot een ontsteking kan ontwikkelen en dát, samen met slecht doorbloed weefsel, is een vrijbrief voor gangreen.

Dat was ook gebeurd met mevrouw Campbell. Ze was gestruikeld en had haar teen tegen een scherp randje van een keukenkastje gestoten. Het snel oprukkende, zwart wordende gangreen had zich over haar hele voet verspreid, het weefsel was afgestorven en dat was een onomkeerbaar proces. De enige manier om de rest van het been te behouden was het geïnfecteerde deel te verwijderen. Tijdens haar eerste verblijf op vrouwenorthopedie was haar voet bij de enkel geamputeerd. Het was een operatie geweest die zonder opzienbarende gebeurtenissen was verlopen. Ze had zich goed hersteld en had goed aan haar aangepaste prothese kunnen wennen.

Maar helaas had het gangreen opnieuw de kop opgestoken bij de stomp van de enkel, en was de dokter gedwongen een amputatie van het been tot onder de knie uit te voeren; een deprimerende gedachte voor een zeventigjarige weduwe die alleen in een rijtjeshuis woonde. Ze was tot nu toe erg dapper geweest en had haar diabetes en haar eerste operatie aanvaard. Maar deze complicatie bleek de druppel te zijn die de emmer deed overlopen. Ze werd heel erg down, huilerig en nerveus voor de operatie.

Hoe moest ze dat ooit voor elkaar krijgen, met een kunstbeen de trappen op, het bad in, de tuin in? Ze wilde niemand tot last zijn. Aan de andere kant wilde ze ook haar huis niet uit om 'opgeborgen' te worden. Kon er niets anders gedaan worden dan die drastische operatie?

Het antwoord was 'neen'. Het probleem was juist dat een amputatie het laatste redmiddel was, dat het de enige oplossing was om het gangreen ervan te weerhouden verder op te rukken. Het was het beste dat we haar konden bieden en het was het énige dat we haar konden bieden.

Amputatie – het verwijderen van een arm of been of een deel daarvan – wordt alleen in uiterste noodzaak gedaan, bijvoorbeeld wanneer er een kwaadaardige tumor in een bot zit of wanneer het been of de arm is verbrijzeld en zodanig geïnfecteerd dat er geen enkele hoop meer is op herstel. De meest voorkomende oorzaak is waarschijnlijk het dichtslibben van de slagaderen, zoals bij diabetes of arteriosclerose het geval is, wanneer het weefsel onvoldoende wordt voorzien van zuurstof en voedingsstoffen.

De bezorgdheid van mevrouw Campbell was volkomen begrijpelijk. Hoe je het ook bekeek, ze zat altijd aan de verliezende kant, ze kon gewoon niet winnen. En het was moeilijk voor de zusters om overtuigend te klinken. Zuster Bridges had de antwoorden, ze had ervaring en ze had het allemaal al eerder meegemaakt. Ik onthield haar woorden goed om ze zelf in de toekomst te kunnen gebruiken.

'"Het is een behandeling, geen tragedie," heb ik tegen haar gezegd,' legde zuster Bridges uit. 'Wij zusters moeten optimist blijven, hoe slecht het er ook voor de patiënt uitziet. Wij zijn vaak de enige die tussen de patiënt en zijn wanhoop in staat. Ik heb mevrouw Campbell verteld over de hulp die ze van de fysiotherapeut en van de bezigheidstherapeute zal krijgen. Die zullen haar helpen zolang ze in het ziekenhuis is en ook haar thuissituatie bekijken om te zien of daar nog zaken aangepast moeten worden. Ze kan naar de prothesewerkplaats gaan en naar de revalidatie om te oefenen voor ze naar huis gaat.

Mevrouw Campbell maakt zich vreselijk bezorgd over het feit dat ze haar onafhankelijkheid kwijt zal raken, ze ziet de operatie in dat opzicht als een grote bedreiging. We hebben allemaal ons best gedaan, maar ze is die operatie toch met een bezwaard hart tegemoet gegaan en daar maak ik me ongerust over.' Zuster Bridges nam dit zwaar op.

De operatie verliep volgens plan. In de eerste post-operatieve nacht vond mevrouw Campbell enige rust door toedoen van een zware spuit omnopon, een sterke pijnstiller die ook slaapverwekkend is. Het was vervelend en noodzakelijk, maar we moesten de patiënt regelmatig storen tijdens de nacht om haar pols en tensie te meten. Maar dank zij haar medicijnen was ze te soezerig om onze aanwezigheid als echt storend te ervaren.

In het licht van het oranjekleurige lampje boven haar bed zag mevrouw Campbell er verschrikkelijk grauw uit. Het was natuurlijk wel te verwachten na de shock, pijn en het bloedverlies van de verminkende amputatie-operatie. Het been werd afgezaagd, het bot werd op een snelle Black and Decker-manier weggesneden, grote lappen spierweefsel en de rauwe, druppelende randen van de bloedvaten werden weer aan elkaar genaaid en de rauwe huid netjes gehecht.

Zuster Bridges en ik controleerden mevrouw Campbell grondig voor we haar klaarmaakten voor de nacht. Het geamputeerde been dat vlak onder knie was afgezet was een vreemd gezicht. Het dijbeen en de knie zagen er net zo uit als altijd, maar er hing slechts een klein onderbeentje aan. Het ronde uiteinde van de stomp was ter ondersteuning netjes omzwachteld met stevige lagen verband. Er kwam een smal slangetje uit het verband, waardoor het teveel aan bloed naar een vacuüm drainfles werd afgevoerd die aan de kant van haar bed hing.

'Kijk goed naar het verband voor eventuele bloedingen,' instrueerde zuster Bridges me zorgvuldig. 'De mogelijkheid van bloedingen is altijd aanwezig, vooral als de patiënt het weer warmer krijgt en de bloeddruk begint te stijgen. Ieder openstaand vat kan gaan lekken en een zware bloeding bewerkstelligen.'

Het beentje werd gefixeerd door een handdoek die we over het bovenbeen hadden gelegd en zandzakken aan weerszijden van het dijbeen. Het bed was zo opgemaakt dat de wondzijde van het been bloot lag, zodat we het direct konden zien als er een bloeding zou optreden.

Mevrouw Campbell had ook een bloedtransfusie, en haar arm werd immobiel gehouden door een spalk en verband. Haar diabetes werd door middel van regelmatige bloedprikjes gecontroleerd om haar bloedsuikerwaarde te kunnen bepalen. Dat was een extra zorg bij patiënten met metabolische afwijkingen die na een operatie niet in staat waren te eten.

Die hele massa slangen en verbanden was voor een nieuwe leerling zoals ik tamelijk intimiderend en ik stond versteld over de patiënt die er – alles in aanmerking genomen – best goed uitzag. Ze lag tegen een stel kussens aan, die zo waren gelegd dat haar bed op een leunstoel leek, en ze snurkte luidkeels, dit tot grote ergernis van de dames met de gewrichtsaandoening aan de grote teen.

Zuster Bridges was er goed in een duidelijk beeld van alles te schetsen en de dingen uit te leggen die noodzakelijk waren voor de post-operatieve zorg. Ik was blij met deze instructies, aangezien alles nog heel onwennig voor mij was en ik nog aan het begin van mijn carrière stond.

Nadat ze zich ervan had verzekerd dat er een ouderejaars aan de andere kant op de mannenafdeling aanwezig was, nam Bridges met een redelijk rustig geweten haar middernachtelijke lunchpauze, hoewel ze me beloofde dat ze het wel korter zou houden dan was toegestaan. Voor ze wegging, liep ze nog een keer langs alle post-operatieve patiënten om zich ervan te verzekeren dat alles in orde was, hun infusen volgens schema liepen en alle voorgeschreven medicijnen waren toegediend.

Ik bewonderde de zuster om haar consciëntieuze verzorging en volkomen begrip voor de situatie van de patiënten en ik vroeg me af of ik ooit zo competent zou worden. Hoe kon ze dat alles onthouden zonder zelfs maar iets op te schrijven? Ik kon het niet begrijpen – tot ik zelf gediplomeerd verpleegkundige was. Toen begreep ik dat het een van de vaardigheden is die een zuster zich uiteindelijk eigen maakt.

De afdeling was rustig en ik begon een nieuwe lijst vochtbalansen klaar te maken die vanaf de volgende ochtend acht uur ingevuld zouden moeten worden.

'Jee, wat een zaligheid even niet te hoeven staan,' zuchtte de verpleeghulp die naast me kwam zitten en door een damesblad bladerde dat ze van de stapel oude tijdschriften had gepakt die we hadden opgehaald.

'Wil je even de ochtendroutine met me doornemen, zuster?'

'Goed. Half zeven. Tempen. Thee. Waskommen en po's – ja, alweer! Ik geef de thermometers wel, als jij theezet en de kar pakt. Er komt meestal wel iemand die dat van je overneemt en de thee verder ronddeelt terwijl wij de rest doen.' Tenminste, dat was altijd op de mannenkant gebeurd, maar ik vroeg me af of dat ook bij de vrouwelijke patiënten het geval zou zijn, met al die verbonden handen, hoog gelegde voeten, sommigen in gips, anderen met ruggen in tractie; de grote operaties en de oude dametjes, het zag er niet zo veelbelovend uit.

'Bij nader inzien zou ik daar toch maar niet te veel op rekenen,' voegde ik eraan toe. 'Het komt erop neer dat we thee geven, po's uitdelen en de zaak opruimen voor de dagdienst komt. De ontbijtbladen moeten klaarstaan, zodat zij ze alleen nog maar hoeven uit te delen.'

'O, dat heb ik al wel eens gedaan. De zuster heeft me laten zien hoe dat moet,' antwoordde ze, en ze was zichtbaar blij dat ze dit haar eerste nacht al wist.

Ik pakte de zaklantaarn op om een ronde te gaan lopen. Ik was opgewonden dat ik alleen op de afdeling was achtergelaten, maar ook bang voor wat er zou kunnen gebeuren, voor de vragen die de patiënten zouden kunnen stellen en waar ik geen antwoord op zou weten. Het uniform verhult het feit dat eerstejaars leerlingen nog nauwelijks iets weten en onervaren wezens zijn. Waarschijnlijk in tegenstelling tot wat de patiënt verwacht.

Het voeten- en handentrio was rustig in slaap gevallen na hun slaapmiddel. Ik controleerde tenen en vingers op temperatuur en beweging, voor het geval er schade aan belangrijke zenuwen of bloedvaten aangericht zou zijn, of de enorme verbanden misschien te strak zouden kunnen zitten. Maar alles was in orde.

Ik controleerde het infuus van de blinde dame die een nieuwe heup had gekregen. Mooi. Die had geen last van mijn zaklantaarn of het nachtlampje, ze kon toch niets zien. Maar ze greep mijn hand toen ze merkte dat ik langs liep.

'Het gaat goed, hoor,' zei ik, en klopte zachtjes op haar hand. 'Heeft u nog pijn?'

Ze schudde van nee.

De bel ging in het zijkamertje, waar een van onze eigen zusters lag met een bekkentractie om haar rugpijn wat te verminderen.

'Helen, denk je dat je ergens een deken voor me kunt opduiken? Ik heb het vreselijk koud vannacht,' zei ze.

Ik had al gezien dat er op orthopedische afdelingen altijd een tekort aan reservedekens en -kussens was; er waren er altijd extra nodig vanwege het gebruik van dekenbogen die het beddegoed omhoog trokken, waardoor de patiënt het koud kreeg.

Ik stopte de zuster warm in en deed het bovenraampje dicht, dat een beetje openstond.

'De nachten duren hier zo lang,' klaagde de zuster, 'vooral als je overdag ook slaapt. Maar het is zo saai dat ik niet kan voorkomen dat ik telkens in slaap sukkel. Ik kan me niet voorstellen dat ik weer hele nachten zal rondrennen zoals jij.'

Ze bood me een paar chocolaatjes aan en ik bleef even bij haar praten, terwijl ze me wat beterschapskaarten liet zien van de stapel die ze had ontvangen. Er was één bijzonder grappige bij van de portier, die de leerlingen allemaal goed kende. Die brutale vent had haar een kaart gestuurd met 'gefeliciteerd met de geboorte van de tweeling' erop!

In de stilte van het zijkamertje dacht ik dat ik iemand hoorde roepen. Het geluid kwam van de afdeling. Het was geschreeuw, er werd met stemverheffing gepraat, het was een heel tumult.

In de schaduwen van de grote afdeling zag ik de Jamaicaanse verpleeghulp voorover gebogen bij mevrouw Campbell staan. Toen ik dichterbij kwam, hoorde ik dat ze probeerde de mompelende, ijlende oude dame te kalmeren.

'Het gaat goed met hem, ik weet zeker dat er goed voor hem wordt gezorgd,' zei de zuster, en keek mij aan.

'Ze vraagt naar Charlie, ze maakt zich zorgen over haar echtgenoot.'

'Ze is weduwe,' antwoordde ik, 'tenminste, dat dacht ik,' voegde ik eraan toe, aangezien ik ook niet zo zeker was van mijn feitenkennis over alle patiënten.

'Nou, waar ís hij dan?' gilde mevrouw Campbell nadrukkelijk.

Hoewel haar bewegingen tamelijk onvast waren, worstelde ze om overeind te komen, en haar bloedtransfusie zwaaide gevaarlijk heen en weer.

'Ik wil mijn Charlie, hij zal me missen. Wie geeft hem nu te eten?' schreeuwde mevrouw Campbell luidkeels en ze plukte aan het verband dat het infuus veilig op zijn plaats hield, alsof dat haar irriteerde.

'Nou, ik denk dat hij lekker in bed ligt,' stelde de verpleeghulp opgewekt voor en streek vriendelijk over het voorhoofd van de patiënt.

'Onzin, lekker in bed, nou, nou,' antwoordde mevrouw Campbell op vernietigende toon.

En toen, met een plotselinge en verbazingwekkende kracht, gaf mevrouw Campbell de verpleeghulp een stevige por tussen haar ribben, waar deze niet op had gerekend en waardoor ze haar evenwicht verloor.

'Och, ga weg, ga toch weg, zwart mens,' schreeuwde ze fel, alsof ze enorm geïrriteerd was door deze nutteloze conversatie. 'Het zijn allemaal leugens, het is een samenzwering. Ze hebben hem weggehaald, ik wist het wel. Ik neem het niet.' Haar woorden weergalmden over de rustige, vredige, nachtelijke afdeling.

'Nou, nou, mevrouw Campbell, het zal heus wel goed gaan,' bood ik mijn steun aan, maar ik kon haar slechts lege woorden bieden. Ik wist niet of het wel goed ging – ik wist niet eens wat er fout ging! Ik spuide alleen maar de eerste de beste woorden die in me opkwamen, kalmerende woorden die me te binnen schoten. Holle woorden, en dat wist ze.

In het schemerachtige licht probeerde we elkaar aan te kijken, de zuster en de patiënt.

'Kom me niet met dát geklets aan, meisje,' sprak ze zo verachtelijk en met zo'n autoriteit dat ik helemaal van mijn stuk was gebracht. 'Ik wist dat dit zou gebeuren. Eerst mij onder een of ander voorwendsel hiernaartoe brengen en dan mijn Charlie van me afpakken. Ik kan hier niet blijven,' ging ze verder. 'Het is verdomme een samenzwering, ik kan hier niet maar een beetje blijven liggen terwijl die arme Charlie me nodig heeft.'

En zonder veel omhaal sloeg mevrouw Campbell de dekens terug en boog zich naar voren alsof ze uit bed wilde stappen, waarbij ze hard aan de infuusslang in haar arm trok.

'Mevrouw Campbell, dat kunt u niet doen,' zei ik hevig geschrokken door haar vastbeslotenheid, 'u bent net geopereerd. Weet u dat niet meer? Uw been,' hielp ik haar herinneren, maar ik liet gevoelige woorden zoals 'amputatie' en 'weggenomen' maar liever achterwege. 'Het is verwijderd.'

'O nee hoor, dat is niet waar, het is er nog, ik kan het voelen. Het was een truc, het was allemaal een truc om me hier te krijgen.'

Het fantoombeen! Ze maakte die vreemde gewaarwording mee die vaak voorkomt na een amputatie; de patiënt heeft dan het gevoel

170

dat het been of de arm nog aanwezig is. Het gevoel lijkt zo echt dat de patiënt soms zelfs probeert erop te gaan staan en dan op pijnlijke wijze aan het ontbrekende been wordt herinnerd.

'Mevrouw Campbell, ik verzeker u dat u die operatie wél heeft ondergaan. Uw been zit in het verband. Het zou gevaarlijk zijn om nu te gaan lopen.'

Ik begreep nog helemaal niet dat een verwarde patiënt niet ontvankelijk is voor rede, zo gaan ze op in hun eigen ordeloze maar overtuigende wereld van verdraaide berichten.

'Kijk!' zei ze streng en duidelijk terwijl ze zich naar de rand van het bed toe werkte, 'niemand houdt me tegen. Ik ga weg, dus gá opzij!'

Lieve God, wat had ik het benauwd. Ik wist werkelijk even niet meer wat ik moest doen. Het was duidelijk dat woorden zinloos waren. Ze was getikt of in de war, maar ze was hoe dan ook niet normaal op dit ogenblik. Ik had wel eerder mensen meegemaakt die een beetje van de kaart waren geraakt, maar nooit zo erg of zo volhardend. Misschien deed ze wel zo vreemd vanwege haar diabetes. Ik had een vaag en onduidelijk idee dat diabetespatiënten vreemd konden doen als ze ontregeld raakten. Verder reikte mijn kennis in dat vroege stadium van mijn opleiding niet.

'Zuster,' zei ik tegen de verpleeghulp die herstellende was van haar val tegen de kast, 'ga snel naar de overkant en haal de hoofdzuster van de mannenafdeling en bel dan het nachthoofd. Bel maar daarvandaan, eh, draai 0 en vraag of ze haar oppiepen. Gauw. Ik blijf wel hier.'

Ik was wel erg optimistisch. Mevrouw Campbell was zo sterk als een paard en ze was onverzettelijk. Niemand zou haar iets wijsmaken. Haar geest was in de war en ze moest en zou zich losworstelen, ongeacht hoe.

Ik deed mijn uiterste best om haar tegen te houden. Het was geen kleinigheid om haar op dat hoge ziekenhuisbed in bedwang te houden. Maar het was het enige dat ik in mijn eentje kon doen. Ik wist dat het de verkeerde manier was om met een onrustige patiënt om te gaan, maar het zou nog veel erger zijn geweest als die pas gehechte wond ergens tegenaan zou stoten of als de drain losgerukt zou worden.

Mevrouw Campbell graaide naar mijn jurk en ik hoorde hem scheuren toen ze aan mijn opgenaaide zak trok. Mijn lippenstift, geld, schaar en pennen vielen lawaaierig op de grond en maakten

171

een enorme herrie. Ik voelde hoe mijn panty aan het bed bleef haken en dat er een groot gat in werd getrokken.

Te midden van deze toestand klonk een stemmetje achter me. 'Wat is er aan de hand, zuster? Zuster, wat is er?' De blinde dame aan de overkant was door alle herrie abrupt in haar slaap gestoord. De arme ziel, ze moest erg geschrokken zijn van al die vreemde, harde geluiden, het geschreeuw en gegil en het geluid van vechten en worstelen.

'Maakt u zich maar geen zorgen, hoor,' schreeuwde ik over mijn schouder. 'Een van de dames hier heeft het een beetje moeilijk. De zuster komt zo bij u, als ze tijd heeft.'

De stakker, dacht ik; ze lag daar maar angstig en verward en inmiddels had ze misschien ook nog wel pijn in die donkere, angstaanjagende en vreemde omgeving.

Verschillende andere patiënten werden nu ook wakker en ik was bang dat er aan alle kanten om po's gebeld zou gaan worden. Ik had op het ogenblik genoeg omhanden, ik had even geen verder werk meer nodig!

'Au!' gilde ik, en door een brandende pijn sprongen de tranen me in de ogen.

Mevrouw Campbell had mijn kap gegrepen en daarbij een paar haren uitgetrokken en dat had die brandende pijn op mijn hoofd veroorzaakt.

Ik dwong haar hand open die automatisch naar mijn horloge greep dat op mijn borst vastgespeld zat. Ik moest haar hand open wringen en me ervan verzekeren dat ze zich niet aan de scherpe kantjes had bezeerd. Haar bloedtransfusie zwaaide wild heen en weer tijdens de worstelpartij.

'Blijf met je handen van me áf, jongedame,' tierde ze woedend. 'Ik zal je aanklagen. Laat me los, stomme trut!'

Ik was geschokt en de tranen nabij en mijn hoofd bonsde van de spanning. Ik voelde me zo te kort schieten, zo wanhopig onzeker over wat ik zou moeten doen of wat anderen gedaan zouden hebben. Het enige dat goed tot me doordrong, was dat haar verse wond ten koste van alles gespaard moest worden.

Ten slotte zat ik boven op het bed en weerhield de patiënt er zo van om ervandoor te gaan.

'Alstublieft, o alstublieft mevrouw Campbell, probeer het toch te begrijpen. U heeft een grote operatie achter de rug, u mág zich niet bewegen. Gaat u toch liggen.' Ik bad en smeekte de arme verwarde dame. Het waren symbolische woorden, gesproken in pure wanhoop.

Ik scheurde een van mijn nagels terwijl ik met de kant van het bed worstelde. Toen stootte ik mijn hoofd tegen de papegaai die boven het bed hing om je aan op te trekken. Maar ze gaf het gevecht nog steeds niet op. Het was nu wel duidelijk dat mijn fysieke aanwezigheid als een bedreiging werd gezien en ze nam iedere list waar om zich van deze schijnbare aanvaller te ontdoen. Ik had nooit zoveel kracht vermoed in iemand die al zo oud en broos was. Verwarde geesten zijn een krachtige drijfveer.

'En zul je me nou loslaten,' hield ze aan, door haar tanden sprekend en aan mijn handen trekkend om zich los te werken. 'Iemand moet hem te eten geven, anders komt hij om van de honger. Hij gaat dood van de kou en dan heb ik niemand meer.' En toen werd ze melancholiek en begon over Charlie te praten terwijl de tranen in haar ogen schoten.

Ik voelde mijn eigen angst heviger worden en ik werd vuurrood.

Plotseling floepte het bedlampje aan. Het was de hoofdzuster van de overkant, die over me heen reikte.

Mevrouw Campbell hield haar hand voor haar ogen tegen het felle licht.

Op de gang hoorde ik de snelle voetstappen van het nachthoofd, op de voet gevolgd door zuster Bridges. Goddank, er kwam hulp. Ik voelde dat mijn spieren zich van opluchting spontaan ontspanden.

Bridges kalmeerde mevrouw Campbell terwijl het nachthoofd een hele serie orders gaf.

'Zuster, haal de rekken en bevestig die aan het bed. Zuster, controleer die wond op doorbloeden. Bel de dokter. Trek 25 milligram Sparine op.'

Ik was vol ontzag voor de beheerste en competente indruk die ze maakte. Zo moest dat, medicatie optrekken in afwachting van wat de arts zou voorschrijven. Ze zou vermoedelijk de pen in zijn hand stoppen en het hem nog dicteren ook.

Toen voegde het nachthoofd eraan toe: 'Ik zal even wat bloed prikken om haar bloedsuikergehalte te meten, misschien heeft ze een hypo.'

Dat was het, wist ik weer. Hypoglycaemie, het vreemde gedrag vanwege een te laag bloedsuikergehalte, dat hadden we op school geleerd.

'Nou, rustig maar, Florrie. Wat is er aan de hand? Kijk me eens aan, Florrie, ik ben het, zuster Bridges. Nou, wat is er aan de hand?'

Het gebruiken van de voornaam was beslist een voordeel. Dat moest ik onthouden voor later. Ik was er niet zeker van dat mevrouw Campbell zuster Bridges herkende, maar ze reageerde wel op de kalmerende en betrouwbare toon.

'Ze maakt zich zorgen over Charlie,' zei ik.

'O, Charlie! Dat is haar kater. Haar enige gezelschap,' legde Bridges uit.

Nu werd het allemaal duidelijk. Hij was alles waar ze nog voor leefde en ze was bang hem kwijt te raken.

'Florrie, weet je dan niet meer dat we met je buurvrouw hebben afgesproken dat ze voor hem zouden zorgen zolang jij weg was? Zij zal heus goed voor hem zorgen, hoor. Weet je nog wel?'

Mevrouw Campbell leek het zich weer te herinneren.

Haar oude hersens hadden het zwaar te verduren gehad. Het emotionele trauma van een grote operatie, de zorgen over het huis, de kat, de toekomst. En daar kwamen het bloedverlies, de diabetes, de anesthesie, de pijnstillers en de donkere nacht dan nog eens bij. Was het een wonder dat ze van de kook was geraakt?

Al die dingen speelden ongetwijfeld een rol bij haar vreemde reactie; en post-operatieve verwarring is iets dat nogal eens bij ouderen voorkomt. De directe oorzaak was echter een eenvoudiger probleem: problemen met urineren. Ze had urineretentie.

Haar blaas was opgezwollen, gespannen en vol, maar de buitenste kringspier bleef gesloten. Ze had hulp nodig om urine te lozen. En daar in het donker en de stilte van de nacht, bij het schijnsel van een zaklantaarn, zag ik mijn eerste catheterisatie, het inbrengen van een dun slangetje in de ureter en de blaas om urine af te tappen.

Het was me het nachtje wel geweest. En wat zag ik eruit: aan flarden gescheurd en besmeurd door het gevecht. Maar ik was een stuk wijzer geworden en had er meer zelfvertrouwen door gekregen. Het was iets waar je doorheen moest en waar je uiteindelijk profijt van had.

Het nachthoofd was vol lof over hoe ik de zaak onder controle had gehouden en was blij dat ik zo vakkundig had gereageerd.

'Zie het als een ervaring, zuster, je hebt je uitstekend geweerd.'

Ik was zowel trots als gelukkig, maar ik had medelijden met de Jamaicaanse verpleeghulp en vroeg me af of ze na deze gebeurtenis nog wel in de verpleging zou willen blijven. Ze hoefde zich niet te laten uitschelden.

'Het spijt me dat ze je zo beledigde,' zei ik. Ik had het gevoel dat ik iets tegen haar moest zeggen. 'Dat was werkelijk een beetje al te grof.'

'Wat, bedoel je "zwart mens"? Maak je geen zorgen, die vrouw is ziek, dat meende ze niet,' antwoordde ze en haalde haar schouders op.

'Nee, ik ben ervan overtuigd dat ze het niet meende, ze was erg in de war,' was ik het met haar eens.

'Dat soort dingen kun je verwachten. Als het een van mijn eigen mensen was geweest, hadden ze tegen jou "smeer hem, bleekscheet" gezegd. Dat is niet meer dan natuurlijk. Zo is het leven.'

MACHTELOOSHEID

Toen Kiki ten slotte met zwangerschapsverlof ging, voelden we dat goed. We misten haar rustige, ordelijke manier van werken, haar onopvallende maar efficiënte aanwezigheid en haar altijd vriendelijke of bemoedigende woorden.

Ze had nog niet willen weggaan, maar volgens de regels moest ze vanaf de zesde maand ophouden met werken en dat was een goede raad voor een toekomstige moeder. Als we onze patiënten rust en ontspanning voorschrijven, kunnen we voor onze eigen medewerkers in de gezondheidszorg toch geen andere maatstaven hanteren.

En eerlijk is eerlijk, Kiki kréég steeds meer moeite met het werk naarmate haar zwangerschap vorderde. Ze werd uiteraard gauw moe en had last van pijnlijke benen. Ik probeerde haar de minst zware karweitjes toe te schuiven, die alleen zittend werk vereisten of fysiek gezien niet al te veeleisend waren. Ik 'zette haar vast' bij een post-operatieve patiënt, liet haar de voorraden nakijken of een patiënt opnemen. Ik vermeed het in ieder geval haar naar de operatiekamer op en neer te laten rennen of zwaar te laten tillen. De duur van onze werktijden was al voldoende om de meest gezonde mensen onder ons op sommige dagen kapot van vermoeidheid te krijgen, laat staan iemand zoals zij, die een extra passagier bij zich droeg.

Maar dat nam niet weg dat Kiki een verlies was voor Parker. Ze had de mogelijkheid om enige tijd na de geboorte terug te keren open gelaten. Dat hield in dat Parker een tijdelijke baan had voor een verpleegkundige, en we hadden die vervangster hard nodig, vooral gezien het feit dat deze periode samenviel met het begin van de vakantietijd. Zuster Witherden was zo vriendelijk geweest om – toen de nood heel hoog steeg – een paar van haar diensten zo in te delen dat het voor ons zo gunstig mogelijk uitkwam, maar toen moest zij plotseling op de orthopedie worden opgenomen met een herhaling van haar oude rugproblemen.

Zuster Ashton nam een uitzendbureau in de arm en zorgde dat er iemand kwam, maar die meisjes kwamen erg onregelmatig. Eén dag hier werken en een dag daar of een week bij ons en dan gingen ze weer weg wanneer er een betere baan werd aangeboden. Het droeg allemaal bepaald niet bij tot de stabiliteit van de afdeling. Het was niet plezierig voor de vaste staf en al helemaal niet voor de patiënten, die er het meest onder leden.

Uitzendpersoneel bestaat uit free-lance zusters die in dienst zijn bij een uitzendbureau. Dat bureau stuurt hen naar ziekenhuizen en verpleegtehuizen waar behoefte aan personeel is. Het is allemaal gekwalificeerd personeel dat uitstekend werk verricht en waar in noodgevallen een beroep op kan worden gedaan. Uitzendkrachten worden veelal gebruikt om bij patiënten 'vastgezet' te worden of op de intensive care, wanneer een plotselinge hoeveelheid werk direct beschikbaar gediplomeerd personeel vereist. Uitzendkrachten zijn vrij, en kunnen hun werk, uren en werkplek zelf uitkiezen. In het Gartland waren er ook een aantal die af en toe een nachtdienst draaiden, of een tijdje op de geriatrie werkten wanneer daar plotseling een tekort ontstond bij de vaste staf.

Voor ons was het tamelijk irritant personeel te hebben dat maar zo kort bleef. Het waren allemaal zonder meer uitstekend opgeleide meisjes, die alle handelingen die van gediplomeerde zusters verwacht konden worden, goed beheersten. Maar het kostte helaas kostbare tijd hen in het ziekenhuis en op de afdeling wegwijs te maken, hun de specifieke manier van werken van onze chirurgen uit te leggen, de routinehandelingen bij een hartstilstand en bij brand te vertellen, want die verschillen toch in ieder ziekenhuis weer. En als dat dan allemaal achter de rug was, zag je de volgende dag weer een nieuw gezicht van het uitzendbureau; dat was bijzonder frustrerend.

Het was zonder meer prettig om een paar extra handen in omloop te hebben, maar ik liet een van hen niet graag alleen achter met de volle verantwoordelijkheid voor de afdeling. Het zou hetzelfde zijn als de sleutels van het gifkastje aan iemand geven die totaal onbekend was met onze manier van werken.

De meisjes bleven komen en gaan en een uitgeputte afdeling Parker worstelde met de druk van een personeelstekort. Ik stond erop op operatiedagen zelf op de afdeling mee te helpen. Dit bewerkstelligde ik door mijn diensten te delen, maar dat was moordend. Ik had op die manier zowel 's morgens vroeg als 's avonds laat dienst, en nam dan de middagen vrij. Ik ging altijd wel even slapen op de bank in de zitkamer van de verpleegkundigen.

Soms had ik geen andere keus dan een van de ziekenverzorgsters zoals Burrows of Sandra de verantwoording over te dragen, maar dat deed ik alleen als ik wist dat Bernie boven was, zodat hij er was voor de medicijnen en de noodgevallen. George stond nogal afwijzend ten opzichte van werken op andere afdelingen, vooral als daar problemen waren, ook al had zuster Ashton hem gezegd beneden een oogje in het zeil te houden. Ik wist dat hij weinig hulp voor de meisjes zou betekenen, enkel een loos gebaar vergezeld van een verhaal over drukte en personeelstekort op de eigen afdeling.

Uiteindelijk was het personeelstekort echt niet leuk meer en hadden we er meer dan genoeg van ons te moeten behelpen. Ik was wel gedwongen er ernstig met zuster Ashton over te praten en haar dringend te verzoeken een min of meer vaste vervangster voor Kiki te zoeken.

Zuster Ashton nam een ander uitzendbureau in de arm, vertelde duidelijk wat wij nodig hadden en dat bureau kwam met Violet Armstrong aan.

Als het uiterlijk er iets toe deed, was ze een wandelende ramp. Ze heette Violet en ze was violet. Ze had een afgrijselijke paarse jurk aan, afgezet met witte biesjes. Het ging voor een uniform door, maar het paste alleen op die plekken waar het haar huid raakte. De hele paarse massa werd bij elkaar gehouden door een zwarte wollen ceintuur die tevergeefs trachtte haar middel te vinden. Haar hangende achterwerk werd slechts door haar nauwsluitende jurk in bedwang gehouden. Op dezelfde dubieuze wijze werden haar zware borsten bij elkaar gehouden door de gespannen staande knoopjes van haar lijfje. Dit walgelijke geheel werd bekroond door loshangende haren onder een veel te vaak gebruikt papieren kapje.

Van uitzendbureauzusters wordt verwacht dat ze hun eigen uniform kopen en onderhouden, dus hebben de afdelingshoofden geen zeggenschap over wat die meisjes dragen. Als gevolg daarvan zie je soms de meest verschrikkelijke dingen.

Het is overbodig te vertellen dat Violets aanwezigheid grote consternatie onder de patiënten veroorzaakte, die zich afvroegen wie deze kleurige, oude zuster was en wat ze eigenlijk kwam doen. Het vaststellen wie wie is in de ziekenhuishiërarchie is altijd een belangrijk onderdeel tijdens het ziekenhuisverblijf van de patiënt. Hun nieuwsgierigheid wordt gewekt door iedere afwijking van herkenbare kleuren, patronen, stijl en strepen; alles wordt geleerd en opgenomen en innerlijk door onze cliënten verwerkt.

Violet was geen schoonheid, maar schijn kan bedriegen in ons vak. Het werd al snel duidelijk dat ze als verpleegkundige van on-schatbare waarde was. En ze werd al snel geaccepteerd als een nuttig, betrouwbaar en plichtsgetrouw lid van het Parker-team.

Toen haar kinderen groter werden, was Violet Armstrong langzaam maar zeker in de verpleging teruggekeerd. Ze had verkozen bij een uitzendbureau te gaan werken, omdat ze dan gemakkelijk te bereiken werkplaatsen en tijden kon kiezen.

Ze kwam terug als iemand van 'de oude stempel'. De jaren die ze uitsluitend als moeder had doorgebracht, compenseerden meer dan voldoende haar gemis aan technische kennis, aangezien ze het medeleven en begrip van de werkelijke wereld had leren kennen. Violet had een greep op het leven die vele jongere zusters nog moesten leren krijgen.

Rijpheid brengt in ons beroep zijn eigen waardevolle aspecten mee wat betreft het omgaan met mensen. Een bredere levenservaring geeft de zusters de kans hun patiënten als lid van een gemeenschap te zien en niet alleen maar als patiënten.

Violet was een zuster met veel gevoel voor de bedlegerige patiënt, en toen ze zich een beetje thuis voelde op de afdeling en haar zelfvertrouwen wat had opgevijzeld, deed ze haar werk perfect. Er werd niet gezeurd over 'dat is mijn werk niet' of 'po's geven is leerlingenwerk', zoals ik wel van andere uitzendbureauzusters had gehoord. Nee, ze was een verpleegkundige in hart en nieren, die begreep dat als er iets voor een patiënt gedaan moest worden, zij daartoe de aangewezen persoon was en ze deed het ook. Ze aanvaardde haar werk en veegde even welgemutst billen schoon als ze even later bloedtransfusies verwisselde.

'In dit beroep is er geen tijd om al die grenzen vast te stellen,' zei ze botweg en ik was blij het te horen. 'Tegen de tijd dat je hebt besloten wie zijn taak het eigenlijk is, had het al gebeurd kunnen zijn.'

Ik was het hartgrondig met haar eens. Eindelijk had ik iemand waar ik met een gerust hart op kon rekenen als ik weg was. Ik hoopte dat ze uiteindelijk zou besluiten voor vast bij ons te komen werken en dan een standaarduniform zou krijgen dat haar goed paste, zodat ze op haar juiste waarde zou worden geschat.

Het dagelijkse leven op Parker kabbelde voort en ik voelde dat we weer enige stabiliteit op de afdeling hadden.

'Maagzweer? Gedeeltelijke maagresectie (R.A.),' las Burrows

hardop van de opnameformulieren. Haar stem stierf weg in een afkeurend gekreun.

'Die reumapatiënten zijn zulke moeilijke klanten, zo pietluttig en prikkelbaar. Wat je ook doet, het is nooit goed. Je moet steeds op je tenen lopen.'

Ik drukte dit soort snelle commentaren zo snel mogelijk de kop in, vooral als er gemakkelijk te beïnvloeden leerlingen in de buurt waren. Het was gewoon niet eerlijk dat mensen die langer in het vak zaten sommige patiënten classificeerden vanwege een vooroordeel dat ze tijdens ervaringen in het verleden hadden opgedaan.

Maar diep in mijn hart wist ik precies wat ze bedoelde en het was niet zo gemakkelijk om herinneringen aan bepaalde patiënten van je af te zetten.

Reumatoïde artritis (R.A.) is een vreemde, afmattende ziekte waardoor je in toenemende mate invalide wordt. Het komt meer voor bij vrouwen dan bij mannen. Je hoeft alleen maar naar deze patiënten te kijken om te zien hoe hun leven wordt overheerst door deze wrede aandoening.

Er is maar weinig bekend over de beklagenswaardige verraderlijke ziekte die zonder enige aanwijsbare reden de kop opsteekt. Behandeling doet weinig af of toe aan het ziekteproces, dat zijn eigen tempo aanhoudt en vooral de gewrichten en de algehele gezondheidstoestand aantast. Acute verergeringen – of opflakkeringen – bezorgen de patiënt verschrikkelijk veel pijn en putten hem uit, terwijl de perioden tussendoor een te gronde gericht en misvormd mens achterlaten met ledematen die allerlei vreemde kanten uitsteken.

Er worden vele soorten medicijnen verstrekt om het proces te vertragen. Ze verminderen tevens de pijn, maar de meeste medicijnen hebben in mindere of meerdere mate neveneffecten en die moeten worden afgewogen tegen het beoogde resultaat. De ziekte gaat in ieder geval op geniepige wijze de gewrichten te lijf en het vereist bijzonder veel inspanning om de patiënt steeds mobiel en actief te houden. Tijdens het slopende verloop van de ziekte wordt de patiënt ter zijde gestaan door de verpleegkundige en de fysiotherapeut. Ondanks alle moderne medicijnen is er nog steeds geen werkelijk effectief middel ter behandeling gevonden.

Na vele jaren van aanvallen en remissies lijkt de ziekte uit zichzelf op een dood spoor te belanden, en dan is de tijd aangebroken waarin alle inspanning van de voorgaande jaren merkbaar wordt. De ge-

180

wrichten glijden normaal gesproken gemakkelijk over elkaar heen en veroorzaken soepele bewegingen op de plek waar twee beenderen samenkomen. Bij reumatoïde artritis zijn deze eindoppervlakken meedogenloos aangevallen en in de loop van vele jaren helemaal stroef en bobbelig geworden, de randen zijn rauw en ruw, en bij ieder contact knarsen ze. De uiteindelijke tol die voor dit vernietigende proces betaald moet worden, komt tot uiting in het verstijven en krimpen van de gewrichten.

En dan doet zich de vraag voor of het slachtoffer nog in staat is op enigszins normale wijze door het leven te gaan of dat hij voor de rest van zijn leven hopeloos invalide en misvormd is. De overgrote meerderheid worstelt zich voort en wordt geholpen door toegewijde familieleden, de huisarts en de wijkzuster. Patiënten worden in het ziekenhuis opgenomen als ze een acute aanval hebben waarvoor een speciale behandeling vereist is, of voor dingen die zijdelings verband houden met de algemene toestand van reumatoïde artritis.

Als ze het thuis niet meer redden, komen ze als laatste redmiddel naar het ziekenhuis, maar de meesten trachten het buiten, op eigen houtje te redden.

Reumatoïde artritis is een toestand die niet zoveel sympathie krijgt als de ziekte eigenlijk verdient; vermoedelijk gewoon omdat men er zo weinig van begrijpt. Zelfs artsen en verpleegkundigen begrijpen het vaak niet echt. Het woord 'reumatiek' wordt door leken losjes gehanteerd voor elk niet duidelijk te herkennen pijntje in botten of gewrichten. R.A. wordt daarin meegesleurd en vaak afgedaan als een van die symptomen die je kunt verwachten als je wat ouder wordt. Op die manier krijgt reumatoïde artritis niet de juiste maatschappelijke erkenning als ziekte op zichzelf. Feitelijk zou ze heel wat respect moeten opeisen, gezien de ernstige beschadigingen die de bewegende delen van een lichaam kunnen worden toegebracht.

Mijn eigen ontmoetingen met reuma-patiënten zijn altijd ontmoetingen met 'mislukte' gevallen geweest, het soort gevallen waar zuster Burrows het over had. De mensen die niet langer mobiel zijn en die op de interne of geriatrische afdeling zijn terechtgekomen omdat ze te gehandicapt zijn geworden om nog thuis verzorgd te kunnen worden.

De chronische gevallen waren altijd hetzelfde. De patiënt lag in bed alsof hij de vorm van een stoel had aangenomen. Als de patiënte lag, had ze nog steeds een zittende houding, met haar heupen en knieën in een rechte hoek gebogen en de armen – die in gezwollen, misvormde, nutteloze handen uitliepen – strak voor de borst over elkaar geslagen. Iedere poging van deze patiënten om een beweging te maken was onmogelijk geworden, en hun verschrompelde, stijve lichamen bewogen als één geheel terwijl de verstijfde ledematen het torso vasthielden. Iedere gedachteloze poging van hulpverleners om een andere houding te proberen, eindigde in verschrikkelijke pijn. Is het een wonder dat dergelijke patiënten geïrriteerd en boos doen tegen hun hulpverleners? Hun houding is vaak defensief en dat wordt helaas maar al te vaak als vijandigheid uitgelegd, alsof de zusters niet goed genoeg zouden zijn om te helpen.

Violet Armstrong wendde zich van de kar met statussen waar ze bezig was geweest laboratoriumuitslagen in de mappen te leggen.

'Dat heb ik ook altijd gedacht, zuster Burrows. Ik begrijp precies wat u bedoelt. Reumapatiënten verzorgen was vroeger ook al zwaar werk,' zei ze bemoedigend, en ik ben ervan overtuigd dat Burrows zich door die opmerking weer een stuk beter voelde nadat ik haar had terechtgewezen.

'Maar,' ging ze verder, 'mijn houding is volkomen veranderd sinds ik een paar maanden geleden op een afdeling heb gewerkt waar uitsluitend allerlei soorten gewrichtsafwijkingen lagen. Ik heb nooit zo beseft dat dit eigenlijk een heel aparte manier van verplegen is. Het personeel wist precies wat de patiënten nodig hadden en ik ben ervan overtuigd dat ze veel beter konden werken met die gedetailleerdere kennis en ervaring. Hun handigheid was ontstaan door hun jarenlange omgang met reumapatiënten. De zusters leerden van de patiënten en waren vervolgens in staat deze tips aan nieuwe patiënten door te geven. Het was weer eens iets heel anders dan dat wij hún vertelden wat ze moesten doen. Maar het was wel de juiste manier, want zij moesten met die artritis leven en waren de aangewezen persoon om uit te leggen wanneer, hoe en wat er gedaan moest worden om hen te helpen.' Violet sprak vol geestdrift over dit onderwerp, dat haar duidelijk hevig interesseerde.

Ik greep mijn kans en stelde voor dat Violet de patiënte – Joyce Rudd – zou opnemen en samen met haar een speciaal verzorgingsplan zou opstellen dat aan haar noden tegemoet zou komen. Misschien kon ze zuster Pettigrew meenemen om haar te helpen. Ik dacht op die manier twee vliegen in één klap te slaan. Deze leerling had het nog steeds moeilijk met haar aanpassingsproblemen en ik had het idee dat een betrokkenheid bij een licht – en niet al te afschrikwekkend – geval misschien wel interessant voor haar zou kunnen zijn. Joyce Rudd leek daar de ideale patiënt voor en ik hoopte dat de geconcentreerde samenwerking in het voordeel van alle betrokken partijen zou zijn.

Violet Armstrong was in haar element met de verzorging van een dergelijke patiënt. Patiënten reageerden meestal wel goed op haar rijpere, begrijpende benadering. Ik zag dat Joyce voor onderzoek en waarschijnlijk behandeling van een maagzweer was opgenomen. Een van de vervelende bijverschijnselen van veelvuldig anti-reuma-medicijnen slikken is een aantasting van de maagwand. Ze werd opgenomen voor een langere periode dan normaal, aangezien ze alleen woonde en niet in staat was herhaaldelijk naar het ziekenhuis op en neer te reizen.

Joyce Rudd was het prototype van een reeds lang aan reumatoïde artritis lijdende patiënt, zoals ik al had verwacht. Joyce kwam in een rolstoel die door een verpleeghulp werd voortgeduwd. Ze was tenger en bleek met vergroeide en vervormde ledematen. Een andere verpleeghulp droeg haar koffer, een boodschappentas die overliep van de ondersteunende spalken en de dikste statusmap die ik ooit had gezien. De hele stoet kwam tot stilstand bij de deur van de zusterpost.

'Goedemorgen, mevrouw Rudd.' Ik keek even naar de naam op de enorme verzameling papieren die de verpleeghulp me overhandigde. 'Ik ben zuster Davies, welkom op Parker.'

'Dank u, zuster. Zoals u daar wel aan kunt zien,' ze wees naar de dikke status, 'is dit zo ongeveer de enige afdeling in het Gartland die ik nog niet heb gehad. Ik hoop dat u niet van me verwacht dat ik in dit ding blijf zitten,' zei ze met nadruk, en tikte met haar misvormde hand op de rolstoel. 'Ik moet blijven lopen, anders verstijf ik helemaal. Als ik toegeef en een rolstoel ga gebruiken, kom ik er niet meer uit.'

'Dat klinkt redelijk,' was ik het met haar eens. Het was altijd handig om naar een patiënt te luisteren, die wist het beste hoe hij met zijn pijn moest omgaan. 'Dit zijn zuster Armstrong en zuster Pettigrew.' De twee zusters deden opgewekt een stap naar voren. 'Zij zullen voor u zorgen en u helpen tijdens uw verblijf hier.'

De daaropvolgende dagen leerden we veel over Joyce Rudd, die enthousiast reageerde op deze onverwachte interesse in haar geschiedenis. Langzaam kwamen we erachter hoe een invalide erin slaagt zich aan te passen en zich in een gemeenschap te handhaven.

Joyce was gewend aan ziekenhuisopnames. Ze was een oude bekende op de poli, een vaste bezoekster van de 'barakken', de oudste patiënte van de fysiotherapie en ze was ook al twee keer opgenomen geweest op de orthopedie om corrigerende operaties aan haar knieën en tenen te ondergaan.

'Ik ben op de kinderafdeling geweest toen die nog in het hoofdgebouw was, lang voordat die leuke nieuwe afdeling bestond die ze nu hebben. Dezelfde afdeling als deze, denk ik, ja, zoiets moet het wel geweest zijn,' veronderstelde ze en keek eens om zich heen terwijl ze haar omgeving in zich opnam. 'Maar het was in glazen compartimenten onderverdeeld, een akelig ouderwetse toestand, ondanks alle plaatjes aan de muren en de versierde gordijnen.

Dat was dertig jaar geleden en toen heb ik ze allemaal versteld laten staan. Ze waren er niet aan gewend zulke jonge mensen met artritis te zien. Mijn ziekte begon toen ik dertien was. "Groeipijn" noemden ze het en jonge, jonge wat groeide die pijn! Mijn handen waren afschuwelijk stijf en gezwollen, ik kon op school geen pen vasthouden. Mijn knieën zwollen ook op en mijn voeten deden zo'n pijn dat ik met geen mogelijkheid aan spelletjes kon meedoen. Dat is erg traumatisch voor een opgroeiende puber. Net op het moment dat je het ergst met jezelf overhoop ligt en overgevoelig bent over je uiterlijk, zag ik er afschuwelijk uit en ik voelde me ook zo. Ik kon niet met mijn vriendinnen meedoen aan de normale activiteiten die jongens en meisjes op die leeftijd doen; geen hockey, tennis, dansen of gescharrel.' Ze zweeg even en gaf ons een laconiek knipoogje.

'De enige plek waar ik een goed figuur sloeg, was in het zwembad. Het warme water was goed voor mijn gewrichten en daar kon ik me gemakkelijk en zonder pijn bewegen. Maar over het geheel genomen was ik kapót van vermoeidheid. De meest simpele dingen waren voor mij al een hele opgaaf, zoals wassen, aankleden en naar school lopen, dat waren enorme inspanningen. De luxe van auto's, zoals nu, bestond toen nog niet.'

Joyce Rudd vertelde haar verhaal uitgebreid toen ze de interesse van de zusters bemerkte. Tijdens de overdracht werd de rest van het personeel op de hoogte gebracht van haar levensverhaal en we leerden hoe onze patiënt door de jaren heen had geworsteld en zich ontwikkeld.

'Ik had meer geluk dan de meesten. Mijn beste vriendin op school hielp me altijd overal mee en ze is nog steeds een trouwe bezoekster. Mijn moeder was zo verstandig om altijd aan de toekomst te denken en plannen voor mijn onafhankelijkheid te maken. Ze had een vriendin die fysiotherapeute was en die gaf praktische raad op het gebied van rust nemen en oefeningen. Voldoende rust om de geïrriteerde gewrichten te laten ontspannen, samen met voorzichtige oefeningen om te zorgen dat de zaak niet zou verstijven. Gò, het was wel hard, als ik er nu op terugkijk. Ik huilde soms van pijn en frustratie, maar het was het uiteindelijk beslist waard. Mijn moeder begreep al snel dat we hard zouden moeten werken om de ziekte de baas te worden, anders zou die óns de baas worden. Ze ging zo op in mijn R.A., dat mensen zich soms afvroegen wie van ons tweeën nu eigenlijk ziek was.'

Joyce had zich erin geschikt te leven met een ziekte die haar tot invalide maakte en ze gaf toe dat het accepteren van dát feit het halve gevecht was. Ze leed er nu al dertig jaar aan en ze was zwaar misvormd. Maar ze worstelde nog steeds om het leven zo goed mogelijk de baas te blijven. Als ze geïrriteerd werd door zusters die ongevoelig voor haar noden waren of dingen niet opmerkten, tja, dan had ze daar recht op. Ze wist precies wat R.A. was; wij niet, maar ik had wel het gevoel dat we het leerden.

Hoewel het een paradox leek, gaf Joyce toe dat een ziekenhuisopname altijd extra moeilijk voor haar was omdat ze zich moest aanpassen aan de routine van zusters die uiterst efficiënt volgens een tijdschema werkten. De zusters wilden niet onaardig zijn, maar begrepen het niet en wilden vaak niet weten hóe haar gepijnigde lichaam het beste behandeld kon worden. Als ze zich te midden van hun drukke afdelingswerkzaamheden eens realiseerden hoe één verkeerde beweging weken van behandeling teniet kon doen.

'Iedereen wil alles even gauw doen en dat is nu net wat ik niet kan. Het duurt eeuwen voor ik 's ochtends op mijn benen sta. Ik word wakker met stijve, vastzittende en pijnlijke gewrichten die vreselijk moeilijk in beweging te krijgen zijn. Ik heb een pijnstiller, warme melk en een warm bad nodig dat ik op mijn gemak moet nemen voor ik "los" ben. Voor die tijd kan ik me niet aankleden en de dag beginnen. Zusters proberen de dingen sneller te doen, maar dat is niet goed voor me, het maakt de zaak alleen maar moeilijker.

In het ziekenhuis heb je die afschuwelijke gewoonte van om zes uur 's ochtends temperaturen, thee ronddelen en wassen. Mijn waskom en kopje thee blijven ongebruikt op het nachtkastje staan, want op die manier kan ik werkelijk niet in actie komen.'

Het leven van Joyce Rudd was erop gericht ondanks haar ziekte

185

in leven te blijven, en er waren vele aanpassingen aangebracht om deze taak ten uitvoer te brengen.

'Ik ben nog lange tijd in staat geweest enig kantoorwerk te doen – geen typen natuurlijk – maar ik kon goed de telefoon opnemen. Maar ik was lange tijd weg als de ziekte weer opflakkerde, dan was ik kapot van de pijn en vermoeidheid. Mijn werkgevers hadden erg veel begrip en waren bijzonder sympathiek, maar ten slotte werd het werk me toch te veel en mijn handen werkten ook totaal niet mee.'

Joyce toonde ons haar misvormde handen. Ze zagen eruit als een zakje door elkaar gegooide botjes, en hadden weinig meer van de fijne, doeltreffende structuur van een normale hand. De spichtige botten en gezwollen knokkels waren misvormd en verwrongen en vormden een aanfluiting voor iedere poging er een precieze beweging mee te maken.

'Je moet je eens proberen voor te stellen hoe ik een pakje chips of een pak melk met deze handen openmaak. Doppen van flessen, kranen, ringen op blikjes, knoopjes op kleding, het zijn voor mij stuk voor stuk onmogelijke dingen.'

We knikten begrijpend en zagen in hoeveel dingen in modern verpakkingsmateriaal, die al moeilijk waren voor normale mensen, onmogelijk waren voor ouderen of gehandicapten!

'Al mijn bestek heeft grote, brede handvaten zodat ik het gemakkelijk beet kan pakken en ik kan alleen maar schrijven met deze lompe balpen.' Ze ging verbazend handig om met de korte dikke pen tussen haar misvormde vingers en als ze schreef bewoog ze haar hele arm.

'Ik kan niet met ritsen, drukknoopjes, schoenveters, haarspeldjes of dat soort dingen overweg.' Joyce zette ons wel aan het denken over al die ingewikkelde bewegingen die deel uitmaken van ons dagelijks leven en die we als gewoon ervaren. Al haar sluitingen moesten van klitteband voorzien zijn, zodat ze gemakkelijk konden worden opengetrokken.

De kleren van Joyce waren ook duidelijk afgestemd op haar beperkte mogelijkheden. Ze had truien die ze zo aan kon trekken en instapschoenen. Een paar jaar geleden waren haar misvormde tenen geamputeerd, aangezien ze haar veel pijn bezorgden en toch geen enkel doel meer hadden.

'Het leek wel of ik blootsvoets over scherpe stenen liep,' vertelde ze.

Haar standaard kleding bestond een lange broek met elastiek in de taille en sokken. Die kon ze gemakkelijk aantrekken en ze maakten het tevens overbodig met lastige kousen of panty's te friemelen. Ze bedekten ook haar afzichtelijke knieën, die groot en gezwollen waren en vol littekens zaten van operaties om haar kniegewrichten door metalen gewrichten te vervangen. Haar haren droeg ze in een korte, gemakkelijk te onderhouden stijl. Haar schoudergewrichten waren zo stijf dat Joyce haar haren alleen kon kammen door een hele grote kam te gebruiken die handig was vastgemaakt aan het uiteinde van een kleerhangertje.

'Moeder besloot toen naar een bungalow met schuifdeuren te verhuizen, en dat was een hele verbetering voor mij, want trappen waren een onoverkomelijke hindernis voor me geworden. Het was heerlijk om alles gelijkvloers te hebben en dat werd nog belangrijker toen mijn moeder overleed en ik alles alleen moest doen. Ik heb zo'n karretje op wieltjes en natuurlijk deze oude getrouwen.' Ze tikte even liefdevol op haar krukken.

'Jullie moeten bedenken, meisjes,' hielp ze zuster Pettigrew en Violet herinneren, 'dat ik uit een tijdperk kom waarin "mismaakten" niet geaccepteerd werden en zo goed en zo slecht het ging aan hun lot werden overgelaten. Het is nu helemaal veranderd voor de "gehandicapten" of "invaliden". Ik heb deel uitgemaakt van al die veranderingen. Tegenwoordig zijn er allerlei vormen van hulp en mogelijkheden via de Sociale Diensten.'

Het was interessant zoals ze duidelijk de verandering in terminologie aangaf die voor de minder gelukkigen onder ons werd gebruikt en die de mentaliteitsverandering van de gemeenschap aantoonde. Een dergelijke verandering had ook plaatsgevonden binnen het gebied van geestelijk gehandicapten. Kinderen die oorspronkelijk als 'idioten', 'imbecielen' en 'gestoorden' waren afgedaan, moesten de etiketten 'achterlijk' of 'abnormaal' van zich afschudden, voor ze als 'gehandicapt' werden geaccepteerd. Wanneer dat etiket zich tot een bepaald stempel ontwikkelt, zal er ongetwijfeld een nieuwere en beter geaccepteerde term worden ingevoerd.

'Het was een geluk voor mij dat mijn moeder inzag dat ik op een dag alleen zou komen te staan en voor mezelf zou moeten zorgen,' vertelde Joyce verder. 'Ik begrijp en waardeer nu al het pijnlijk harde werk dat ik moest doen en waar mijn moeder niet van af te brengen was, want het heeft mij mijn onafhankelijkheid laten behouden en een paar goede vrienden bezorgd. Mijn buurvrouw is zo vriendelijk om één keer in de week mijn boodschappen voor me te doen en ze

187

helpt me vaak bij grotere huishoudelijke taken. Ik heb het geluk dat ik wat geld heb geërfd zodat ik mensen kan inhuren om allerlei grotere onderhoudswerkzaamheden uit te voeren.'

Joyce schilderde het personeel een duidelijk en begrijpelijk beeld van haar situatie. Ze was beslist heel anders dan de trieste en afgewezen ziekenhuisgevallen die ik tot dan toe had verpleegd.

Zuster Armstrong en zuster Pettigrew stelden een plan op voor de verzorging van Joyce, dat tóch aan het ziekenhuisregime voldeed. Het was niet eens moeilijk, maar het vereiste net dat beetje extra nadenken en aanpassing dat wij als personeel misschien te weinig in overweging nemen. Het was in feite nauwelijks een 'behandelplan', het was meer een zelfhulpplan, om Joyce de gelegenheid te geven haar geordende bestaan bij ons voort te zetten. Zij leerde ons meer dan wij haar leerden.

Zij moest zich 's ochtends vroeg niet door de nachtdienst laten haasten wanneer ze stijf en immobiel was en de meeste pijn had. Ze kon zich later op de ochtend op haar eigen tijd wassen.

Iedere avond als Joyce werd klaargemaakt om naar bed te gaan, moest er door een zuster een hele serie spalken worden aangebracht. Ze kon niet meer uit bed komen nadat haar 'plastic wapenrusting' was gemonteerd. Alle armspalken, knie- en voetspalken, halskraag, hiel- en elleboogkussentjes moesten op hun plaats zitten voor ze kon overwegen in slaap te vallen. De spalken waren plastic hulzen die door klitteband op hun plaats werden gehouden en ontworpen waren om haar gewrichten in een juiste houding te fixeren om misvorming te voorkomen, en de ledematen rust en bescherming te verschaffen. Het was een hele ingewikkelde gewoonte die uiterst belangrijk was om haar een min of meer onafhankelijk bestaan te kunnen waarborgen.

Als je haar zag bewegen, was de pijn op haar gezicht te lezen. Het luide geknars van haar gewrichten was voldoende om iedereen zijn kiezen op elkaar te laten klemmen! En wat wij konden hóren, kon zij tienvoudig vóelen.

Joyce ging regelmatig naar fysiotherapie. Ze ging er graag naartoe en was erg onder de indruk van een leerling daar die blind was.

'Haar handen maken haar gebrek aan gezichtsvermogen goed. Door met haar handen mijn ledematen te onderzoeken, lijkt het wel of ze mijn gebreken beter kan begrijpen. Ze is zo geweldig handig, bekwaam en voorzichtig,' vertelde Joyce ons.

Ik liet zuster Pettigrew een paar keer met Joyce meegaan, zodat zij het teamwork waar bij deze patiënt sprake van was, eens kon gadeslaan. Joyce kreeg een serie bewegingsoefeningen die langzaam werd opgevoerd, en af en toe paraffinebehandelingen om te helpen haar handen losser te krijgen. Ze vond dat deze behandeling haar erg ontspande en goed hielp, hoewel het maar van korte duur was. De warme paraffine lag als een handschoen om haar handen terwijl de warmte in de substantie bleef hangen en op die manier in haar pijnlijke gewrichten doordrong.

Joyce wist de weg op de afdeling en kende veel personeel, aangezien ze hier de afgelopen jaren regelmatig was geweest. Ze strompelde over Parker en was snel aan haar omgeving gewend. Ik denk dat ze de extra aandacht die ze van haar twee oplettende zusters kreeg wel waardeerde. Ze hadden de uitdaging vastberaden aangenomen en hadden zich een goed beeld gevormd van het moeizame leven van deze dame.

Ondanks de niet-aflatende buikpijn dwong Joyce zichzelf op te staan en in beweging te blijven. In beweging blijven was haar levenswerk. Er was nooit een pauze in het kwartet van haar gewrichtspijn, stijfheid, gezwollenheid en functieverlies.

De arts onderzocht haar maag met een gastroscoop. Dat is een lange, soepele, buigzame slang die via de mond de maag ingaat en de dokter in staat stelt ieder deel van de binnenkant van de maag te bekijken. Het is absoluut geen prettig onderzoek – zijn er trouwens onderzoeken die wél prettig zijn? – maar met behulp van wat valium was Joyce in staat zich te ontspannen en niet te veel van streek te raken.

Er was een duidelijke maagzweer te zien en dat was niet zo verbazend na al die jaren medicijnen slikken om de pijnlijke gevolgen van reuma te bestrijden.

Joyce herstelde goed na de gastroscopie, afgezien van een stijf gevoel dat ze had overgehouden aan het te lang op een harde onderzoekstafel liggen.

'De pijn is er nog steeds, zuster,' zei ze, en ze wreef met haar vuist van verstrengelde vingers over haar buik.

'Tja, dokter Simpson heeft ook een zweer gevonden, dus nu weten we wat de oorzaak van je probleem is,' antwoordde ik op positieve toon.

'Hij is wel een mooie,' zei ze, 'zoals hij het altijd over je "buikje" heeft. Je zou denken dat ik zes jaar was. Wat is er fout aan normale woorden, zoals "maag"?'

Ik stond op het punt uit te leggen dat dit Harley Street-gewoonten waren, die hij had ontwikkeld om het lichaam bekender en minder klinisch te laten klinken, toen Joyce plotseling naar haar middel greep. Ze begon luidkeels te kokhalzen en het braaksel vloog met een boog over het beddegoed. Het had een donkerbruine kleur en een korrelige structuur, het 'koffiedik'-braaksel van een bloeding hoog in de maag.

Het was me meteen duidelijk dat ze een maagbloeding had, een hematemesis zoals dat heet. De zweer had eindelijk een bloedvaatje aangevreten. Het weggelekte bloed en de maagsappen en enzymen produceerden de blubberige, korrelige materie die nu op haar lakens lag.

Die arme Joyce was er slecht aan toe, ze voelde zich zo ziek en hulpeloos. Ze was niet in staat uit bed te springen of snel een bekkentje te pakken zoals een ander zou doen. Het was akelig voor haar dat ze het bed had bevuild en het was een naar gezicht om te zien hoe het vieze bloed uit haar mond stroomde. De geur die we roken toen we haar schoonmaakten was walgelijk, dus de smaak moet ongelooflijk smerig geweest zijn.

Dit was een chirurgisch noodgeval van de eerste orde en dokter Simpson kwam direct naar haar te kijken. Ik zette zuster Pettigrew bij haar 'vast' om regelmatig haar bloeddruk en pols te controleren en er werd direct een infuus aangehangen. Dokter Simpson dacht niet dat het bloedverlies ernstig was en het hield ook uit eigen beweging weer op, zoals hij had voorspeld. Maar Joyce leed al aan bloedarmoede en kon zich nauwelijks nog meer bloedverlies veroorloven. Bloedarmoede komt veel voor bij reumapatiënten en Joyce was onder de beste omstandigheden al geen goede eter. Haar kaakgewricht was stijf en pijnlijk, dus het kauwen van vlees was geen pleziertje en haar inname van ijzer was dientengevolge schaars.

Joyce kreeg een bloedtransfusie om het bloedverlies een beetje op te vangen en om haar fysiek voldoende op te peppen voor de operatie die nu eerder zou worden uitgevoerd dan oorspronkelijk de bedoeling was geweest.

Onze nauwgezette kennis van hoe we met een reumapatiënt moesten omgaan, leverde ons geen windeieren op toen de operatiedatum naderde. Joyce wist nu heel zeker dat de zusters haar na de operatie voorzichtig zouden benaderen. Haar grootste zorg was dat we de zachte kraag zouden vergeten, dat moest de anesthesist er aan helpen herinneren dat zij reumapatiënte was. Haar onstabiele ruggewervels waren slap en als ze fout werden behandeld konden ze gemakkelijk worden beschadigd, wat weer tot beschadiging van haar ruggegraat zou leiden.

Joyces herstel tot volledige mobiliteit was een vreugde om waar te nemen en we waren allemaal trots op ons werk. Het was de moeite waard geweest.

De basisverpleging tijdens de post-operatieve periode van deze patiënt werd vanuit een heel ander oogpunt bekeken. En de zusters – vooral zuster Pettigrew zag ik tot mijn genoegen – hadden er plezier in de pasverworven kennis en het begrip dat ze uit hun persoonlijke contact met de patiënt hadden verkregen in de praktijk toe te passen.

De huid van Joyce vertoonde alle tekenen van een langdurige reumapatiënt. Rondom de gewrichten waren kleine bobbeltjes zichtbaar die elk voor zich dreigden te gaan ontsteken als ze verkeerd behandeld zouden worden. Haar huid was droog, papierdun en teer en kon gemakkelijk beschadigd worden.

Deze dame werd verpleegd op een wolk van zachte donzen schapevelletjes om de brokkelige huid enige bescherming te bieden. Violet Armstrong had een handige truc uit haar vorige baan onthouden; ze maakte zachte ronde ringetjes – we noemden ze 'schuimrubber doughnuts' – waar de botachtige uitsteeksels van de hielen en ellebogen van Joyce in moesten rusten. We gebruikten alle mogelijke kussens, spalken en zandzakken om Joyce in een zo prettig mogelijke houding in bed te krijgen. Wanneer ze gedraaid moest worden, moesten we heel voorzichtig te werk gaan met deze breekbare dame. En haar gewrichten vereisten regelmatige voorzichtige massage om er zeker van te zijn dat de zaak niet in een misvormde houding zou verstijven.

Net als bij veel reumapatiënten waren ook haar longen aangetast en de mate waarin ze haar borst kon uitzetten, stelde niet veel voor. Ze moest uitgebreide, diepe ademhalingsoefeningen doen, ophoesten en fysiotherapie ondergaan om er zeker van te zijn dat er geen longaandoeningen als complicatie zouden optreden.

Die uitgebreide zorg was een uitdaging voor ons. Ze werd ook nog een paar dagen lang via het infuus gevoed, zodat haar buikwond goed zou kunnen genezen. Maar met behulp van onze inzet, de enorme inspanningen van de fysiotherapeuten en de toegewijde aard van de patiënt zelf, was Joyce weldra weer de oude. Ze zat al snel weer overeind en nam met hernieuwde interesse deel aan het leven rondom haar.

De manier van leven van Joyce was ongetwijfeld gekleurd door haar jarenlange ziekte. Haar fysieke gebrek belemmerde haar een sociaal leven te leiden, maar ze behield haar intellectuele functies en was zeer tevreden met academische bezigheden waar ze iets van leerde. Boeken, radio en enige zorgvuldig uitgezochte televisieprogramma's vormden haar voornaamste contact met de buitenwereld en ze kon in ieder gesprek haar woordje doen. Ze schreef gedichten; dat was haar manier om haar creativiteit tot uiting te brengen. Zuster Pettigrew viel de eer ten deel de 'Ode aan de Gartland-zusters' in ontvangst te mogen nemen, waarin onze moeite werd geprezen. Er hangt een kopie op ons prikbord op de afdeling.

Joyce Rudd had een bewonderenswaardige standvastigheid ten opzichte van de wrede ziekte die haar tot een invalide maakte. Ondanks alles waar ze mee te kampen had om te kunnen overleven, behield ze een open geest die inzag dat er mensen waren die nog slechter af waren dan zij.

'Het zou zo gemakkelijk zijn me in zelfmedelijden te wentelen. Ik ken er genoeg die dat doen,' zei ze dan. 'Maar bij mij in de straat woont een gezin met een zwaar gehandicapt kind, we hebben overigens dezelfde sociaal werker. Die jongen heeft tijdens zijn geboorte een zware hersenbeschadiging opgelopen en dat zal nooit beter worden. Hij kan niet zien, hij zal nooit praten, nooit lopen en hij is incontinent en er is geen enkel vooruitzicht op enige verbetering. Zijn jonge moeder is lichamelijk, geestelijk en emotioneel uitgeput, ze leeft voortdurend op pillen en het huwelijk dreigt te stranden. Ze is kapot van de dagelijkse stress en maakt zich vreselijke zorgen over de toekomst van het kind wanneer zij er op een dag niet meer zal zijn. Dat is werkelijk hartverscheurend om aan te zien.

Ik denk dat het er allemaal op neerkomt of je pessimistisch van aard bent en alleen maar de mensen ziet die het beter hebben dan jij, of dat je, zoals ik, optimistisch bent. Ik probeer altijd om me heen te kijken en iemand te vinden die er erger aan toe is dan ik. Ik bedoel, vergeleken met u, zuster, is mijn lichaam een wrak, maar vergeleken met die jongen ben ik een Olympisch atleet,' legde Joyce enthousiast uit. 'Ik mag nog van geluk spreken.'

Er zijn niet veel mensen die als ze dat misvormde, krakende lichaam zien als ze probeert in beweging te komen, naar eer en geweten zouden durven stellen dat Joyce van geluk kan spreken.

'Mijn moeder heeft me geleerd een ijzeren wil te hebben en onafhankelijk te zijn en de mogelijkheden die me ter beschikking staan ten volle uit te buiten en niet te zeuren over dingen die ik niet heb. Ik moet mijn leven leven binnen de grenzen die de ziekte het oplegt, maar ik heb mijn leven nooit beheerst laten worden door de ziekte, zodat al het andere erbij in het niet verzinkt. Het is akelig genoeg pijn te hebben en niet te kunnen bewegen, dan hoef je niet ook nog bitter, verveeld en depressief te worden.'

Over het algemeen lijkt het er inderdaad op of de persoonlijkheid de mate van handicap bepaalt die een ziekte iemand aandoet.

'Het is niet gemakkelijk,' gaf ze ten slotte toe, 'maar het is alles wat ik heb en uiteindelijk komt het erop neer dat ik verantwoordelijk ben voor mijn eigen lot. Je kunt niet steeds op anderen blijven steunen. Ik doe mijn best om inhoud aan mijn leven te geven ondanks die verrekte ziekte. Ik heb mijn leven zodanig aangepast dat ik er zo min mogelijk door word gefrustreerd,' zei ze glimlachend.

De filosofische aanvaarding van de kaart die zij in het leven had toegeschoven gekregen kan een inspiratie zijn voor de zeurders in deze wereld. Haar houding was een nuttig en concreet voorbeeld dat ik goed in mijn geheugen prentte.

DEPRESSIE

Het leven in de flat werd steeds onplezieriger naarmate de winter vorderde. Wat in de milde zomermaanden een koopje had geleken, werd een steeds grotere ontgoocheling nu de weersverandering goed had ingezet. De flat mocht dan goedkoop zijn, vrolijker werd je er bepaald niet van.

Het was een groot, oud Victoriaans huis dat in drie appartementen was verdeeld, elk op zichzelf staand en vermoedelijk allemaal net zo koud en tochtig als het onze. De hele flat rook vochtig en bedompt, met een stoffering die nogal wat te wensen overliet.

Susy en ik bléven munten in de elektriciteitsmeter gooien die onze verwarming moest regelen. Maar het had allemaal weinig zin, aangezien de warmte door de vrijwel poreuze muren werd op- en weggezogen, en de schuiframen rammelden in hun houten sponningen.

Om deze Spartaanse omstandigheden te bestrijden, kleedde ik me warm aan voor ik naar bed ging, maar het was geen fraai gezicht: pyjama en ochtendjas, bedsokken en een warme kruik, begraven onder een hoop dekens en een oud half vergaan dekbed. Het grootste probleem was om op ijskoude ochtenden úit dat lekkere warme nestje te komen. Het was bijna een traktatie om op je werk te zijn, bij die voortdurende gratis centrale verwarming!

Afgezien van deze sombere omstandigheden was ik redelijk tevreden met de situatie. Susy en ik waren samen in het Cottingham opgeleid en kenden elkaar goed. Vervolgens had Susy de verpleging verlaten en zich op sociaal werk gericht en haar nieuwe carrière eiste haar helemaal op. Het leek heel natuurlijk dat we samen een flat zouden delen nu we allebei in Londen werkten. Ik vond het prettig helemaal uit de ziekenhuisomgeving te zijn en te voelen dat ik ook nog deel van een grotere gemeenschap uitmaakte, ver weg van de wereld van ontsmettingsmiddelen en infuusstandaards.

De buren waren vriendelijk en vooral geïnteresseerd in het feit dat er een zuster in de buurt woonde. Ik werd niet vaak te hulp geroepen, maar ze leken gerustgesteld door mijn aanwezigheid voor het geval dát.

Verpleegkundigen merken al snel dat ze in de grotere gemeenschap benaderd worden voor hulp of raad betreffende allerlei belangrijke en minder belangrijke zaken op gezondheidsgebied. Op feestjes worden verpleegkundigen – net zoals ander ziekenhuispersoneel – regelmatig even terzijde genomen om een gedetailleerd verslag te krijgen over de laatste operatie of een recent ziekenhuisbezoek. Het is tamelijk vervelend wanneer een verpleegkundige of arts tijdens een diner als katalysator fungeert voor een stortvloed van gruwelijke medische details van een gast. Het probleem is dat niemand ooit een gewoon geval is – of ze zijn zelf niet goed van de details op de hoogte – en dan is het bijzonder moeilijk om uit die her en der verstrooide feiten nog iets zinnigs te fabriceren.

De huurders in ons huis maakten gebruik van mijn kennis en vroegen regelmatig om raad of bespraken medische onderwerpen in het algemeen met me.

Boven ons woonde een ouder echtpaar, een vitaal stel dat bewondering afdwong door de manier waarop ze nog van het leven genoten. Altijd op stap, altijd voor iedereen een glimlach en altijd vriendelijk wanneer je hen tegenkwam. Ze hadden alleen elkaar nog maar en na vijftig jaar voortdurend gezelschap en wederzijds vertrouwen maakten ze zich beiden zorgen hoe de ander zou voortleven als hij of zij alleen zou komen te staan. Met deze gedachte op de achtergrond, en op de voorgrond alle probleempjes waar oudere mensen door worden lastig gevallen, was het geen wonder dat hun gesprekken zich voornamelijk op het gebied van de gezondheid concentreerden. Ik vond het nooit erg om de details van hun laatste ziektetjes te horen. Het was niet meer dan redelijk dat ze hun hart bij mij konden luchten in plaats van hun huisarts met allerlei pijntjes lastig te vallen.

Ze hadden voor ieder seizoen een interessante voorraad problemen, ook geen ongewoon verschijnsel bij ouderen. Af en toe bij vochtig weer een reuma-aanval, bij wind oorpijn, koude benen en armen in de winter en 's zomers uitputtingsverschijnselen van de hitte.

Susy vond het oude stel een paar hypochonders en excuseerde zich altijd als ze hen tegenkwam om al die kletsverhalen te ontvluchten. Ik zag hoe geïrriteerd ze door hun obsessie voor hun gezondheid werd, ze konden er ook zo verschrikkelijk over doorzeuren, dat wanneer het eens werkelijk iets ernstigs zou zijn, geen mens vermoedelijk meer naar hen zou luisteren.

Maar zelfs Susy kon de akelige breuk niet ontkennen die de oudere vrouw opliep toen ze van de hoge, gladde stoep voor ons huis was afgegleden. Die was overduidelijk. Daar lag ze, bleek en geschrokken, onder aan de stoep, met haar boodschappentas nog over haar misvormde arm. Haar eerste gedachte was geweest haar heup te beschermen, dus in plaats van dat ze achterover was gevallen, was ze voorover op haar uitgestrekte hand gevallen. Het was een duidelijke fractuur van de pols en het weefsel in de buurt begon als reactie op het letsel al aardig op te zwellen.

Susy en ik hielpen de oude vrouw onze flat in en lieten haar even op de sofa uitrusten, met haar voeten omhoog. Haar echtgenoot was minstens even erg geschrokken en trillerig en niet in staat veel hulp te bieden. Ik deed snel haar polshorloge en ringen af, voor de zich snel uitbreidende zwelling dat onmogelijk zou maken. Ik kon het maar beter nu meteen doen, vóór de zuster op de Eerste Hulp ze eraf moest snijden.

Ik maakte een tijdelijke mitella van het enige ding dat daar zo snel voor in aanmerking kwam, een schoon wit kussensloop. Zo kon ze haar arm hoog, veilig en beschermd tegen stoten van buitenaf houden en het hielp de zwelling wat te verminderen. Susy belde een taxi om hen naar het naburige Gartland te brengen; het lieve echtpaar stond erop dat ze geen ziekenauto lastig wilden vallen.

Terwijl we wachtten, stelde de echtgenoot voor wat thee met suiker of wat brandy te halen, die hij boven had weggestopt voor noodgevallen zoals dit.

'Dat is beter van niet,' raadde ik aan, 'uw vrouw moet een algehele narcose ondergaan om die arm te zetten en dan kan ze maar beter niets in haar maag hebben.'

Ik had al te veel mensen met pijn op de Eerste Hulp zien zitten wachten die dan een goedbedoelde kop van het een of ander dronken voor er naar hun letsel gekeken werd.

Het is een bekende vergissing een warme zoete drank voor te stellen voor iemand die een hevige schrik heeft doorgemaakt. Evenals veel bakerpraatjes bij brandwonden stellen dat er allerlei keukenheerlijkheden op de brandwond gelegd moeten worden: boter, olijfolie, bloem of eiwit staan boven aan de lijst! Onvermengd, stromend koud kraanwater is het eenvoudigste antwoord op ieder ongeval.

Een ander afgezaagd verhaal dat ik vaak hoor, is de misvatting dat kinderen met koorts 'lekker warm ingestopt' moeten worden. Kinderen met hoge koorts worden dan stevig in dekens gewikkeld en dat veroorzaakt alleen maar een nóg sterkere stijging van de temperatuur, die zo gevaarlijke hoogten kan bereiken. En dat terwijl juist alle mogelijke moeite gedaan zou moeten worden om de temperatuur te laten dalen door het kind af te koelen, het koelte toe te waaien en lauw af te sponzen.

Juist omdat ik in staat was in dit soort situaties Eerste Hulp te verlenen en vaak tussenbeide kwam om die bijgelovige, gevaarlijke praktijken te voorkomen, was ik altijd bereid om te helpen, wanneer en waar ik maar kon. Als ik iemand voor de ergernis kon behoeden uren op de poli te moeten wachten om daar alleen maar te horen dat er niets aan de hand was, dan was dat wel het minste dat ik als goed ingelicht burger kon doen. Mensen waren meestal blij door een gediplomeerd iemand gerustgesteld te worden dat een beschadigde vinger geen gevaar liep af te sterven, een overgevend kind geen salmonellavergiftiging had of dat een hoestje geen kinkhoest of iets dergelijks was.

Maar ik zorgde er wel voor dat ik mijn boekje niet te buiten ging. Als er ook maar enigszins reden tot twijfel bestond, dekte ik me in door de persoon in kwestie aan te raden er een arts bij te halen. Aangezien ik altijd in ziekenhuizen heb gewerkt, ben ik niet goed op de hoogte van de ziekten die op het terrein van de huisarts liggen. Ik was goed op de hoogte van verwondingen, maar ik kon geen mazelen van een voedselallergie onderscheiden.

Onder ons woonde een Grieks gezin. De vader maakte lange dagen en liet zijn zwangere vrouw alleen achter met twee jonge, levendige jongens. Ik had medelijden met Christina; ze stond overal alleen voor, had een paar kinderen die de schoolleeftijd nog niet hadden bereikt en ze woonde in een snertflat waar altijd de nodige natte was hing.

Ze hadden het gebruik van de tuin en ik had haar en haar zoontjes goed leren kennen toen ik vorige zomer af en toe eens in de zon lag. Het duurde niet lang voor ze uitvond dat ik verpleegkundige was en bovendien een kinderaantekening had. En zo had ik al snel de rol van geruststeller en raadgever voor alles wat met gezondheid, kindergeneeskunde en zwangerschappen te maken had toebedeeld gekregen. Dit in plaats van haar moeder in Griekenland, wier wijze woorden en gezelschap ze heel duidelijk miste.

De peuter was op de 'Frankenstein-leeftijd': hij waggelde met onzekere stapjes rond, zwalkte tegen meubelstukken op, viel over drempels en liet overal een chaos achter. De oudste zoon – Nikki – was een jochie dat voortdurend rondrende, steeds over zijn eigen voeten struikelde en van tijd tot tijd snijwonden, bulten en blauwe plekken opliep die ik bereidwillig verzorgde. Wanneer ze weer in tranen en hevig geëmotioneerd voor mijn deur stonden, wist ik nooit zeker wie de meeste zorg nodig had: het jongetje met het rode hoofd en het betraande gezichtje of zijn bleke moeder die helemaal van streek was.

Christina had een vriendin en een toevluchtsoord nodig. Ze was eenzaam, leefde onder spanning en had een zeer beperkt sociaal leven. Ze ging wel met een paar andere moeders van kleine kinderen om, maar haar beperkte kennis van het Engels smoorde ieder behoorlijk gesprek in de kiem. Ik probeerde te begrijpen hoe het gekibbel van twee kleine, veeleisende kinderen, verergerd door de vermoeidheid van een zwangerschap, haar als het ware een gevoel van claustrofobie kon bezorgen op kille, natte wintermiddagen. Dus ik deed wat een goede buur doet en nodigde haar en de jongens van tijd tot tijd bij ons uit om hun moeder even rust te gunnen, zodat ze de rest van de dag weer aankon.

Ik merkte wel dat Susy geen woord losliet over haar leven als verpleegkundige. Aangezien ze haar ook nooit in uniform zagen, hadden de buren geen idee van haar vroegere opleiding.

'Neurotische moeder,' was alles wat ze voor Christina overhad, 'ze staat elk ogenblik voor je neus als een van die kinderen een snottebel heeft of een keertje niest, zich schaaft of een beetje koorts heeft. En die Nikki, dat kind is gewoon een onbeheerste vechtersbaas!'

Ik gaf geen antwoord, maar ik kon deze hatelijke en egoïstische houding van Susy niet erg waarderen. Maar ik wilde niet weer een scène beginnen; die vonden toch al veel te vaak plaats, over allerlei onbelangrijke kleinigheden.

Susy kon vooral weinig van Nikki hebben, in haar ogen kon hij niets goed doen. Ik begon me af te vragen of hij haar misschien aan haar eigen zoontje deed denken, het kind dat ze had laten adopteren. Ze had het de laatste tijd nogal eens over hem gehad; ze had zich afgevraagd hoe hij eruit zou zien, of hij op school zou kunnen meekomen en ze vroeg zich af of hij zijn vaders allergieën had geërfd.

Het waren lichte irritaties die naar voren werden gebracht door het beeld van dat gezonde, ondeugende jongetje met zijn bruine ogen. Susy French had wel eens een voorbeeld kunnen nemen aan het optimisme van Joyce Rudd. De sociaal werkster van Joyce, die op een dag op de afdeling langskwam, merkte dat op.

'Zuster H. Davies,' las ze op mijn naamplaatje, 'ben jij Helen, de flatgenoot van Susy?'

'Ja, inderdaad,' antwoordde ik opgewekt.

'Arme jij, mag ik dan wel zeggen,' antwoordde ze in alle ernst. 'Ik wérk alleen maar met haar, maar jij moet met haar samenwonen. Lieve God, zij zou de problemen van die arme Joyce eens moeten hebben, dán had ze pas wat om over te klagen.'

Het was waar. Susy was de laatste tijd wanhopig om mee om te gaan, ze zat vol zelfmedelijden en ze kon zo doorzeuren. En het probleem was dat niemand eigenlijk begreep wát haar nu eigenlijk dwarszat. Ze had een dak boven haar hoofd, een eigen auto, een goede baan waar inderdaad op het ogenblik wat problemen waren. En ze had een liefhebbende familie en vrienden, maar ik vroeg me af hoe lang dat laatste nog het geval zou zijn als ze deze houding handhaafde. Wie had er nu zin in zo'n zeurkous?

Ik kon geen hoogte van haar krijgen. Het ene ogenblik was ze zo vijandig en agressief dat ze wel schizofreen leek. Ze dacht dat iedereen tegen haar was. Alles en iedereen was verkeerd – volgens haar. Dat zei ze als ze zich sterk voelde en de zaken aankon: het kon háár niets schelen, zij kwam er wel, iedereen kon verrekken!

En het volgende ogenblik sloeg ze helemaal om en werd zwak en zielig, zat te kniezen en bleef huilen. Dan vroeg ze waarom iedereen zo onaardig tegen haar was, niemand gaf meer iets om haar, ze voelde zich zo eenzaam en ongeliefd. Zoals zij zich gedroeg, vervulde die voorspelling zich vanzelf; ze vervreemdde de mensen van zich. Ze zorgde ervoor dat mensen een afkeer van haar kregen, en dan gaf ze hún de schuld als ze zich van haar afkeerden!

Wanneer ze in tranen was, was ze werkelijk meelijwekkend, vroeg raad, zocht antwoord op haar problemen en gevoelens, maar het ging allemaal op een frustrerende manier. Ze kreeg nooit de juiste antwoorden, dus bleef ze terugkomen met dezelfde onoplosbare vraag.

Susy's achteruitgang was een langzaam proces. Eerst had het een vaag merkbare narigheid geleken, een algemeen gebrek aan interesse in haar omgeving, maar langzamerhand veranderde het in een volwassen depressie.

Ze had een normale reactie op een teleurstelling gehad; haar vriend had haar zonder duidelijk aanwijsbare reden in de steek gelaten, net op het ogenblik dat alles heel goed tussen hen leek te zijn. Het zou voor iedere vrouw – of man – een slag zijn geweest om zo in de steek te worden gelaten zonder uitleg, zonder ruzie, zonder concurrentie. De schrik, de wanhoop, de woede en dat sombere gevoel dat op een dergelijke situatie volgt, werden haar eenvoudig te veel.

Nou ja, die gevoelens kon ik me prima voorstellen, dat had ik zelf ook verschillende keren meegemaakt, dus ik was best geneigd en in staat om daar sympathiek tegenover te staan. En ik wist dat het voorbij zou gaan, dat ging het altijd. Ze zou het met behulp van Vadertje Tijd – de grootste genezer aller tijden – overleven en er zou wel weer een andere man komen om de lege plek in haar hart in bezit te nemen. Ik dacht er verder niet veel over na en ik had het trouwens druk genoeg met mijn promotie en onze drukke wintermaanden in het ziekenhuis.

Als ik me na het werk wilde ontspannen, merkte ik pas dat Susy haar wanhoop niet te boven kwam. Ze werd maar niet haar oude jolige zelf en leek niet in staat de futloosheid van zich af te schudden. Ik merkte dingen op die anders dan anders waren. Normaal gesproken was ze erg precies wat haar uiterlijk betrof, maar dat was nu verleden tijd; haar haren, kleding en haar algemeen bekende rode nagels werden verwaarloosd. Ze kreeg het nog net voor elkaar op tijd op haar werk te zijn, maar ze zag er meestal verschrikkelijk slordig uit. 's Avonds zat ze onderuitgezakt voor de tv en leefde op snacks. En ik merkte dat ze veel dronk en nauwelijks meer behoorlijk at. Ik had haar wel door elkaar willen schudden; haar aanwezigheid was irritant en vermoeiend. Ik begon me er ook ellendig door te voelen.

Het beslissende ogenblik brak aan op de avond dat Peter en ik uitgingen om mijn promotie te vieren. We hadden Susy uitgenodigd om mee te gaan, samen met een van de andere ziekenhuisartsen. Het leek of ze het leuk vond om meegevraagd te worden, ondanks de enorme moeite die het haar kostte om zich klaar te maken. Mijn feestavond werd een fiasco en viel volledig in het water toen Susy tijdens de hoofdmaaltijd in tranen uitbarstte en het tot grote verlegenheid van het hele restaurant ongeremd uitsnikte.

'Dat kind is depressief,' zei Peter nadat we haar met een slaappil in bed hadden gestopt. 'Echt depressief. Als ze zo doorgaat heeft ze professionele hulp nodig.'

Mijn gevoelens waren een mengelmoes van medelijden, verontwaardiging, woede en frustratie. Allemaal onontwarbaar met elkaar verweven. We woonden in hetzelfde huis, dus ik was fysiek niet in staat afstand van het probleem te nemen en het objectief te bekijken. Aan de andere kant voelde ik dat al mijn pogingen om haar te helpen en hulp te bieden geblokkeerd werden. We praatten en praatten, zij huilde, verdedigde zich en smeekte om hulp. Hulp waarvoor in godsnaam? Om zich beter te voelen. Waardóór zou ze zich dan beter kunnen voelen? Dat wist ze niet. Ja, hemel, ik ook niet!

Het was een vicieuze cirkel en ik zat er middenin en we bleven maar ronddraaien. Mijn pogingen waren blijkbaar verspild, mijn woorden gleden als druppels water langs haar af. Ik kon proberen wat ik wilde, ik kon haar geen bevredigende antwoorden geven, geen troost en steun in haar verdriet. Het ging niet beter met haar en ze bleef zich in zelfmedelijden wentelen. Susy was net een bodemloze put of een grote spons die alles wat ik kon geven opzoog en steeds meer wilde tot ik niet meer kon.

Susy's ouders kwamen op bezoek en schrokken uiteraard dat ze haar zo aantroffen. Maar ook zij konden geen hulp bieden. Ze probeerden haar te overreden mee naar huis te gaan, maar daar wilde ze niets van weten.

Ik hoorde hen in de slaapkamer praten.

'O, Susy, we gaan niet overnieuw beginnen, hè?' zei mevrouw French ten slotte wanhopig tegen haar dochter. Dit was blijkbaar niet iets nieuws voor hen.

Arme Susy. Wat zat haar zo dwars dat ze maar geen vrede kon vinden? Ik was ten einde raad. De hemel wist dat ik mijn best had gedaan. Susy bevond zich in de diepste wanhoop en was niet in staat hier op eigen krachten uit te komen.

Ze bleef maar doorgaan, zonder enig centraal onderwerp, steeds opnieuw in dezelfde cirkels ronddraaiend. Ik luisterde weer naar haar eindeloze overpeinzingen, tot ik het gevoel had dat ik uit elkaar zou ploffen.

Ik wilde Susy werkelijk graag helpen, maar het hoe en waarom ontgingen me. Ten slotte vond ik dat de spanning te hoog opliep, en ik wilde ontsnappen voor ik door haar neerslachtigheid zou worden meegesleurd. Samenleven met een depressief persoon vreet behoorlijk aan je eigen optimisme. Ten slotte moest ook ik me uit de situatie terugtrekken, zoals ik velen voor me had zien doen, vrienden die bij de deur waren weggestuurd door een onhartelijke, geïrriteerde Susy.

Om mijn eigen geestelijke gezondheid te kunnen behouden en voor mijn eigen emoties helemaal waren uitgewrongen, moest ik Susy aan haar lot overlaten, en me voor de verandering eens op mijn eigen leven concentreren. Aangezien ik net de verantwoordelijkheid voor een eigen afdeling had gekregen, kon ik mijn werk er niet onder laten lijden en dat wilde ik ook niet.

Onder het voorwendsel dat ik het druk had op mijn werk – en dat was zeker waar – bleef ik nogal eens bij Doreen of in Peters flat slapen in plaats van de ellende die thuis op me wachtte onder ogen te zien.

Op een avond deed ik een poging Bernie uit te nodigen in de hoop dat dit Susy zou helpen – en mij ook. Hij had een psychiatrische aantekening en nogal wat ervaring met dit soort dingen opgedaan in 'Het Grote Gekkenhuis'. We hoopten van ganser harte dat Susy daar niet terecht zou komen, maar als het nog lang zo doorging, vreesde ik dat er geen andere oplossing voor haar zou zijn.

Bernie kende Susy van vroeger, dus hij had het voordeel dat hij haar met die tijd kon vergelijken. Susy was die avond bijzonder op haar hoede en beledigend. Ze sloop in haar ochtendjas door de flat en deed niet de minste moeite om beleefd tegen onze gast te zijn. Een ander niet te accepteren onderdeel van haar huidige stemming was dat ze bijzonder bezitterig ten opzichte van mij was geworden en daardoor buitengewoon jaloers op al mijn vrienden. Bernie vormde een bedreiging, een uitdaging, een concurrent in de strijd om mijn tijd en mijn aandacht.

Ik geneerde me erg voor haar ongemanierde optreden, maar hij begreep het allemaal en kon tussen de regels door lezen.

'Onder dat lompe gedrag zit een bijzonder ongelukkige jonge vrouw die met diepe pijn en angst worstelt,' merkte hij op. 'Geestelijke verwarring is voor iedereen een vreselijke kwelling. Ze heeft tenminste nog de wil om te vechten, dat is een goed teken.'

Hij vertelde me over de depressieve mensen die hij had verpleegd en die zichzelf doeltreffend van de menselijke samenleving hadden afgesloten, niet meer aten of dronken, zich wasten of aankleedden, of zich zelfs maar bewogen, en als een stuk groente vegeteerden en nog maar net in staat waren adem te halen.

'Nou, gelukkig is ze er niet zo erg aan toe, maar eerlijk, Bernie, je ziet hoe de zaken ervoor staan, ik zou willen dat je er iets aan kon doen. Ik ben aan het eind van mijn Latijn en ik voel me toch een beetje verantwoordelijk. Natuurlijk maak ik me zorgen over Susy, en hoewel ik het moeilijk vind om het toe te geven: ik heb geen sympathie meer over. Ik ben alleen nog maar geïrriteerd – en uitgeput – door de aanwezigheid van die vervelende en steeds huilende Susy.' Ik biechtte mijn benauwende gevoelens op en voelde me daardoor al opgeluchter. Mijn ogen stonden vol tranen en mijn keel zat dicht van emotie.

'Dat is niet meer dan natuurlijk. Het is erg moeilijk om een depressief persoon in je omgeving, in je directe omgeving te hebben. Kom op, Helen, ga je niet schuldig voelen. Er zijn grenzen aan wat je kunt doen, en ik ben ervan overtuigd dat je je uiterste best hebt gedaan. Het is een bekend feit dat de mensen die zo iemand het meest na staan te veel betrokken zijn om echt hulp te kunnen bieden,' legde Bernie uit terwijl hij me troostte.

Zijn bezoekje was produktief. Hij was in staat open en kalm als een onbevooroordeelde en niet betrokken buitenstaander met Susy te praten. Er was geen subjectieve betrokkenheid, hij had geen last van de voortdurende ongewassen kopjes in de keuken, de lege blikjes en wijnflessen of panty's die in de badkamer hingen. Zijn raad werd misschien onwillig ontvangen, maar hij wérd ontvangen en Susy ging ten slotte naar haar huisarts.

De arts gaf haar een kuur pillen die tegen depressies zouden helpen, plus een sterke slaappil zodat ze in ieder geval 's nachts goed sliep. Antidepressiva hebben een paar weken nodig voor ze voldoende in het lichaam zijn opgebouwd om effectief te worden, en Susy stond al op het punt ze weg te gooien omdat het toch maar tijdverspilling was. Maar gelukkig bleef ze ze toch slikken en weldra klaarde ze op en kreeg ze weer interesse in het leven.

Susy was doorgegaan met haar werk als sociaal werkster, hoewel ze met een bijzonder moeilijk geval bezig was. Een kind dat buiten het gezin was geplaatst, was aan de ouders teruggegeven, waarna het weer ernstig door hen was mishandeld. Susy was gedeeltelijk verantwoordelijk geweest voor de beslissing het kind naar de ouders terug te laten gaan en stond nu in het middelpunt van een ondervraging betreffende het geval. Mishandelende ouders, opnemen in een instelling of pleegzorg – wat een keuze, wat een dilemma. Ik had wel met Susy te doen, die tot aan haar hals in die ellende zat.

Vreemd genoeg verdwenen met dat probleem al haar sombere en

angstige gevoelens. Het leek wel of haar geest zich zo op iets positiefs concentreerde, dat er niet voldoende plaats over was om lang over onbelangrijke zaken na te denken.

Het was heerlijk dat ze weer was zoals vroeger en we beleefden een paar normale weken in de flat.

Op een zaterdagavond was ik uitgenodigd voor een feest in de flat van Chris Fowler; ze verloofde zich. Ik had het tot het laatste ogenblik uitgesteld om een cadeautje voor haar te kopen.

Ik moest me die zaterdagochtend haasten en hoewel ik late dienst had, wist ik dat ik voldoende tijd had om nog naar High Street heen en weer te gaan voor ik naar het ziekenhuis zou moeten.

Het was een schitterende, frisse zomerochtend, een van die heerlijke dagen waarop je je zo heerlijk luchtig voelt en blij bent dat je leeft. Ik liep net genietend rond te slenteren, in etalages naar de nieuwste mode te kijken toen ik Christina met de jongens tegenkwam. Ze hadden allemaal met zware verkoudheden tijden binnen gezeten.

'Vooruit, laten we een kopje koffie gaan drinken, ik heb jullie zo lang niet meer gezien,' zei ik en we gingen in een hamburgershop in de buurt zitten.

De jongens zeurden natuurlijk bij hun moeder om frietjes en ik moest toegeven dat de geur inderdaad heerlijk was. Dus iedereen nam friet en ik besloot dat dit dan maar mijn lunch was, in plaats van mijn gebruikelijke lunch overdag in de ziekenhuiskantine.

We kletsten langer dan we ons eigenlijk konden veroorloven en ik moest snel naar de flat terug om me te verkleden. Ik kon nog net de bus van kwart voor twaalf halen, het gaf niet als ik op zaterdag een beetje later kwam.

Ik rende de trap op naar de flat en nam een paar brieven en de melk mee.

'Een brief voor jou, Susy,' schreeuwde ik. 'Hé, wil je zien wat ik voor Chris heb gekocht?'

Ik zette de kristallen bloemenvaas en de brief op het gangtafeltje en begon mijn lange broek uit te trekken.

'Jee, ik hoop dat ik die verrekte bus nog haal. Ik kwam Christina in de stad tegen en we hebben samen geluncht in die nieuwe hamburgershop.' Ik bleef doorpraten, schreeuwend vanuit mijn slaapkamer.

Terwijl ik mijn uniform aantrok, besefte ik dat ik geen reactie kreeg. Ik vroeg me af of Susy misschien weg was. Nee, de radio stond aan. De brieven en de melk waren onaangeroerd gebleven.

'Joehoe, ik ben terug,' riep ik, en keek even in de zitkamer terwijl ik mijn knopen dichtmaakte. Niemand. Tjee, zou ze nog in bed liggen?

Ik klopte op de deur van Susy's slaapkamer en ging toen naar de keuken om water op te zetten. Er was nog net tijd voor een snel kopje koffie voor ik weg moest.

Ik klopte weer. Er kwam geen antwoord. Dat was vreemd. Als een van ons beiden werd gestoord, gaven we tenminste even antwoord, al was het maar om 'ga weg – ik slaap' te roepen.

Het was een dreigende stilte. Er liep een rilling over mijn rug. De flat was ijzig koud. Op een schitterende zonnige warme dag als vandaag kreeg ik de zenuwen van die verrekte flat. Of, was het de flat wel?

Ik durfde Susy's kamer niet goed in te gaan, uit angst voor wat ik daar zou aantreffen. Mijn geest liep snel alle mogelijkheden af die ik half en half had verwacht tijdens haar depressieve periode.

Maar het ging nu toch goed met haar – ze was nu op de goede weg. Ik maakte een kop koffie om mee naar binnen te nemen – uitstellingstactiek.

Ik sloop de kamer in. Het was er nog donker, alleen een streepje licht waar de zon door de gordijnen scheen.

'Susy, het is half twaalf.'

Ik trok de gordijnen snel open en mijn hart klopte in mijn keel toen ik me naar het bed omdraaide.

Leeg! Dus ze was opgestaan. Maar haar eeuwige spijkerbroek lag nog over de stoel.

In gedachten ging ik de mogelijkheden na. Beneden bij Christina? Nee, die was bij mij geweest. Boven bij het oude stel? Nee, haar ochtendjas hing nog aan de achterkant van de deur.

Er stond een lege wijnfles op haar toilettafel, maar ik had geen idee of die nieuw of oud was.

Ik ging naar het toilet om daar eens rustig na te denken. Achter in mijn hoofd zat nog steeds een knagend angstgevoel, maar misschien was er een eenvoudige verklaring. Misschien was ze voor een plotseling weekend weggegaan naar Brighton met een of andere impulsieve ex-minnaar.

Op dat ogenblik ontdekte ik de stukjes aluminiumfolie die in de toiletpot ronddreven. Aluminiumfolie van tabletten. Veel tabletten. Overdosis! Maar waar?

De enige kamer waar ik nog niet was geweest sinds ik thuis was, was de badkamer. Ik liep er snel en doelbewust heen, maar aarzelde toen ik met mijn hand op de deurknop stond. Natuurlijk niet! Misschien. Het was mogelijk. Nee, het kon niet! Mijn hart klopte in mijn keel en mijn benen waren gevoelloos en trillerig toen ik de deur met een vastberaden beweging opengooide.

Daar lag Susy. In bad. Dood. Hartstikke morsdood. Ik wist het direct. Mijn geest had alle informatie opgenomen en was direct tot die conclusie gekomen. En er was geen enkele kans dat ik haar nog zou kunnen redden. Ze was al een tijdje dood – en ik had al die tijd in de flat rondgelopen en gepraat! Ik rilde.

Haar naakte lichaam lag doodstil en onderuitgezakt in het bad. Het water was bijzonder helder, niet zeperig of met belletjes of met de groene badsmurrie die Susy zo graag gebruikte. Het heldere water toonde haar jonge, slanke, nu levenloze lichaam – een mooi lichaam. O, wat zonde!

Haar verbleekte gezicht lag half onder water, haar mond en neus lagen onder water en er was geen rimpeling in het water die op een spoor van leven duidde. Er kwamen geen belletjes naar de oppervlakte, haar longen zouden nu al enige tijd vol water staan. Daardoor wist ik dat iedere reanimatiepoging zinloos was.

Haar lange haar hing in het water – dat afschuwelijk stille water. Haar ogen waren gesloten. Eindelijk rust voor Susy.

'O mijn God!' Ik zakte in elkaar en sloeg zwaar tegen de badkamermuur aan. Ik ving in de spiegel een glimp op van mijn asgrauwe gezicht. Er was geen kleur meer in te bekennen: een spookachtige verschijning die bijna overeenkwam met de kleur van het lijk in bad.

'Allemachtig, wat moet ik nou doen?' Ik was alleen met een lichaam in het bad, een lijk, zelfmoord. Dat was mijn vriendin Susy niet meer, dat was alleen nog maar een dood lichaam. De buren zouden me niet veel hulp te bieden hebben. Och jee. De buren, dat zou nog een heel probleem worden.

Draai 999. Dat leek een logisch begin.

'Brandweer, politie of ambulance?' kwam het snelle antwoord.

'O... eh, politie, denk ik.'

De patrouilleauto was er binnen een paar minuten, hoewel de tijd dat ik daar alleen zat te wachten een eeuwigheid leek.

Terwijl ik wachtte, was ik verbaasd dat ik geen enkel gevoel leek te hebben. Ik was niet bang en ik kon ook niet huilen. Mijn gevoelens werden verdrongen door de vele praktische handelingen die vereist waren in deze beangstigende situatie. In de eerste plaats moest ik aan haar ouders denken, de huisbaas, de begrafenis regelen, eigendommen, haar werk, mijn werk… waar moest ik beginnen, wat was het belangrijkste?

Mijn stortvloed van gedachten werd verstoord door een klop op de deur en er kwam een aardige brigadier binnen met een jongere politieagent. Vlak daarna kwam er een ziekenauto aanrijden, maar het ambulancepersoneel zag al snel dat dit geen werk voor hen was.

Hier moest de lijkschouwer aan te pas komen.

'Het lijkt me een duidelijk geval van zelfmoord, juffrouw,' zei de brigadier. 'Maar bij een onverwachte dood zoals deze komt er toch een gerechtelijk onderzoek aan te pas. We mogen niets aanraken tot de lijkschouwer ons daar toestemming voor heeft gegeven.'

De jonge agent werd neergezet om bij het 'bewijsmateriaal' de wacht te houden. Hij was duidelijk geschrokken toen hij het trieste beeld van een dode jonge vrouw in een bad zag. Er was thee nodig en ik was blij iets constructiefs te kunnen doen, terwijl de wet zich van zijn noodzakelijke taken kweet.

Zuster Ashton nam mijn telefoontje op en ik legde haar uit waarom ik te laat op mijn werk zou zijn. Ze zei heel vriendelijk dat de afdeling het wel zonder mij af kon als ik die dag verlof wegens familieomstandigheden wilde hebben. Maar ik dacht dat ik het wel prettig zou vinden om naar het ziekenhuis te kunnen als alles in de flat achter de rug was. Ik regelde ook dat ik die nacht en de daaropvolgende bij Doreen kon slapen. Ik was niet teergevoelig, maar ik wist dat ik me in deze flat nooit meer op mijn gemak zou voelen. En het ondersteunende gezelschap van een vriendin zou me goeddoen.

De brigadier begreep dat ik het akelige nieuws liever niet aan Susy's ouders wilde brengen, dus zorgde hij ervoor dat een politieagent die bij de familie French, die in de buurt woonde, een persoonlijk bezoekje aflegde. Een van de vele minder plezierige taken van de politie. Het was iets dat ze deden in geval van plotseling overlijden, wanneer een telefoontje te kil en onpersoonlijk is, een shock voor de verbijsterde en bedroefde nabestaanden.

De volgende moeilijke hindernis was het aan Christina en de kinderen te vertellen. Ik hoorde hen terugkomen van het winkelen en ik zag de jongens opgewonden wijzen naar de wachtende politieauto en de ziekenwagen, beide voorzien van een blauw zwaailicht op het dak. Wat een opwinding voor de jongetjes. Wat een afschuwelijk gevoel voor volwassenen.

Ik liep naar beneden, naar Christina, hoewel ik niet precies wist wat ik moest zeggen.

'Het is Susy...' begon ik.

'Is ze ziek?' vroeg Christina uiteraard.

'Het is erger.' Hoe vertel je zulk verschrikkelijk nieuws voorzichtig?

'Zij gaat naar ziekenhuis?' informeerde Christina.

'Nee, nog erger. Eh, hm, ze is gestorven. Zelfmoord,' fluisterde ik.

'O,' bracht Christina er haperend uit. Ze staarde naar boven naar onze flat, sloeg snel een kruis en hield haar zwangere buik vast alsof het slechte nieuws haar ongeboren kind schade zou kunnen berokkenen.

'Houd de kinderen binnen,' raadde ik haar fluisterend aan, 'ze dragen haar straks weg. Ik leg het later nog wel uit.'

Er zou héél wat uit te leggen zijn, vreesde ik.

Terug in de flat kwam ik er eindelijk toe de thee te drinken en de situatie eens te peilen. Ik begon onbeheerst te trillen en kon mijn kopje niet meer stilhouden. Ik had het zo afschuwelijk koud dat ik een dikke wintertrui moest aantrekken. Ik trilde als een gek en eindelijk kon ik dan toch huilen.

'Vertraagde shock, kind. We komen het steeds weer tegen,' zei de oudere politieagent, en voegde er toen aan toe: 'Ik denk dat jij dat bij jullie ook wel tegenkomt.'

Ik liep nog steeds rond met een half aangetrokken uniform. We begonnen over het ziekenhuis te praten om de tijd door te komen, hoewel ik in gedachten steeds weer het beeld van een witte roerloze Susy in bad voor ogen kreeg.

Er kwam een agent van de lijkschouwer; hij rondde zijn vragen met een maximale snelheid en efficiency af. Met mijn verhaal en het gerechtelijk bewijsmateriaal om naderhand aan een autopsie toe te voegen, wees het resultaat duidelijk op zelfmoord. Maar, er bleef een zeurende 'maar' voor allen die Susy hadden nagestaan. Had ze werkelijk willen sterven, of was het een kreet om hulp geweest die fout was afgelopen? Niemand zou het ooit te weten komen. Hij nam de lege wijnfles mee en het aluminiumfolie waarvan hij nog wat uit de wc-pot had gevist en dat duidelijk op een enorme dosis wees.

'Volgens mijn ervaring – en ik heb meer dan voldoende van dit soort gevallen gezien – treffen potentiële zelfmoordenaars uitgebreide voorbereidingen wanneer ze uiteindelijk besluiten zich van het leven te beroven. Ze denken erover na dat ze schoon en netjes gevonden willen worden, en bereiden zich volgens een heel ritueel voor. De pillen en alcohol worden altijd op een lege maag genomen en tijdens de wachtperiode waarin de medicijnen hun werk moeten doen, nemen ze een bad, trekken een schoon nachthemd aan, schrijven een zelfmoordbrief en drijven pijnloos de laatste slaap van de vergetelheid in.

Ze denken alleen niet – of misschien ook wel – aan de vaart waarmee het gif op een lege maag geabsorbeerd wordt, plus de toegevoegde dimensie van een versnelde stofwisseling vanwege de plotselinge onderdompeling in warm water. Er is geen enkel teken dat erop wijst dat juffrouw French zich heeft ingezeept. De gebeurtenissen hebben haar verrast en ze is vermoedelijk ter plekke bewusteloos geraakt. Ik betwijfel of de oorzaak wel verdrinking is geweest.'

Ik waardeerde zijn openheid. Hij vertelde me meer dan noodzakelijk was, aangezien het rond die tijd allemaal nog slechts op speculatie berustte.

'Had ik haar nog kunnen redden als ik eerder was thuisgekomen?' vroeg ik, en gaf daarmee uiting aan mijn bijzondere bezorgdheid over het incident.

'Misschien, daar kom je nooit achter. Het nemen van een bad vergrootte het risico zonder meer. Maar u kunt die verantwoordelijkheid niet op uw schouders nemen,' benadrukte hij. 'Als mensen met gif gaan rommelen, of dat nu de bedoeling is of niet, wordt het Russisch roulette met veel ingebouwde kansen, en er kan van niemand verwacht worden dat hij de schuld op zich neemt. Uiteindelijk dragen we allemaal zelf de verantwoordelijkheid voor ons eigen leven.'

Het was afschuwelijk om naar de akelige geluiden te luisteren die de begrafenismensen maakten terwijl ze bezig waren Susy uit bad te halen en de trap af te dragen in een tijdelijke kist.

Ik was blij toen ik uit de flat weg kon en terug was in de evenwichtige en geestelijk gezonde omgeving op mijn werk. Het was afschuwelijk om te bedenken dat mijn arme, lieve, overleden vriendin nu op een plaat in een mortuarium lag en uit elkaar werd gesneden voor een autopsie.

In het Gartland-ziekenhuis gonsde het weldra van de geruchten over deze akelige zaak. In het begin vond ik het niet erg het verhaal te vertellen. Zelfs al was ik erbij geweest, toch kon ik het niet helemaal geloven, dus ik wilde wel over mijn ervaring praten om het werkelijker te maken. Ik voelde de noodzaak om ieder detail te bespreken, alsof ik het geheel van me af wilde praten.

En iedereen wilde maar al te graag luisteren en delen in de indirecte spanning van de tragedie van een ander. Plotseling kreeg ik er echter schoon genoeg van en wilde het van me afzetten. Ik kampte met mijn eigen gevoelens en gedachten en wilde dat in mijn eentje doen.

Doreen en Bernie werden mijn vertrouwelingen, en zij waren een hele steun voor me in die moeilijke tijd. Ze begeleidden me naar de begrafenis en daar was ik hen heel dankbaar voor, aangezien ik nog nooit eerder zoiets had meegemaakt en niet wist wat ik moest verwachten. Peter was net weg voor een cursus en ik merkte hoe erg ik zijn steun miste en hoe nodig ik hem had.

Toen we de kerk naderden, vroeg ik Doreen een gunst.

'Luister, als dit voorbij is, ga ik het weekeinde weg. Zou je discreet kunnen laten weten dat ik verder geen zin heb om nog over Susy te praten? Ik wil het er na vandaag niet meer over hebben.'

Daar zijn de rituelen van een begrafenis ook voor. De laatste groet uit de buitenwereld aan de overledene, een ceremoniële afronding van de fysieke kant van de zaak.

De klassieke ouderwetse kerk was naar behoren uitgerust voor de dienst. IJskoud met die stenen vloer en geweldige houten pilaren, terwijl de stralen van het heldere zonnetje door de mooie kleurrijke ramen naar binnen schenen.

Ik kon me niet goed voorstellen dat Susy er niet meer was en dat ze er nooit meer zou zijn. Mijn ogen waren gefixeerd op de fraai bewerkte houten kist met glanzende koperen handvatten die hoog voor ons stond. Ik stelde me haar lichaam voor dat nu vol littekens zou zitten, na de autopsie. Vreemde dingen denkt een mens in dergelijke ogenblikken.

De bloemenweelde was verbazingwekkend, maar hun vrolijke schoonheid werd overschaduwd door de schrijnende situatie. Het drong tot me door dat sommige van die schitterende bloemenhuldes naderhand in het Gartland bezorgd zouden kunnen worden ter versiering van de afdelingen en om de zieken wat vrolijkheid te bezorgen.

Susy zou deze vertoning hebben gewaardeerd. Ze was dol op bloemen en planten, de flat had altijd vol met stekjes gestaan die behoedzaam tot een bloeiend bestaan werden verzorgd. Wat tragisch dat deze boeketten van liefde te laat kwamen voor haar om zich te realiseren hoeveel mensen om haar hadden gegeven.

Er lag een krans dieprode rozen – het symbool van liefde – boven op de kist. Die was van Susy's ouders.

Ik keek naar het echtpaar dat door verdriet verscheurd moest worden en had zielsmedelijden met hen. Ze woonden de dienst roerloos – bijna als in trance – bij en haar moeder bette haar ogen achter een zonnebril, die ze droeg om haar verdriet te maskeren.

Toen ik hun verdriet zag – het verdriet dat de nabestaanden leden – liet ook ik mijn tranen de vrije loop. Doreen stak me haar hand toe en ik kon mijn gevoelens luchten en toen nam de verstikkende wroeging een beetje af.

Ik moest er niet aan denken naar onze flat terug te moeten gaan. Zelfmoord was iets heel anders dan een natuurlijke dood. Dit kon je niet aanvaarden en afdoen als 'lot', 'Gods wil', 'de natuurlijke loop der dingen', of 'een opluchting' en het nog geloven ook. Susy's zelfmoord zat me erg dwars.

Bernie bracht me naar het station. Terwijl we op de trein stonden te wachten, kon ik mijn gevoelens niet voor me houden, en besprak alles met hem.

'Ik kan niet begrijpen waarom het is gebeurd, het leek allemaal zo goed te gaan. We dachten allemaal dat het veel beter met haar ging.'

Bernie legde uit dat dát de meest waarschijnlijke tijd voor een zelfmoord was. Midden in de depressie heeft de patiënt geen zin om welke daad dan ook uit te voeren. Maar wanneer de depressie begint af te nemen, komt de patiënt in een stadium terecht waarin hij in staat is de beslissing en de moeite te nemen zichzelf te doden. Die beginfase van herstel staat bekend als een riskante tijd voor zelfmoordpogingen. Het probleem is dat iedereen er versteld van staat, aangezien men het idee krijgt dat de patiënt goed op weg is zich te herstellen, en gelukkiger is.

'Ik vind het zo'n akelig idee, dat ik haar misschien had kunnen redden. Denk je dat dat ook haar bedoeling geweest kan zijn?' vroeg ik.

'Je hebt pech gehad dat jij er zo bij betrokken was, maar je moet ophouden er zo over te denken. Je vindt het antwoord toch niet,' antwoordde Bernie vastbesloten.

Het was allemaal zo irritant en slordig. Ik kon er niets aan doen dat ik de mogelijkheden steeds weer de revue liet passeren. Was het haar bedoeling om naar tegen me te doen, door het op een plek te doen waar ik haar kon vinden? Of was het een compliment voor me dat ik uitverkoren was als degene die wel wist wat ze zou moeten doen? Zou ze zich hebben voorgesteld hoe ik zou reageren als ik haar dood aantrof? Was het haar bedoeling geweest om dood te gaan – echt dood te gaan – of had ze gered willen worden? Had ze me eerder thuis verwacht om haar te redden, terwijl ik besloot die dag wat langer weg te blijven om te lunchen? Was dat bad de bedoeling geweest of was het een verschrikkelijke vergissing? O, er waren zoveel onbeantwoorde vragen. Niemand kan goed tegen onopgeloste raadsels.

'Ik vind het zo naar dat ik niet meer heb gedaan om haar te helpen toen dat nog kon – toen het er nog iets toe deed,' biechtte ik op. En ik vocht tegen mijn tranen in de wetenschap dat ik de waarheid nooit zou ontdekken.

'Denk je niet dat iedereen die die dienst bijwoonde, precies hetzelfde heeft gedacht?' merkte Bernie op.

Daar had ik nog niet bij stilgestaan. Ik was zo in mijn eigen rol in het verhaal opgegaan, dat ik er niet aan had gedacht hoe anderen zich voelden.

'Denk je niet dat zij niet ook het gevoel hadden dat ze meer hadden moeten doen? Haar arme ouders, andere familieleden, vrienden, collega's, vriendjes. Iedereen die dat meisje heeft gekend en is achtergebleven draagt de last van zijn eigen gedachten, en misschien een schuldgevoel dat in de meeste gevallen volkomen onterecht is.' En hij voegde eraan toe: 'Maar misschien is dat ook wel de erfenis die ze heeft willen achterlaten, wie zal het zeggen?'

Ik keek hem verbaasd aan bij die blijkbaar zo tactloze en wrede opmerking, maar ik vond zijn uitleg bijzonder onthullend. En het was wel een troost voor mijn kwellende gedachtengang.

'O ja, iedereen ziet zelfmoord als heel passief en negatief, de gemakkelijke uitweg. Misschien is dat zo. Maar je kunt zien – en voelen – wat een pijn het doet en hoe het de achtergeblevenen raakt. Het kan een sadistisch gebaar zijn dat de nabestaanden die die persoon het meest na stonden gemeen steekt. Daarom beschouwen wij zelfmoord wel als "de meest agressieve daad die er bestaat".'

FELICITATIE

Toen ik een lang weekend bij mijn familie had doorgebracht, helemaal weg van het Gartland, de flat en het gepraat over zelfmoord, voelde ik me een stuk beter.

Ik vond het niet erg om die sombere flat te verlaten. Het was een onderdak geweest en we hadden er best wel een leuke tijd gehad. Maar vóór Susy's problemen had ik al min of meer besloten in ieder geval voor de volgende winter zou beginnen naar het zusterhuis te verhuizen.

Het enige dat het ziekenhuis me te bieden had, was een kamer in het zusterhuis op de gang waar de verpleegkundigen woonden.

Mijn 'cel' was tamelijk sober, maar dat was te verwachten van een dergelijk onderkomen. Er was plaats voor een bed, een klerenkast, een toilettafel en speciaal voor verpleegkundigen, als concessie aan hun graad – die in de hogere huur tot uiting kwam – een eigen wasbak. Er was nauwelijks voldoende ruimte om je om te draaien. Maar het was warm en schoon, er werd beddegoed verstrekt en verschoond en het was een heerlijkheid om steeds gratis warm water te hebben.

Intern wonen had het voordeel dat je er altijd zeker van kon zijn dat je op tijd op je werk kon komen. Je was nooit afhankelijk van de grillen van het openbaar vervoer en had nooit problemen met onverwachte verkeersopstoppingen. Ik kon zelfs een uurtje langer in bed blijven liggen.

Aan de andere kant vereiste het een zekere zelfdiscipline om naar buiten te gaan, de frisse lucht in, of boodschappen te gaan doen en je leven niet te laten veranderen in een eeuwige cirkel van eten, slapen en werken. Het was maar al te gemakkelijk om in de warme, gezellige omgeving van het zusterhuis te blijven, vooral op koude of regenachtige dagen, tv te kijken en de maaltijden te eten die voor ons werden klaargemaakt.

Ik herinner me het klassieke verhaal van een van de verpleegkundigen van de afdeling intern maar al te goed. Zij was zo gewend aan haar interne leventje in het ziekenhuis en het zusterhuis, dat ze – toen ze met pensioen ging – niet eens wist hoeveel een fles melk kostte.

Het leven op Parker ging zijn gangetje en we hadden het gevoel dat we een zeker evenwicht hadden verkregen. Dat was merkbaar aan de warme, prettige sfeer die op de afdeling hing. Er wordt wel gezegd dat het hoofd de sfeer bepaalt, dus geloof ik wel dat mijn aanstelling als hoofdzuster er ook aan heeft meegewerkt.

De patiënten bleven komen en gaan, met een duidelijke trend naar vierentwintiguurspatiënten en snelle ontslagen en verdere nazorg door de huisarts en de wijkverpleging. Voor het ziekenhuispersoneel betekende dit een snel verloop van patiënten en dat betekende weer meer administratie en in zekere zin een gebrek aan continuïteit in de zorg voor individuele gevallen.

'De meisjes zien nooit een patiënt van het begin tot het einde,' kon Burrows wel eens brommen. 'Met die vermindering van diensturen en vrije dagen en patiënten die zo snel weer weggaan dat hun hechtingen er door de wijkzuster moeten worden uitgehaald, lijkt het verdorie wel lopende-bandwerk!'

Burrows, Doreen en Violet Armstrong spraken vaak over 'de goede oude tijd' in de verpleging en begonnen die tijd steeds meer te verheerlijken. Ze hadden beslist een rijke en levendige herinnering aan hoe de dingen 'vroeger' werden gedaan. De ziekenhuiszorg was tijdens hun leven snel en op veel belangrijke punten veranderd, misschien wel meer dan enig ander gebied.

'Weet je nog dat we 's nachts vierkante gazen moesten maken voor de volgende dag? Dan moesten we grote rollen gaasverband knippen, vouwen en verpakken in luchtdichte pakken en dan naar de sterilisatie sturen.'

'Die leerlingen van tegenwoordig zijn ook zo bloedjong – ze krijgen al die steriele verpakkingen zomaar in hun schoot geworpen. Alles is al ingepakt en voorverpakt, gesteriliseerd, klaar voor gebruik en het is allemaal wegwerpspul. Wat een verspilling.'

'Ik weet zelfs nog dat we rubber catheters en glazen spuiten op de afdeling moesten uitkoken – toen was die plastic rommel er nog niet. En we moesten de naalden naar de chirurgische voorraadkamers brengen om ze bij te laten slijpen.'

Maar ze moesten toegeven dat die gewoonten wel erg onpraktisch waren geweest, en niet in de laatste plaats voor de billen van de arme ontvanger.

Violet Armstrong was eindelijk definitief bij het Gartland aangenomen, en ze zag er stukken beter uit in haar goedzittende uniform. Ze had de plaats ingenomen die zuster Witherden had opengelaten. Na lastige en aanhoudende rugklachten had zuster Witherden besloten zich verder aan minder zwaar werk te wijden, en ze werkte nu op de poli.

Violet bleek een populair en vindingrijk lid van het Parker-team en ze hielp ook graag leerlingen.

Er werden al sollicitatiegesprekken gevoerd over een eerste verpleegkundige voor onze afdeling en we wachtten met ingehouden adem om te zien wie er gekozen zou worden om onze gelederen te komen versterken. Ondertussen kon ik rekenen op de hulp van een evenwichtige vaste staf, vooral mijn volwassen trio van oude getrouwen. En we hoopten dat Kiki Woods na de geboorte van haar baby terug zou komen.

We werkten grotendeels dank zij de regelmatige stroom leerlingverpleegkundigen die naar Parker kwam om daar ervaring in chirurgische verpleging op te doen. Ik had gemerkt dat ze nogal verschilden, zowel in ervaring als in bekwaamheid, en de eindverantwoording van de afdeling kwam op mij neer. Het gediplomeerde personeel moest de leerlingen helpen en leiden tijdens hun stage bij ons. Mijn meisjes leken de uitdaging en de prikkel die de voortdurende toeloop van leerlingen met zich meebracht wel leuk te vinden. Ze waardeerden hun vragen en hun interesse om iets van hun meerdere op te steken.

Velen vonden de emotionele spanning moeilijker te aanvaarden dan het pure fysieke gezwoeg. Dat was vooral zo bij mevrouw Gilray, een terminale patiënte met kanker die midden op een zaal vol optimistische operatiepatiënten lag. Het feit dat ze er zelf niet van op de hoogte was – of beter gezegd, dat ze de ernst van haar toestand niet wilde inzien – maakte het erg moeilijk voor de leerlingen.

Het was in zekere zin het ergst voor diegenen onder ons die zich mevrouw Gilray nog van de eerste opname herinnerden. Maar voor de jongerejaars speelde het feit dat ze voor het eerst een terminale zieke onder ogen kregen.

Mevrouw Gilray had een mastectomie ondergaan – verwijdering van een borst waar een knobbel inzat – en had zich goed hersteld. Binnen een jaar was ze echter terug op de afdeling met een tweede knobbel aan de andere kant, en wat nog veel doorslaggevender was: ze had talloze uitzaaiingen in botten en lever. De vaart waarmee de kanker zich had verspreid was enorm geweest en haar achteruitgang was ontmoedigend drastisch.

Ze had nu voortdurend pijn in haar borst en rug en ze werd bestraald, maar daar werd ze erg misselijk van. De bestraling was palliatief, wat betekent dat deze de symptomen kon verzachten, maar geen genezing bracht. De tumor kon misschien wat slinken, de pijn wat verzacht worden, maar de kanker bleef aanwezig en zou vroeg of laat toeslaan.

Het verbazingwekkende was dat mevrouw Gilray opgewekt bleef en het was moeilijk voor ons dat optimisme te delen. Ze had er feitelijk geen idee van dat haar ziekte dodelijk was en dat ze in levensgevaar verkeerde. Ze lag in het ziekenhuis en had het grootste vertrouwen in de artsen en hun behandeling, en ze was ervan overtuigd dat ze beter zou worden.

Nou ja, ze zou beter worden in de betekenis van 'minder erg', maar niet beter in de zin van 'genezen'.

De leerlingen vonden het moeilijk met mevrouw Gilray om te gaan. Ze kenden haar prognose, maar zij had haar lot nog niet geaccepteerd. De jongerejaars waren bang dat ze moeilijke vragen zou stellen waarop ze geen antwoord zouden weten, en waar ze zich ook niet uit zouden kunnen praten. En dan moesten ze ook nog hun eigen gevoelens de baas worden, die verward waren omdat ze oog in oog met een stervende patiënt stonden.

Er werd mevrouw Gilray verteld hoe de zaken ervoor stonden, een versluierde waarheid die de arts haar in afgemeten hoeveelheden verstrekte zodat haar geest het zou kunnen aanvaarden, en ze werd ontslagen om thuis verder verzorgd te worden.

Sommigen worden beter, anderen niet. Ook ouderen en stervenden verdienen een toegewijde zorg en de leerlingen moesten erop geattendeerd worden dat dit net zo goed deel uitmaakte van hun werk als het veel imponerender reanimatie- en chirurgische werk.

Er waren nog andere personeelsveranderingen: de halfjaarlijkse verandering van afdelingsarts. Dat betekende veel extra werk om de nieuwe assistent-arts de weg en manier van doen in het Gartland en op Parker te leren. Iedere arts had zijn eigen ideeën over hoe de zaken moesten worden aangepakt, maar de arts moest eerst de regels leren.

Ik vroeg me af hoe Sandra zou reageren op het verlies van dokter Salah. Ik was opgelucht toen ik hoorde dat ze haar aandacht nu op een operatieassistent concentreerde; precies op tijd, dacht ik. Dat bespaarde ons een emotionele crisis wanneer dokter Salah zou vertrekken.

Een van de grote voordelen van intern wonen was dat ik nu naar de kraamafdeling kon waar zowel Kiki als Janet waren opgenomen. De autoriteiten stonden erop het de 'kinderafdeling' te noemen, maar dat leek een pretentieuze naam voor een gerenoveerde Victoriaanse verblijfplaats. De afdeling werkte echter goed en stond in hoog aanzien bij de moeders in de buurt, die verreweg de voorkeur aan deze 'kraam' gaven boven een groot, onpersoonlijk, modern complex.

Janet werd drie weken voor de datum waarop ze was uitgeteld naar de prenatale afdeling gebracht om te rusten, aangezien haar bloeddruk te hoog was. Een voortdurende hoge bloeddruk kan de bloedtoevoer naar de placenta en de baby belemmeren en de kansen voor de baby om goed te groeien verminderen.

Uiteraard had Janet algauw meer dan genoeg van het liggen in het ziekenhuis terwijl ze thuis zoveel te doen had om alles voor de nieuwe baby klaar te maken. Ze maakte zich ook zorgen over hoe het met haar twee andere kinderen zou gaan die – hoewel ze al groter waren – hun moeder toch wel zouden missen als het zo lang ging duren.

Ze was blij dat ik haar kwam opzoeken als ik daar even tijd voor had, en haar op de hoogte bracht van de laatste ziekenhuisroddels. Ik mocht niet in mijn uniform op die afdeling komen, aangezien ik dan bacteriën van het algemene deel van het ziekenhuis kon overbrengen, dus ik moest me altijd eerst omkleden voor ik op bezoek ging.

Janet beviel van een mooie zoon. Het was een prachtexemplaar, ondanks alle bezorgdheid voor zijn geboorte. Haar reeds geoefende uterus perste hem er na vijf uur weeën uit.

Kiki had het minder gemakkelijk. Ze had een langdurige bevalling, wat op zichzelf al uitputtend is, en op het laatste ogenblik kreeg de baby het benauwd en moesten ze toch nog snel een keizersnede doen om zijn geboorte te bespoedigen.

Ik nam bloemen mee naar Kiki, een attentie van de hele afdeling, en ze barstte prompt in tranen uit. Een combinatie van opluchting, vreugde en pure vermoeidheid.

Die arme Kiki was zo moe en afgemat. En bovendien was ze erg teleurgesteld dat ze een operatie nodig had gehad. Ze had zich zo voorbereid op de geboorte dat ze nijdig was dat ze geen natuurlijke geboorte had meegemaakt en de baby niet had kunnen zien op het ogenblik dat hij de wereld inkwam en haar lichaam verliet.

Bij een keizersnede wordt de buikwand net onder de navel opengesneden. De chirurg snijdt vervolgens de uteruswand open en trekt het glibberige kind er snel uit, net een konijntje dat uit de hoed van een goochelaar te voorschijn komt. De moeder moet dan in die vermoeiende postnatale periode zowel van een operatie herstellen, als voor een nieuwe baby zorgen.

In tegenstelling tot normale baby's die via de vagina geboren worden en er vaak wat verkreukeld uitzien en soms een beetje een punthoofd hebben, zien keizersneebaby's er altijd rond, glad en direct mooi uit. Kiki accepteerde uiteindelijk de nare tijd dat ze de weeën had gehad en besefte dat het allemaal voor het welzijn en de uiteindelijke overleving van de baby was geweest.

Haar baby was ook een jongetje en hij was allerliefst. De trotse en blije vader die altijd al gemakkelijk bloosde liep wel veertien dagen rond met een permanent rood gezicht.

Janet herstelde zich snel en was binnen achtenveertig uur weer thuis om in haar eigen slaapkamer verder uit te rusten en te slapen, zonder de afleiding van andermans huilende baby's.

Toen ik haar uitzwaaide, merkte ik dat ze op het punt stond haar kraamvrouwenhuilbui te krijgen, oftewel de huilbui van de derde dag. Het is een gewoon verschijnsel dat een vrouw snel na de bevalling een korte maar hevige huilbui krijgt, vermoedelijk als reactie op de verrukking die op de geboorte volgt.

'Ik blijf contact met Kiki houden,' verzekerde ze me, 'wanneer we hier allebei weg zijn met onze baby's. Arm kind,' zei Janet ernstig. 'God, hoe kan iemand een baby krijgen zonder een moeder in de buurt tot wie je je kunt wenden?' Ze slikte een snik in en slikte nog eens, terwijl ze naar Kiki keek die haar jongetje lag te voeden.

Sterke woorden en sterke gevoelens. Ik probeerde te begrijpen wat ze bedoelde en hoe Kiki zich moest voelen zonder moeder tot wie ze zich kon wenden om haar diepste gedachten en angsten mee te kunnen delen.

Twee maanden later gonsde het ziekenhuis van de plannen voor het zomerfeest, het jaarlijkse theemiddagje om de ziekenhuisfondsen wat op te vijzelen, waar alle deelnemers altijd weer met volle teugen van genieten.

Onder supervisie van Doreen en zuster Burrows bood Parker aan de cakekraam voor zijn rekening te nemen, iets dat blijkbaar al sinds jaar en dag de gewoonte was.

De intern wonende dames – en daar viel ik nu ook onder – hoefden gelukkig niet in het zusterhuis gaan staan bakken, maar mochten de cakes buitenshuis kopen. Van de rest van het personeel werd verwacht dat ze hun beste beentje voor zetten en allerlei lekkers te koop aanboden.

Het *pièce de résistance* van Burrows was een grote geglazuurde taart versierd met kersen en die zou verloot worden. De zusters moesten op de dag van het feest tijdens het bezoekuur kaartjes verkopen in het ziekenhuis en in de tuin.

Onze patiënten en hun bezoekers waren erg gul met hun giften voor onze kraam. Alle extra dozen chocolaatjes en pakjes koekjes werden uit de nachtkastjes opgediept en bij de buit gedaan. Sommige dames waren blij dat ze nu een goed doel konden dienen met de steeds groter wordende stapel dozen die hen er alleen maar toe verleidden hun slanke-lijndieet te vergeten.

De feestdag zelf begon onder ideale omstandigheden en verzekerde ons van een prettige middag voor de mensen uit de buurt. Net na twee uur in de middag liep het stukje grond achter het hoofdgebouw vol mensen die allemaal geld spendeerden aan het goede doel. Zelfs de verliezers hadden niet het gevoel dat hun geld verspild was.

Het afgelopen jaar was ik tijdens het feest op vakantie geweest, dus dit was een heel nieuwe ervaring voor mij. En eerlijk gezegd was ik diep onder de indruk. Onder de indruk van al het harde werk dat vrijwillig door het personeel, de familieleden en de plaatselijke liefdadigheidsverenigingen was verzet. Ik was ook onder de indruk van de hoeveelheid ideeën en de aantrekkelijke activiteiten die werden geboden. Geen wonder dat het Gartland-feest ieder jaar weer zo'n succes was.

De Rotary Club had een drakentreintje dat echte rookwolkjes uit zijn neusgaten blies en waar de kinderen voor tien pence per rit mee over het hele terrein van het ziekenhuis konden rijden. Het Verbond van Vrienden van het Gartland had een tombola met een uitgebreide selectie prijzen die gul geschonken waren door plaatselijke winkeliers.

Werpspelen met ringen, ritjes op ezeltjes, trek een strootje, win een goudvis, noem de naam van de pop, koop een plant, een cake of een knuffelbeest dat op de afdeling bezigheidstherapie is gemaakt. Je kon doen wat je wilde in die zonovergoten tuin van het Gartland.

De patiënten in hun ochtendjassen deelden samen met het bezoek in de vreugde, evenals veel personeelsleden. Uiteraard moesten er wel een paar op de afdelingen achterblijven bij de bedlegerige patiënten, maar de zusters losten elkaar af, zodat iedereen even kon meedoen.

Ik zag Bernie bij de theetent staan, waar hij een kopje thee dronk met een van zijn jongere patiënten die aan een rolstoel was gekluisterd.

'Hoi, Bernie, lang niet gezien,' zei ik en begroette de patiënt ook. 'Waar is George?'

De jongen grinnikte. 'Hij is in ieder geval niet in de discotent. O, daar is mijn moeder.' En de jongen rolde naar zijn bezoek toe.

'Hij is in ieder geval niet in de discotent,' herhaalde Bernie. 'Vervelende oude sok. Je ziet wel dat de patiënten hem zelfs doorhebben. George hangt op het ogenblik de grote martelaar uit. "Tja, iemand zal de vesting moeten verdedigen en voor de patiënten moeten zorgen, meneer Marshall," krijg ik nu te horen. Maar hij wil hier niet eens naartoe komen, zelfs niet als ik terugkwam en hem zou aflossen. Hij zit verschrikkelijk te mopperen en lijkt op de kat zijn achterste.'

'Hè?' Die uitdrukking kende ik niet.

'Het achterste van een kat, je weet wel,' en Bernie trok zijn lippen in een rondje, en ik begreep precies wat hij bedoelde.

'O, op die manier! Dat is George met zijn "je hebt me beledigd"-uitdrukking,' zei ik, aangezien ik helemaal *au fait* was met de grillen van George Carter. Maar ik hoefde niet met hem samen te werken. Misschien was het dan minder leuk om dat allemaal te moeten aanzien en aanhoren.

'Ik heb er meer dan genoeg van, Helen,' zei Bernie, en wees naar zijn voorhoofd. 'Hij is echt absoluut onmogelijk. Zo weinig soepel, zo ongelooflijk onbuigzaam. Zo autoritair en ouderwets. Fleming is een fijne afdeling, maar er hangt een ellendige sfeer als hij in de buurt is. Ik heb het nog tegen niemand gezegd, Helen, maar ik ben naar een andere baan aan het uitkijken, wel binnen Gartland, hoor.'

'Dat verbaast me niets,' antwoordde ik eerlijk. 'Ik sta alleen versteld dat je het zo lang hebt uitgehouden. George is berucht om de snelheid waarmee hij eerste verpleegkundigen verslijt. Het moet de administratiejongens heel wat hoofdbrekens kosten steeds maar nieuw personeel aan te dragen, terwijl híj de oorzaak van alle problemen is. Maar hij zal toch wel gauw met pensioen gaan?'

'Voor mij niet gauw genoeg ben ik bang, meisje,' antwoordde

Bernie met een ontevreden klank in zijn stem. 'Er gaan geruchten dat als Chris Fowler gaat trouwen, ze bij de intensive care weggaat en een baan dichter bij huis gaat zoeken. Ik denk dat ik het eens op de intensive care ga proberen, dat zou een goede ervaring zijn voor ik met de docentenstudie begin en misschien heb ik daar ook meer de gelegenheid mezelf te zijn en míjn ideeën wat meer ten uitvoer te brengen.'

'Thee, zuster?' vroeg iemand achter me. Het was de echtgenoot van een van mijn patiënten.

'O, graag,' zei ik verbaasd.

'Ik zag u hier staan toen ik in de rij stond, zuster. En bovendien wil ik u bedanken,' zei hij op ernstige toon, 'het gaat zo goed met mijn vrouw op Parker. We zijn er erg blij mee.'

Hij liep weg met zijn blad met thee en cake en ik zwaaide even naar zijn wachtende vrouw.

Toen ging Bernie verder. Hij verkeerde in een tamelijk neerslachtige stemming. 'Het is niks gedaan: op het werk heb ik George en thuis mijn moeder die loopt te kirren; wat een leven. Thuis wonen bij mijn moeder valt niet meer mee, het belemmert me in mijn bewegingsvrijheid. Ik heb het gevoel dat ik me ergens moet gaan vestigen, een eigen huis moet zien te krijgen, misschien een flat in de buurt van mijn moeder. Het is in ieder geval een goede investering. Heb jij er wel eens over gedacht iets te kopen, Helen?'

'Ja, wel eens,' loog ik. Ik had altijd in mijn achterhoofd het idee gehad dat ik een huis zou kopen waar ik zou gaan wonen als ik getrouwd was. Voorlopig had ik geen duidelijker plannen, maar ik denk dat ik dat onbewust op mijn levensagenda had gezet. Op het moment had ik het goed naar mijn zin en was tevreden met mijn bestaan als werkende vrouw, maar op een dag zou ik ongetwijfeld ook door een pijl van Amor worden geraakt, evenals dat bij mijn collega's het geval was geweest. En dan zou ik een gezin willen hebben. Ik zag mezelf nooit als een vrijgezelle zuster die eeuwig in haar werk zou blijven hangen.

Eigenlijk lag mijn privé-leven net weer in duigen, aangezien Peter het Gartland ging verlaten en een baan had aangenomen in een ziekenhuis dat zich in oogheelkunde specialiseerde. Hij was bezig zich te specialiseren. Maar het was dichtbij, zodat we elkaar konden blijven zien. En dat wilde hij ook beslist.

'Nou, ik ga maar weer eens een beetje verder wat geld uitgeven,' zei ik, en liet Bernie achter.

'Joehoe, tante Helen,' hoorde ik een jonge stem roepen vanuit de draak die langs pufte en ik zag de twee jongens van Christina gevaarlijk over de rand hangen. Ik zwaaide naar hen en keek rond naar Christina, die bij de ijskraam bleek te staan.

'Wat is het hier heerlijk voor de jongens, Helen,' zei Christina. We praatten even terwijl zij de kinderwagen wiegde. Beiden vermeden we het om over Susy of de flat te spreken.

Haar innigste gebeden waren verhoord in de vorm van dit heel erg gewenste meisje. Baby Helena – een oude Griekse naam – lag te midden van een wolk van roze, roze en nog eens roze alsof ze haar vreugde over haar aanwezigheid wilde benadrukken en haar vrouwelijkheid luid en duidelijk wilde beklemtonen.

In de verte zag ik nog twee wandelwagens naast elkaar geparkeerd en daar stonden Kiki en Janet bij elkaar. Ze zagen er allebei heel gelukkig en stralend gezond uit nu ze hersteld waren van de bevalling en de postnatale periode.

'O, zuster, ik ben zo blij dat ik u heb gevonden, we hebben een geweldige verrassing,' zei Kiki, helemaal opgewonden.

En voor ze nog iets kon zeggen, werd ik van achteren bij mijn middel beetgepakt.

Het was Kim, kleine Kim Sargent. En haar moeder Arlene, die er als een toonbeeld van gezondheid uitzag. Het was een hartstochtelijk weerzien daar op die zomerse dag; wat een tegenstelling met die vochtige, akelige dag toen we elkaar voor het eerst hadden ontmoet na die tragedie.

Arlene en Kim zouden gauw naar een woning in de buurt van de grootouders verhuizen, want daar in de omgeving had Arlene een baan gevonden. En tot die tijd logeerden ze bij Kiki en haar nieuwe baby.

Ik stond erop dat we wat intensivecare-personeel zouden zoeken die zich hen zouden herinneren, en het enig zouden vinden een van hun succesverhalen in levenden lijve te zien rondlopen.

'Kiki, mag ik Benjy vasthouden nu hij wakker is?' vroeg Kim.

Baby Benjamin werd uit zijn lekkere wagentje gehaald. Hij rekte zich uit en geeuwde uitgebreid en probeerde toen het felle zonlicht af te weren.

We stonden allemaal om hem heen het lieve jochie te bewonderen en hij gorgelde waarderend bij al die aandacht.

Ik stak mijn vinger naar hem uit en hij pakte hem stevig beet met zijn gladde, warme vuistje.

'Wanneer is het uw beurt, zuster?' vroeg Arlene, meer om iets te zeggen dan als werkelijke vraag.

Ik gaf geen antwoord, maar glimlachte en streek de baby even onder zijn kin.